ANNE ZOUROUDI

DE BOODSCHAPPER UIT ATHENE

SIJTHOFF

Oorspronkelijke titel: *The Messenger of Athens*
Vertaling: Mieke Trouw-Luyckx
Omslagontwerp: Marry van Baar
Omslagfotografie: © Paul Knight / Trevillion Images

De citaten van Homerus zijn afkomstig uit de 'Odyssee', Boek v, vs 48 en vs 51, en uit Boek I, vs 32. Dankbaar is gebruikgemaakt van de vertaling van H.J. de Roy van Zuydewijn, uitgegeven bij De Arbeiderspers, Amsterdam, 1992.

ISBN 978 90 245 6061 5
NUR 305

www.boekenwereld.com

Voor Jim, die altijd
een rotsvast vertrouwen
in me heeft gehad.

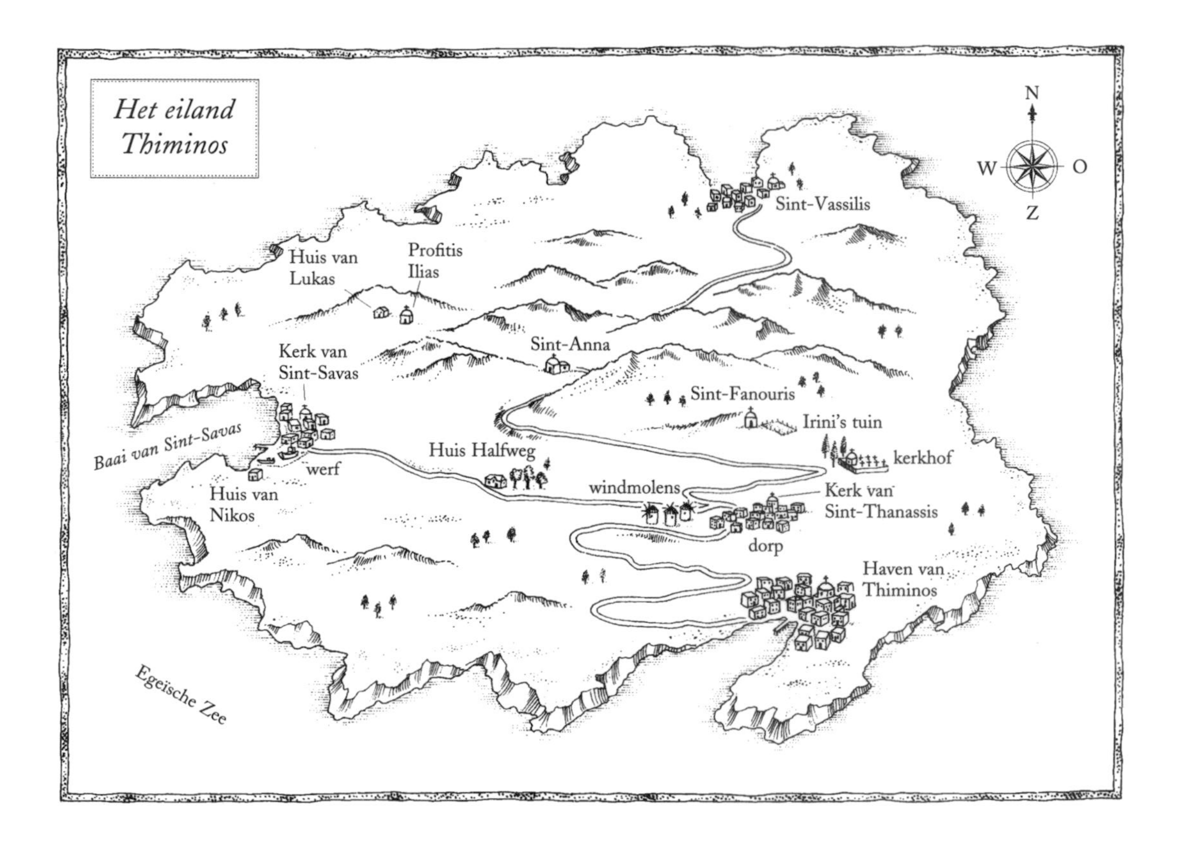
Het eiland
Thiminos
N
W
O
Z
Sint-Vassilis
Huis van
Lukas
Profitis
Ilias
Sint-Anna
Kerk van
Sint-Savas
Sint-Fanouris
Irini's tuin
Baai van Sint-Savas
Huis Halfweg
kerkhof
werf
windmolens
Kerk van
Sint-Thanassis
Huis van
Nikos
dorp
Haven van
Thiminos
Egeïsche Zee

Vlug gaf Hermes, de bode der goden, gevolg aan zijn woorden.
Dadelijk snoerde de god aan zijn voeten zijn mooie sandalen,
't gouden en goddelijk schoeisel dat hem zo snel als de winden
over de zee draagt en 't niet te bemeten gebied van de aarde.
Over Piërria zwevend schoot hij omlaag naar de zee en
scheerde over de golven, een vogel gelijkend, een zeemeeuw
die boven zee en vlak langs de dreigende golfslag op vis jaagt
en met zout water zijn dichtgevederde vleugels bevochtigt...

HOMERUS, 'de Odyssee'

PROLOOG

Het was lente. De lucht was helder en fris, de bergplanten stonden in bloei. Het was een heerlijke dag om buiten te zijn.

Zij was al twee dagen buiten.

Ze hadden haar eindelijk gevonden, maar ze gingen niet eerbiedig of voorzichtig met haar om. Dat kon ook niet, want ze bungelde onder een opstijgende helikopter tussen de kakikleurige, geüniformeerde benen van een soldaat. Ze spreidde haar armen alsof ze iemand verwelkomde, en haar benen hingen wijd uit elkaar, waardoor iedereen in haar kruis kon kijken. Het oorverdovende gedreun van de rotoren, dat door de wanden van het ravijn nog eens werd versterkt en weerkaatst, maakte het onmogelijk om te praten. Dat maakte niet uit, want de soldaten, politiemannen en burgers van het opsporingsteam waren toch al stil nu ze werd opgetakeld. In kleine, sombere groepjes stonden ze langs de rand van de niet omheinde weg te wachten en omlaag te kijken. Onder aan de puinhellingen vol los zand en stenen bevond zich het droge, rotsachtige rivierbed waarin ze had gelegen.

De helikopter vloog laag over de onverharde weg en liet een wolk van rommel opwaaien: stof, stenen, planten die uit de grond waren gerukt. Achter de voorruit van een oude zwarte Toyota sloeg de bestuurder zijn arm om de schouders van een man met rood behuilde ogen. De man kromp in elkaar en wendde zijn gezicht af.

Een legerofficier beschermde zijn ogen tegen de rondvliegende rommel en schreeuwde orders naar een groepje jonge soldaten: 'Opstellen in twee rijen, vier aan elke kant, opstellen in twee rijen!' Zijn woorden gingen verloren in het gebrul van de roterende bladen en slaagden er niet in de soldaten te bereiken. Hij verloor zijn geduld en rende kwaad naar voren om een van de jongens bij de arm te grijpen en naar de juiste plaats te sleuren. Daarna begon hij aan de kameraden van de jongen te sjorren tot ze in de opstelling stonden die hij voor ogen had.

'Vang haar op als ze omlaag komt,' schreeuwde hij. 'Laat haar niet vallen!'

De jongens, kersverse dienstplichtigen met grijze, gemillimeterde hoofden en weke, ongetrainde spieren, hoorden hem niet. Ze trokken lelijke gezichten en maakten achter zijn rug obscene gebaren. Nerveus en met bonkend hart strekten ze in twee wanordelijke rijen hun armen uit om haar op te vangen.

Behandel haar voorzichtig, hadden ze te horen gekregen. Met gepaste eerbied.

De andere mannen keken toe.

Langzaam kwam ze omlaag. Door de brede canvas draagband onder haar oksels hing ze scheef en kwamen haar gespreide benen het eerst beneden. Meteen waren de jonge soldaten van slag: hoe moesten ze nu omhoogkijken en haar opvangen zonder onder haar rok te gluren? Ze moesten haar toch met gepaste eerbied behandelen? Maar toen ze dichter bij de grond kwam, werden de jongens steeds meer afgeleid door de aanzwellende storm van rondvliegend stof. Ze hadden het zo druk met stof uit hun neus blazen en gruis op de grond spugen dat ze niet eens merkten dat haar benen binnen handbereik kwamen. Boven hen schreeuwde de man aan het touw: 'Pak haar vast, stelletje sukkels!' Ze hoorden hem niet. Het volgende moment hingen haar benen voor hun neus, waardoor hun dilemma opeens veranderde. Nu was de vraag niet meer hoe ze konden voorkomen dat ze onder haar rok keken, maar hoe ze ooit nog aan vrouwenbenen konden denken zonder deze benen te zien. De versplinterde, glanzende botten staken door de huid naar buiten en de voet hing in een onnatuurlijke hoek ten opzichte van het scheenbeen. Op de geel verkleurde huid zaten overal blauwe plekken, en aan de achterkant van de dijen en kuiten verraadden donkerpaarse plekken waar haar bloed naartoe was gestroomd.

Ze zetten zich schrap voor de aanraking met het dode vlees en pakten het lichaam beet. Haar blote armen waren koud, maar verder voelde ze niet akelig aan. Op het moment dat ze zich klaarmaakten om de draagband onder haar oksels vandaan te halen, hadden ze het gevoel dat ze tegen hun taak waren opgewassen en dat ze het ergste achter de rug hadden. Toen zagen de twee jongens bij haar hoofd dat ze zich hadden vergist. Haar ogen waren niet dicht, zoals ze hadden gedacht, maar weg, opgegeten. Schreeuwend trokken ze hun handen onder haar vandaan. Haar hoofd klapte achterover. De officier, die met opzet op een afstandje was gaan staan, vormde met zijn mond verwensingen die ze niet konden verstaan. Hij rende naar hen toe en dwong de kokhalzende jongens weer op hun plaats te gaan staan. Hij legde haar hoofd in hun handen, terwijl de anderen worstelden om haar uit de draagband te krijgen.

De taak zat erop. De officier seinde naar de bemanningsleden van de helikopter, die de man aan het touw omhooghesen. De helikopter zwenkte opzij, steeg op en vloog in zuidelijke richting, naar open zee.

De stilte na het vertrek van de helikopter leek oorverdovend. De plotselinge kalmte overviel de mannen, die kuchten, sigaretten uittrapten en om zich heen keken. Nu werd er iets van hen verwacht. Haar lichaam was geborgen, maar wat moesten ze nu doen? De jonge soldaten hielden haar met afgewende blik en een vertrokken gezicht ter hoogte van hun middel.

De politiecommissaris liep naar de legerofficier. Hij veegde het stof van de mouwen van zijn uniform en streek zijn haren glad. Nu de lucht weer opklaarde, dreef haar misselijkmakende geur naar hen toe. Uit het niets verschenen vliegen, die op haar gezicht gingen zitten.

'Wie neemt haar mee naar beneden?' vroeg de legerofficier. Hij was op de hoogte van hun geloof, hun bijgeloof en de plaatselijke taboes.

'Ik vraag het wel aan Lakis.' Lakis was een Kretenzer, een buitenstaander. Hij wilde elke klus klaren, als hij er maar voor werd betaald. De politiecommissaris wenkte de lange, kalende man die naast een witte pick-up stond en wees van het dode lichaam naar het voertuig. Daarna draaide hij zijn hand om de vraag in de gebarentaal van de Grieken te stellen. Lakis boog zijn hoofd. Het antwoord was ja.

De legerofficier gebaarde naar de jonge soldaten. Ze liepen wankelend naar de achterkant van de pick-up en schoven haar op haar rug in de vuile laadbak van de auto.

De politiecommissaris riep een jonge priester in een zwarte toga, die op een rots een dunne, slordig gerolde sigaret zat te roken. De priester, die een dikke baard had, stond op en veegde de as van de rok van zijn gewaad. Hij liep naar de pick-up, keek naar de vrouw en stak zijn armen over de rand om haar armen voor haar borst te vouwen. Daarna tilde hij zijn hand op om langzaam het driepuntige kruisteken van de orthodoxe kerk te maken. De mannen bogen het hoofd en sloegen ook allemaal een kruisteken over hun hart.

Lakis ging achter het stuur van de auto zitten. De priester hees zijn rokken op en ging naast hem zitten, gevolgd door de politiecommissaris. Langzaam reden ze van de berg af. Een voor een reden de pick-ups, auto's en jeeps van het reddingsteam achter hen aan.

Hoewel het ongepast was om op dit moment grappen te maken, kon Lakis het tijdens het schakelen niet laten om een botte opmerking over haar geur te maken. Nog voordat ze de eerste bocht in de weg hadden bereikt, zaten de Kretenzer, de priester en de politiecommissaris alle drie te lachen.

1.

Vroeg in de ochtend, een bewolkte lucht. De zee, die door een bijtende wind in een zanderige smurrie was veranderd, was troebel geworden. De banden van de langzaam rijdende vuilniswagen verbreedden de plassen die de regen die nacht had achtergelaten. Door de roestige goten druppelde water op de treden van de National Bank en de kramen van een verlaten vismarkt. Op het terras van het café veegde een vrouw voorovergebogen de natte bladeren van een plataan weg, en in de kerktoren waarschuwde een klok de parochianen dat het tijd werd om naar de mis te komen. De afgemeerde bootjes dansten, schommelden en trokken aan hun touwen. Achter de landtong ging het getoeter van de naderende veerboot verloren in de met regen bezwangerde storm.

Op het bovenste dek leunde een vreemdeling op een reling die uitzicht bood op de achtersteven. Het was een dikke man, die er al stond sinds het op die sombere ochtend licht genoeg was geworden om de voorbijglijdende, donkere zee te kunnen zien. Hij keek naar het schuimende kielwater, dat opspatte en weer door de zee werd opgenomen, en wachtte tot hij hun bestemming in het oog kreeg. Van tijd tot tijd haalde hij een pakje sigaretten uit de zak van zijn regenjas. De jas flapperde om zijn dijen en zijn sigaretten brandden snel op in de harde wind. Hij stak vriendelijk zijn hand op naar elke boot die hij zag, alsof ze elkaar kenden.

Toen de boot de haven binnenliep, ging hij niet bij het ongeduldige groepje mensen staan dat beneden wachtte tot de laadklep openging. In plaats daarvan keek hij rustig naar de andere passagiers, die elkaar verdrongen om op de kade te komen.

Een bemanningslid dat met een schroevendraaier in een lier van het anker prutste, sprak hem luid aan.

'Allemaal uitstappen, vriend.'

De dikke man glimlachte.

'Ik wens u een prettige dag,' zei hij, en tilde de weekendtas aan zijn voeten op. Met de tas in zijn hand daalde hij de ijzeren trap af en liep de kade op.

In de regen liep hij de andere mensen voorbij om te gaan schuilen in het portiek van een slagerij, waar het naar bloed en bleekmiddel rook. De menigte waaierde uiteen. Mensen schreeuwden begroetingen, namen luidkeels afscheid, en namen hun met riemen dichtgemaakte koffers, boodschappentassen, onopgevoede kinderen en kratten fruit mee. Toen was iedereen weg en bleef hij alleen achter.

Hij kwam uit het portiek en liep de regen in.

Eerst wist hij niet goed waar hij moest zoeken, maar al gauw zag hij dat ze hun verblijfplaats verraadden. Aan het einde van de haven, in de luwte van de hoge zeewering, stonden een stuk of tien slordig geparkeerde auto's. Daartussen, bijna verborgen, stond een auto met hun opvallende uitmonstering. Toen hij dichterbij kwam, kon hij de witte letters op de auto lezen: *Astinomia*. Politie.

Op de stenen voorgevel van het gebouw aan zijn linkerhand groeide een uitbundige winde, die overal zijn bleke, trompetvormige bloemen liet zien. De plant had zijn ranken om hun bordje gewikkeld, waardoor het woord 'politie' bijna helemaal schuilging. Toch viel zijn oog op het bordje en zag hij een gebogen pijl in de richting van een lange, smalle stenen trap wijzen.

De dikke man rende tamelijk lichtvoetig naar boven, waar hij bij een zware deur zonder enig merkteken kwam. Hij trok de deur open en ging naar binnen.

Hun kantoor had indrukwekkende afmetingen, maar was sober ingericht. Tussen de muren en het hoge plafond zat een versierde kroonlijst van pleisterwerk, maar de ongelakte vloerplanken waren kaal en zaten vol omgeslagen kopspijkers, alsof de vloer ooit bedekt was geweest en niemand de uitgerukte vloerbedekking of linoleum had vervangen. Het was niet te zien of ze het gebouw gisteren hadden betrokken, morgen weg zouden gaan of hier al jaren zaten zonder zich om de tekortkomingen te bekommeren. Misschien zagen ze niet eens dat er voor de gebarsten ruiten van de hoge, smalle ramen met uitzicht over zee geen jaloezieën hingen, of dat de lamp een kaal peertje was dat aan zijn lange draad in de tocht van de deur heen en weer zwaaide. Misschien kon het hen helemaal niet schelen dat er geen dossierkasten of handboeken met procedures waren, dat er geen posters of mededelingen op de bleke muren hingen en dat de bezoekers geen stoelen hadden als ze een klacht kwamen indienen.

Hij ging in het midden van het vertrek staan en zette zijn weekendtas voorzichtig neer, alsof er iets breekbaars in zat. De drie politiemannen keken hem zwijgend en met een ongastvrije blik aan, alsof hij op een cruciaal moment een privégesprek had verstoord. Achter het functionele, stalen bureau achter de deur zat een iel mannetje, dat nog kleiner leek door zijn te grote uniform. Hij tikte met de botte punt van een afgekauwd potlood langzaam op de bovenkant van zijn bureau. Het ritme vulde de steeds langer durende stilte. Zijn blik gleed van de dikke man naar de deur, alsof hij een geschikt moment afwachtte om het vertrek te verlaten. De spullen op zijn bureau – een nietmachine, een stempeldoosje, een rubberen stempel en verder niets – zagen er niet uit alsof hij een dringende reden had om hier te blijven. Tegenover hem zat een zwaargebouwde man met een stierennek en dikke hangwangen. Hij had dik, wit haar en komische, donkere wenkbrauwen. Hij leunde met zijn armen op een soortgelijk bureau, dat ook bijna helemaal leeg was. Zijn werkplek bevatte drie balpennen, allemaal keurig met het dopje erop, twee opengemaakte enveloppen met brieven erin, en een ouderwetse bakelieten telefoon, waarvan het gedraaide koord tussen zijn voeten hing en door een geboord gat in de plint achter hem verdween. Zijn natte, rode lippen hingen slap, waardoor hij de indruk gaf traag en dom als een koe te zijn. Toen de dikke man binnenkwam, ging hij zo zitten dat de zilveren, geborduurde brigadiersstrepen op zijn mouw de bezoeker niet konden ontgaan.

In het schemerdonker achter in het vertrek, zo ver van de ramen dat het licht er bijna niet kon komen, zat de derde man. Hij had zijn slanke benen bij de enkels gekruist en stak ze door de knieruimte van een ruim, antiek bureau. Aan weerszijden van zijn benen hingen ladeblokjes met koperen handvatten en kleine slotjes. Het bureau lag aan beide kanten vol met stapels papieren: kartonnen mappen, lege formulieren, ingevulde formulieren die in tweevoud en drievoud waren ondertekend, aanvragen voor vergunningen, parkeerbonnen, waarschuwingen wegens overtredingen, dagvaardingen, reçu's, memo's, brieven, visitekaartjes en computeruitdraaien met felgekleurde strepen. Rond zijn voeten lagen nog meer dossiers, die allemaal data, cijfers of namen op de rug hadden. Midden op het bureau, op het versleten, met goud versierde leer, lag een gesloten dossiermap, waarop iemand met zwarte, dicht bij elkaar staande blokletters het woord 'Asimakopoulos' had geschreven. Als een rat die vanuit zijn hol naar buiten tuurt, keek hij tussen de stapels papier door naar de dikke man. In de schaduw was zijn gezicht griezelig bleek, en zijn donkere, vernauwde ogen en keurig geknipte snor leken zwart als de nacht tegen de lichte achtergrond van zijn huid.

De donkere ogen namen de dikke man van top tot teen op. Ze bestudeerden zijn forse lijf en keken bewonderend naar zijn pak – zowel naar de snit, die zijn omvang flatteerde, als naar het materiaal, een fijne, grijze mohair. Het was zo'n mooie stof dat hij een lavendelkleurige gloed kreeg als de dikke man zich bewoog. De ogen keken goedkeurend naar het sportieve, dieppaarse shirt onder het pak, waarop links op de borst een groen krokodilletje was genaaid. De ogen zagen ook dat de dikke man een mooie Italiaanse leren riem door de lussen van zijn broek had gehaald, maar dat zijn grijze krullen te lang waren en dat het opvallende montuur van zijn bril al heel lang uit de mode was. En de keuze van zijn schoenen was ronduit verbijsterend. Hij moest wel een excentriekeling zijn als hij zo'n prachtig gesneden pak met tennisschoenen combineerde. Het waren niet eens moderne schoenen, maar ouderwetse, witte tennisschoenen van canvas.

De dikke man keek van de een naar de ander en glimlachte.

De brigadier ging rechtop zitten en schudde aan de mouw van zijn jasje, waardoor de strepen plat op zijn arm kwamen te liggen.

'Wat kan ik voor u doen, meneer?' vroeg hij.

'Ik wil de commissaris spreken.' Het accent van de dikke man was chic en duidelijk verstaanbaar. Hij sprak al zijn woorden keurig uit, zoals de Griekse nieuwslezers. Door het beschaafde accent wisten ze meteen dat hij niet van een van deze eilanden kwam, of zelfs maar uit een straal van tweehonderd kilometer.

'Ik ben de commissaris.' De stem van de man in de schaduw klonk zacht, maar arrogant. Hij trok zijn benen onder zijn stoel en ging ook rechtop zitten.

De dikke man stapte over zijn weekendtas heen om naar het overvolle bureau te lopen en zijn hand uit te steken. Zijn gemanicuurde vingernagels waren vierkant afgevijld, voorzien van een wit randje en gepolijst tot ze bijna ondoorzichtig waren geworden.

'Mijn naam is Hermes Diaktoros,' zei hij. 'Athene heeft me gestuurd om u te helpen bij uw onderzoek naar de dood van Irini Asimakopoulos.'

De agent achter de deur liet zijn potlood vallen. Het kletterde op de vloerplanken en rolde in de richting van de deur, alsof het wilde ontsnappen.

De commissaris, die naar voren leunde om de dikke man een hand te geven, aarzelde even. De iele agent sprong van zijn stoel om zijn potlood op te rapen. De commissaris keek onvriendelijk in zijn richting en nam de hand van de dikke man in de zijne. Na een ferme handdruk tuitte hij zijn lippen, alsof hij iets wilde zeggen, maar er kwam geen woord over zijn lippen.

Daarom ging de dikke man verder met praten. 'Ik neem aan dat mijn naam u verbaast: Hermes Boodschapper. Mijn vaders idee van een grapje. Hij was classicus.'

De commissaris zei nog steeds niets. Hij had geen idee waar de dikke man het over had. De agent, die weer op zijn plaats zat, tikte met zijn potlood op zijn bureau.

'Dit noem ik mijn gevleugelde sandalen.' De dikke man wees naar zijn tennisschoenen en grijnsde breeduit om zijn eigen grapje. Het bleef doodstil.

'Sorry,' zei de dikke man tegen de commissaris. 'Ik heb uw naam niet goed verstaan.'

'Panayiotis Zafiridis,' zei de commissaris. Hij wees achtereenvolgens op de slome brigadier en op het magere agentje: 'Harris Chadiarakis en Dmitris Xanthos.'

'Aangenaam,' zei de dikke man.

De commissaris leunde over zijn bureau naar voren.

'Waarom is de politie van Athene geïnteresseerd in de dood van mevrouw Asimakopoulos?' vroeg hij. 'Daar was niets verdachts aan. Ik vrees dat u de hele reis voor niets hebt gemaakt. Als u me had gebeld, had ik u de moeite kunnen besparen.' Hij haalde zijn schouders op en zette een spijtige blik op. 'Het vervelende voor u is dat er morgen pas weer een veerboot teruggaat.' Hij aarzelde, alsof hij ergens over nadacht, en wees toen naar de telefoon op het bureau van de brigadier. 'We zouden de kustwacht kunnen vragen of ze u vanavond met de sloep naar Kos willen brengen. Een van hun personeelsleden staat nog bij me in het krijt. Daar kunt u zonder problemen een vlucht naar Athene boeken. Harris, bel het kantoor van de havenpolitie eens.'

De brigadier stak zijn hand uit naar het toestel, maar de dikke man draaide zich om en hield hem tegen.

'Een ogenblikje, alstublieft,' zei hij. Hij richtte zich weer tot de commissaris.

'Waar is het lichaam?' vroeg hij zacht.

De agent begon sneller met zijn potlood te tikken.

De commissaris pakte fronsend een notitieblokje en een plastic pen.

'Wie heeft dit sterfgeval bij de politie in Athene gemeld?' vroeg hij. Hij kraste met de pen over het blokje tot de inkt begon te stromen. 'Ik vind dat we het er niet bij mogen laten zitten. Het is een ernstige overtreding om de politie voor niets aan het werk te zetten.' Zijn stem klonk bezorgd.

De dikke man kwam naar voren. Hij zette de vingertoppen van zijn handen op het bureau van de commissaris en leunde naar hem toe.

'We hadden het over het lichaam,' zei hij. 'Ik wil het zo snel mogelijk zien. Dan kan ik verder met mijn onderzoek.'

De agent hield op met tikken. De commissaris liet de woorden even op zich inwerken en spreidde vervolgens zijn handen.

'Ze is gisteren begraven,' zei hij. 'Er was geen reden om het uit te stellen. Zoals ik al zei, was er niets verdachts aan haar dood.'

'Dat maakt niet uit,' zei de dikke man nonchalant. 'Dan neem ik wel genoegen met het autopsierapport.'

De brigadier en de agent deden tegelijkertijd hun bureaula open, haalden er papieren uit en begonnen te lezen.

'Mag ik misschien een stoel?' vroeg de dikke man beleefd.

Zuchtend stond de commissaris op om uit de donkere hoek achter hem een stoel met een rieten zitting te pakken.

'Dank u wel,' zei de dikke man. Hij zette de stoel schuin voor het bureau van de politieman en ging zitten. 'Hebt u misschien ook een asbak voor me?'

De commissaris trok aan het koperen handvat van een bureaula en haalde een zware, bewerkte glazen asbak tevoorschijn, die al halfvol grijze as en bruine, opgerookte peuken zat.

De dikke man stak zijn hand in zijn zak en haalde een pakje sigaretten tevoorschijn, dat helemaal niet bij het einde van de twintigste eeuw leek te passen. Het was een ouderwets doosje waarvan het deksel naar boven moest worden geklapt. Op het deksel stonden het hoofd en de naakte schouders van een filmsterretje uit de jaren veertig. Een krul van haar licht gepermanente, platinablonde haar omlijstte haar kokette glimlach. Het verbaasde de commissaris dat deze doosjes nog te koop waren, want hij dacht dat het merk al jaren van de markt was verdwenen. Onder de naam van de fabrikant stond in een ouderwets lettertype de slagzin van het merk: 'De sigaret voor de man die weet wat kwaliteit is.' De dikke man pakte een lucifersdoosje, schudde ermee en fronste zijn wenkbrauwen toen hij niets hoorde rammelen. Hij legde het doosje op het bureau en zocht nog eens in zijn jaszak. Hij pakte een dunne, gouden aansteker, tikte met de bovenkant van een sigaret op het bureau en stak hem aan. Daarna stopte hij de aansteker weer in zijn zak.

'Het autopsierapport,' zei hij. Tijdens het praten kwam er rook uit zijn mond. 'Ik wil graag een exemplaar voor eigen gebruik.'

Glimlachend leunde de commissaris achterover op zijn stoel.

'Weet u, hier op de eilanden doen we alles op onze eigen manier. Wij zijn niet zoals de mensen in de stad. Wij houden van een meer persoonlijke aanpak, omdat we dichter bij de gemeenschap staan die we dienen.'

'Waar komt u oorspronkelijk vandaan, commissaris?'

'Patmos,' antwoordde de commissaris. 'Ik kom van Patmos.'

'Hoe lang bent u hier al in dienst?'

'Ruim een jaar.'

'Vindt u dat u de plaatselijke bevolking in die korte tijd goed hebt leren kennen?'

De commissaris deed net of hij de vraag niet had gehoord en vervolgde: 'In dit soort gevallen hoort het bij ons werk om een schandaal voor de betrokken familie te voorkomen. Deze mensen vinden hun goede naam erg belangrijk.'

'Waar is het autopsierapport, commissaris?' De stem van de dikke man werd ongeduldig.

'Tja,' zei de commissaris. 'Dat leek me niet nodig. Er is geen lijkschouwing verricht.'

De blik van de dikke man was vriendelijk geweest, maar nu begon hij dreigend te kijken.

'Hoe kan dat?' vroeg hij. 'Mevrouw Asimakopoulos was toch een gezonde jonge vrouw?' De commissaris knikte, ten teken dat dat klopte. 'Het was uw plicht om een lijkschouwing te laten verrichten. Dat weet u heel goed. Leg me dus maar eens uit waarom het niet is gebeurd.'

De commissaris, die dacht dat hij alle troefkaarten in handen had, glimlachte triomfantelijk.

'Omdat de doodsoorzaak glashelder was,' antwoordde hij scherp. 'Al is er iets anders op de overlijdensakte gezet. Het was een delicate kwestie.'

'Wat staat er op de overlijdensakte?'

'Dat haar dood een ongeluk was.'

'Wat is volgens u de ware doodsoorzaak?'

'Zelfmoord.'

'Zelfmoord?'

'Ze is van een rots afgesprongen.' Hij haalde zijn schouders op. 'Geen twijfel over mogelijk. Een standaardgeval.'

De dikke man gebruikte het brandende uiteinde van zijn sigaret om met de as in de asbak te spelen. 'Stel dat u gelijk hebt,' zei hij, 'wat is er dan zo "standaard" aan de zelfmoord van een vrouw in een kleine, hechte gemeenschap als deze? Welk motief kan ze in vredesnaam hebben gehad?'

'Ze heeft iemand nageaapt. De postbode heeft haar op het idee gebracht.'

'Welke postbode?'

'De oude postbode die zelfmoord heeft gepleegd.'

'Waarom heeft hij zelfmoord gepleegd?'

'Wie zal het zeggen? Een ontrouwe echtgenote, geldproblemen...'

'Ging de echtgenoot van mevrouw Asimakopoulos vreemd? Had ze geldproblemen?'

De commissaris leunde weer naar voren.

'Mevrouw Asimakopoulos ging zelf vreemd,' antwoordde hij.
'O ja? Met wie?'
'Dat mag ik u helaas niet vertellen.'
De dikke man staarde hem een paar tellen aan. 'Springen alle vermeende echtbreeksters hier van een rots?'
De commissaris lachte. 'Als ze dat deden, bleven er alleen maar mannen over.'
De dikke man bleef hem strak aankijken. 'Waarom deed zij het dan wel?'
'Ze was met iemand van het eiland getrouwd. Ze had hier familieleden wonen, die haar aan haar man hadden voorgesteld. Maar zelf kwam ze hier niet vandaan. Ze kwam van het vasteland.'
'Is dat een reden om zelfmoord te plegen, denkt u?'
'Het zou kunnen. Misschien voelde ze zich eenzaam, of had ze heimwee.'
'Hoe lang woonde ze hier al?'
'Geen idee. Eén jaar, tien jaar, wat maakt het uit? Harris!'
De logge brigadier, die net bezig was om een van zijn goedkope balpennen in het borstzakje van zijn shirt te klemmen, kromp ineen.
'Jij kunt ons ongetwijfeld meer vertellen,' zei de commissaris tegen de brigadier. 'Hoe lang woonde mevrouw Asimakopoulos hier al?'
De brigadier keek van de commissaris naar de dikke man en duwde peinzend zijn onderlip naar voren.
'Twee jaar,' zei hij uiteindelijk. 'Langer zal het niet zijn geweest.'
'Ze woonde hier al minstens drie jaar,' zo kwam de iele agent tussenbeide. 'Voordat Asimakopoulos dat huis huurde, woonde de broer van mijn schoonmoeder erin. Hij is al een hele poos dood. Minstens drie jaar, misschien wel vier.'
De brigadier deed zijn weke, natte mond open om te protesteren, maar de commissaris hief zijn hand op om hem het zwijgen op te leggen en richtte zich weer tot de dikke man.

‘Om antwoord op uw vraag te geven: ze woonde hier nog niet lang,’ zei hij.

‘Maar toch wel lang genoeg om hier te wortelen en een gezin te stichten?’ opperde de dikke man. ‘Had ze kinderen?’

‘Volgens mij niet.’ Hij keek weer naar de brigadier, die langzaam zijn hoofd schudde.

‘Vindt u dat niet opmerkelijk? Een jonge, Griekse vrouw die een paar jaar getrouwd is en geen kinderen heeft? Als ze geen kinderen kon krijgen, zou dat een belangrijke oorzaak voor een depressie kunnen zijn, maar jullie hebben vast wel met haar dokter over haar geestelijke gezondheid gesproken. Als ze lichamelijke problemen had, zou hij die toch wel hebben gemeld?’

De brigadier richtte al zijn aandacht weer op zijn balpennen, en de iele agent boog zich onder zijn bureau om zijn schoenveters opnieuw te strikken.

‘U zult begrijpen dat onze dokter het erg druk heeft,’ zei de commissaris minzaam. ‘Maar meneer Asimakopoulos was heel wat jaartjes ouder dan zijn vrouw. Sommige mensen vonden misschien dat hij bofte, met een jongere vrouw om zijn bed ’s nachts warm te houden. Maar wie zal het zeggen? Misschien was hij wel minder… potent dan een jongere man. Misschien was een jongere man er wel in geslaagd om haar kinderen te geven, omdat hij beter in staat was om de klus te klaren…’

Hij kreeg een wellustige, veelbetekenende uitdrukking op zijn gezicht, maar toen de dikke man fronste, wendde hij zijn blik af en krabde aan een plekje achter zijn oor dat helemaal niet jeukte.

‘Hoe oud was mevrouw Asimakopoulos precies?’ vroeg de dikke man.

‘Vijfentwintig, zesentwintig jaar, zoiets. Misschien iets ouder, misschien iets jonger.’ De commissaris glimlachte. ‘Ik weet het niet precies. In mijn ervaring kun je dode lichamen niet dwingen om persoonlijke vragen te beantwoorden omdat jij toevallig een paar formulieren moet invullen.’

'Hebt u het niet aan haar familie gevraagd?'
'Nee.'
'Wat hebt u haar familie dan wel gevraagd?'
'Het leek me beter als ze de draad van hun leven weer in alle rust konden oppakken.'
'Uw voorkomendheid siert u, commissaris, maar als politieman hebt u een slechte beurt gemaakt.' Hij draaide zich om en gebaarde naar de twee andere mannen, die het opeens heel druk leken te hebben met het invullen van papieren. 'En wilt u misschien zo vriendelijk zijn om ons allemaal te vertellen, voor zover we dat nog niet weten, hoeveel geld u voor uw voorkomendheid hebt gevraagd?'
De wangen van de commissaris werden vuurrood. De dikke man, die duidelijk geen antwoord op zijn vraag verwachtte, stond op en maakte zijn sigaret uit.
'Als u dat insigne waard bent, commissaris, zou u zichzelf misschien de vraag moeten stellen die u tot nu toe niet belangrijk vond. Misschien zou u zich over de vraag moeten buigen of ze van die rots is gesprongen of geduwd.'
De commissaris liet een honende lach horen. 'Wat een dramatiek, meneer Diaktoros! Moord en smeergeld! Dit zijn de slaperige Griekse eilanden, hoor! Ik ben bang dat u te lang in het gevaarlijke Athene hebt rondgewandeld.'
De dikke man pakte zijn weekendtas op en keek naar de iele agent.
'Weet u misschien een hotel waar ik een fatsoenlijke kamer kan krijgen?' vroeg hij.
De commissaris kwam tussenbeide.
'Zoals ik al zei, kan de sloep van de havenpolitie...'
De dikke man liep naar de agent en legde een hand op zijn schouder.
'Loop maar even met me mee,' zei hij. 'Wijs me maar de weg.'
Toen de deur achter de dikke man en de agent dichtging, trok de commissaris zijn asbak naar zich toe. Uit een verfrommeld

pakje haalde hij een kromme sigaret tevoorschijn, die hij recht boog voordat hij hem tussen zijn lippen zette. Daarna pakte hij het lucifersdoosje dat de dikke man op zijn bureau had achtergelaten en schoof het open.

Een enorme, glanzende kakkerlak met rondzwaaiende voelsprieten schoot uit het doosje en rende met grote snelheid over de hand van de politieman naar het dossier op zijn bureau.

'Jezus christus!'

Vol walging veegde hij het vieze beest van zijn bureau. Op de grond ging de kakkerlak er meteen vandoor en verstopte zich tussen de computeruitdraaien met de felle strepen. Voor het oog van de beduusde brigadier probeerde de woedende politieman het beest te pakken te krijgen. Hij stampte hier en daar op de vloer tot de kakkerlak definitief ontsnapte en tussen de stapels officiële dossiers verdween.

De iele agent nam de dikke man mee naar hotel De Zeemeeuw, dat het hele jaar open was en eigendom was van zijn achterneef. Naast elkaar liepen de twee mannen langs de haven. Het hoofd van de agent gonsde van de vragen die hij niet durfde te stellen. Zijn ogen flitsten bezorgd heen en weer tussen deuren, balkons, steegjes en trappen om te kijken of iemand hen zag. De dikke man liep zelfverzekerd door en ontweek behendig de kuilen met regenwater in de weg. Onderweg groette hij vriendelijk iedereen die ze tegenkwamen.

Bij de deur van het hotel bedankte de dikke man de agent en stuurde hem weg. Vanaf zijn plaats keek hij de geüniformeerde man na, die op zijn gemak terugliep naar het politiebureau en hier en daar stopte om een praatje te maken. Hij praatte met de verkoper in het groente- en fruitstalletje, de eigenaar van de elektronicazaak en de vaste klanten op het terras van het café. Tijdens zijn verhaal wees hij in de richting van het hotel, en de hoofden draaiden zich in de richting van de dikke man. Op dat moment wist de dikke man dat hij een goede keuze had gemaakt:

de agent was de aangewezen persoon om het nieuws van zijn aankomst snel te verspreiden.

In de hal van het hotel was het donker en koud, en de stugge vrouw achter de receptie droeg een zwaar, zelfgebreid wollen vest. De receptie was bedekt met een vergeelde krant, waarop vier stompe kandelaars en een geopend blikje Brasso stonden. De vrouw bestudeerde hem over de rand van haar strenge, halve brilletje en trok haar mondhoeken op om sluw en vergenoegd naar hem te glimlachen. Behalve haar hoektanden had ze geen tanden meer in haar bovenkaak, en toen ze sprak, rook de dikke man de vieze geur van haar slechte adem.

'Goedendag, meneer, goedendag,' zei ze, terwijl ze haar poetsdoek neerlegde. 'Bent u op zoek naar een kamer? Op de eerste verdieping heb ik een mooie kamer vrij, brandschoon en met een prachtig uitzicht. Het mooiste uitzicht van heel Griekenland.'

Ze tilde een hoek van de krant op en trok een in leer gebonden register naar zich toe. Met haar vingers, die zwart waren geworden van de Brasso, bladerde ze langs alle weken in het bock, van januari tot de datum van die dag. Alle bladzijden waren leeg.

'Blijft u lang?'

Hij keek de hal rond, naar de rijen ongebruikte glazen op de schappen achter het barretje, de schalen met stoffige kunstbloemen in de erker, en de icoon van de lijdende Jezus boven de deur van de wc.

'Misschien een paar dagen,' antwoordde hij. 'In elk geval niet langer dan een week.'

'Als u meer dan twee nachten blijft, kan ik u korting geven. Een kort verblijf is naar verhouding altijd duurder vanwege de was.' Ze noemde een belachelijk hoge prijs. 'De hotels in Athene zijn vast veel duurder.'

'Ik zou het niet weten,' zei hij. 'In Athene logeer ik nooit in hotels. Ik betaal u de helft als ik voor dat geld ook ontbijt en elke dag schoon beddengoed krijg.'

Hij had verwacht dat ze zou protesteren, maar ze zei niets. In plaats daarvan glimlachte ze naar hem, waardoor hij wist dat hij was bedonderd.

'Ik zal mijn man roepen,' zei ze. 'Hij zal u naar uw kamer brengen.'

Zijn kamer was koud en zonder enig comfort. Op de tegelvloer lag geen kleed om zijn voeten te warmen, en de kranen in het hokkerige badkamertje drupten op het gevlekte sanitair. Het bed was hard en smal, en onder de gesteven, witte kussensloop was het enige kussen verkleurd door de afscheidingsproducten van talloze vreemde hoofden. De deuren naar het balkon waren uitgezet door de winterse regen en moesten met een flinke trap worden geopend. Buiten leunde hij op de roestige, gietijzeren leuning en stak een sigaret op. Daarna liet hij zijn blik over de haven naar de open zee dwalen, waarachter de contouren van de besneeuwde Turkse bergen zichtbaar waren. Het was een prachtig uitzicht, maar het zou nog veel mooier zijn geweest als de zon had geschenen. Nu ging de horizon in de verte schuil achter laaghangende, muisgrijze wolken. Hij huiverde, liep weer naar binnen en doofde zijn sigaret in de asbak naast het bed. Met zijn weekendtas liep hij het hotel uit en wandelde langs de haven.

De toeristenwinkels hadden de luiken voor hun ramen gesloten. In de straatjes daarachter, waar in dit jaargetijde niet werd geveegd, had de wind grote hoeveelheden afval verzameld. Rond Pasen werd alles opgeknapt, maar daarvoor was het nog veel te vroeg. Hier en daar bladderde de witkalk als roos van de huizen, waardoor de ruwe stenen en bakstenen muren zichtbaar werden.

Hij kwam bij het café waar de magere politieman met de vaste klanten had staan praten. Het was een klein *kafenion* in de oude Griekse stijl. Op een bord boven de deur stond de naam van de eigenaar, Jakos Kypriotis. De houten tafels waren zowel binnen als buiten bedekt met geruite, plastic tafelkleedjes, die door een elastiek onder de rand op hun plaats werden gehouden. Tussen de vitrinekoelkasten met geïmporteerd bier en Fanta-sinas leunde een man met Brylcreem in zijn haar en een snor als Errol Flynn op een stenen gootsteen. Het was te zien dat hij ooit knap moest zijn geweest. Door de openstaande deur staarde hij naar de zee, alsof zijn hart en gedachten mijlenver weg waren.

Aan een van de tafels op het terras zaten drie oude mannen. Tussen hen in stond een fles waarin een halve liter goedkope retsina had gezeten. De fles was nu bijna leeg, maar de mannen hadden allemaal een vol glas gele wijn voor zich staan. Op het moment dat de dikke man aan een tafeltje naast hen ging zitten, vielen de oude mannen stil. De dikke man keek achterom naar de eigenaar.

Een van de oude mannen draaide zich om op zijn stoel.

'Aangenaam,' zei hij. Hij zwaaide vrolijk en aan zijn brede glimlach was te zien dat hij niet helemaal goed bij zijn verstand was. De dikke man knikte beleefd en keek weer in de richting van het café, waar de eigenaar nog steeds op zich liet wachten.

De oude man ging staan en kwam wankelend en met uitgestoken hand op de dikke man af. De twee andere mannen aan het tafeltje schudden hun hoofd.

'Ga zitten, ouwe gek!' zei een van hen. 'Laat die man met rust!' Maar de simpele man stak nog steeds grijnzend zijn hand uit naar de dikke man.

'Aangenaam,' zei hij.

De dikke man gaf hem een hand.

'Aangenaam,' zei hij. Stralend strompelde de simpele man terug naar zijn stoel. De dikke man keek weer over zijn schouder, maar de eigenaar was geen centimeter van zijn plaats gekomen.

De man die nog niets had gezegd, tilde met trillende hand zijn glas op om een slokje te nemen. Hij leunde naar de dikke man toe.

'Je zult moeten schreeuwen,' zei hij met een stem waarin het effect van de alcohol duidelijk te horen was. 'Anders blijft hij daar de hele dag staan en doet hij net of hij je niet heeft gezien. Jakos! Een klant!'

Met tegenzin scheurde de eigenaar zijn blik los van de horizon. Hij kwam in de deuropening staan en keek chagrijnig naar de dikke man. Vragend trok hij zijn wenkbrauwen op.

'Griekse koffie alstublieft, zonder suiker,' zei de dikke man. 'En nog een fles voor deze heren.' Hij gebaarde naar de oude mannen. De eigenaar schudde afkeurend zijn hoofd en draaide zich om om naar binnen te lopen. De simpele man sprong van zijn stoel en greep de eigenaar bij de arm.

'Jakos, aangenaam, aangenaam!' Hij stak zijn hand uit, maar de eigenaar deed net of hij het niet had gezien en trok zich los uit zijn greep. Met een nors gezicht liep hij in de richting van het fornuis.

Teleurgesteld ging de simpele man weer aan het tafeltje zitten.

De derde man nam weer een slokje uit zijn glas en keek met vernauwde ogen naar de dikke man. Hij had diepe groeven rond zijn ogen, alsof hij ze vaak half dichtkneep. Misschien was hij bijziend, of had hij last van zijn eigen sigarettenrook. Met zijn door nicotine vergeelde vingers had hij net een nieuwe sigaret opgestoken, terwijl een vergeten, tweede sigaret in de aluminium asbak voor zijn neus in een smeulend, grauw hoopje was veranderd. Of misschien zag hij wel twee of drie dikke mannen en probeerde hij te bepalen welke de echte was. De hand met de sigaret beefde, en zijn broodmagere lichaam was uitgemergeld door een jarenlange alcoholverslaving.

'Nu je hem een hand hebt gegeven, heb je een vriend voor het leven gekregen,' zei hij, terwijl hij de simpele man een harde klap op zijn rug gaf. 'Maar het zal niet meevallen om hem iets anders te laten zeggen dan "aangenaam". Hij is een ouwe gek. Dat zeg ik als iemand die hem al zijn hele leven kent. Toen hij jong was, was hij een jonge gek. Nu hij oud is, is hij een ouwe gek en een lastpak. Maar goed. We zijn zoals God ons heeft gemaakt.'

'Dat is zeker waar,' zei de dikke man.

'U komt waarschijnlijk uit Athene.' De oude man zei het trots, alsof hij de dikke man met zijn scherpe blik wilde imponeren.

De dikke man zette met opzet een verbaasde blik op, waardoor er een glimlach op het gezicht van de oude man verscheen. 'Ik ben ooit in Athene geweest,' zei hij.

De tweede man aan de tafel sprak hem tegen.

'Je bent helemaal niet in Athene geweest, leugenaar die je bent. Je bent nooit verder geweest dan Sint-Vassilis.' Dat waren een klooster en een bijbehorend gehucht aan de andere kant van het eiland, acht kilometer verderop. De spreker had een vreemde handicap, een vergroeiing van zijn bovenste ruggenwervels. Hij kon zijn nek niet draaien en hield zijn hoofd stijf vooruit gericht, maar hij draaide zijn ogen wel naar de man tegen wie hij sprak. Het zag er tegelijkertijd komisch en grotesk uit, maar misschien was hij ooit wel een aantrekkelijke man geweest.

'Ik had best naar Athene kunnen gaan,' protesteerde de roker. Toch leek het hem beter om er niet op door te gaan en besloot hij de aanwezigen aan elkaar voor te stellen.

'Mijn naam is Thassis,' zei hij tegen de dikke man. 'Thassis Vier-vingers.' Hij tilde zijn linkerhand op om het stompje te laten zien waar een wijsvinger had moeten zitten. 'Dit is mijn vriend Adonis.' Bij het horen van de ironische naam van de misvormde man zette de dikke man grote ogen op. 'Ze noemen hem Adonis de Geldsmijter. Een grotere krentenkakker dan alle geiten op dit eiland bij elkaar.' Hij gebaarde in de richting van de simpele man. 'En dit is Stavros Aangenaam.'

Stralend sprong Stavros op van zijn stoel.

'Aangenaam,' zei hij, en de dikke man gaf hem een hand.

De eigenaar van het café zette een glas water en een wit porseleinen kopje voor de dikke man neer. De gitzwarte koffie had de karamelachtige geur van gebrande suiker. Hij haalde de kurk uit een fles bedauwde retsina en zette de wijn midden op het tafeltje van de oude mannen. Daarna leunde hij met zijn schouder tegen de deurpost en staarde in de richting van de zee.

Thassis Vier-vingers pakte de koude wijn en hield de fles omhoog naar de dikke man.

'Hartelijk dank, meneer,' zei hij. 'Op uw gezondheid.' Hij kwakte een scheut koude wijn in hun glazen. De drie mannen hieven het glas naar de dikke man en namen een slok.

De dikke man nipte aan zijn koffie.

'U bent hier zeker voor zaken,' zei Adonis, die zijn ogen in zijn richting draaide.

De dikke man boog zich voorover, ritste zijn weekendtas open en rommelde erin. Hij haalde een flesje tevoorschijn waarmee hij zijn schoenen weer wit kon maken. Als een danser strekte hij zijn linkerbeen met gestrekte voet uit. Nadat hij zijn ene tennisschoen had geïnspecteerd, was zijn rechterbeen aan de beurt. Hij draaide de plastic dop van het flesje en depte voorzichtig met het sponsje op een veeg op de neus van zijn rechterschoen en een moddervlekje op zijn linkerschoen. Daarna draaide hij zijn voeten een voor een om de schoenen kritisch te bekijken. Toen hij verder geen vuile plekken meer vond, draaide hij de dop op het flesje, deed het terug in de weekendtas en ritste de tas dicht.

Gefascineerd keken de oude mannen toe. Ze waren de vraag van Adonis allang vergeten toen de dikke man achteroverleunde en antwoord gaf.

'Ik doe onderzoek naar de dood van Irini Asimakopoulos.'

De eigenaar scheurde zijn blik los van de horizon in de verte.

'Wat valt er te onderzoeken?' vroeg hij. 'Ze is toch van een rots gevallen? Dat kan iedereen overkomen.'

Thassis lachte en verslikte zich bijna in zijn wijn, maar de dikke man zei niets.

Daarom vroeg de eigenaar: 'Denkt u daar anders over?'

Adonis, een pientere man, glimlachte.

'Hij denkt dat iemand haar een duwtje heeft gegeven,' zei hij.

'Wie zou haar nu duwen?' wilde de eigenaar spottend weten. Thassis had genoeg gedronken om daar meteen ongeremd antwoord op te geven.

'Nou, de vrouw van Theo Hatzistratis bijvoorbeeld!' zei hij. Hij moest weer lachen.

Niemand lachte met hem mee. Adonis gaf hem een por met zijn elleboog en draaide zijn ogen in de richting van het groentestalletje, waar een vrouw klaagde dat er te veel rupsen in de bloemkool zaten.

'Wat heb ik nu weer verkeerd gezegd?' vroeg Thassis.

De eigenaar verdween zwijgend in zijn café.

'Thassis, waarom zou de vrouw van Theo Hatzistratis mevrouw Asimakopoulos van een rots willen duwen?' vroeg de dikke man.

'Wat denkt u?' vroeg Thassis. Opeens werd hij huilerig en liet zijn hoofd zakken. 'Vrouwen. Allemaal hetzelfde. Je kunt nog beter je hand in een zak met slangen steken dan een vrouw vertrouwen.'

'Bedoelen jullie dat mevrouw Asimakopoulos een relatie met Theo Hatzistratis had?' vroeg de dikke man aan Adonis.

'Ik zeg niks, ik kijk wel uit,' zei Adonis. Hij dronk zijn glas leeg en zette het met een klap op tafel.

Even was het stil. Thassis begon een deuntje te neuriën, een zwartgallig lied over de verdoemde liefde van een man die zijn hart aan een trouweloos meisje had geschonken. Hij begon steeds harder te neuriën, tot hij overging in gezang en de woorden van het lied luidkeels met zijn oude, gebarsten stem uitschreeuwde.

De dikke man liep naar binnen om af te rekenen. Toen hij de oude mannen een prettige dag wenste, kwam er geen reactie.

2.

Vanaf de zee kon je precies zien wat het eiland Thiminos was: een rots, een enorme rots, zo ondergraven door het zoute water van het zuiden van de Egeïsche Zee dat hij op de oppervlakte leek te drijven en op de rijzende en dalende golven leek te deinen. Langs de kust liepen de rotshellingen bijna overal steil naar beneden. Op plaatsen waar de hellingen glooiender waren, lag een losse laag zand en stenen. Verder was er niet veel, met uitzondering van de verzwakte, stekelige struiken tussen de keien en een paar zwarte dennen, die in onmogelijke hoeken op de berghellingen groeiden. Toch leverde de aanblik hier en daar een kleurige verrassing op, zoals een verlaten strand met een wit kapelletje en een tuin vol sappige, groenblijvende planten met fuchsiakleurige bloemen.

Het eiland zelf bezat geen enkele schoonheid, maar aan de kust, waar de zee zich in alle tinten blauw manifesteerde – turkoois, lapis lazuli, saffier, ultramarijn en kobalt – onderging het onder invloed van het water en het zonlicht een verandering. De grijze stenen op het strand kregen een zilveren glans, en het matte zand op de berghellingen leek een gouden tint te hebben. Pyriet. Optisch bedrog.

Er was maar één manier om het eiland te bereiken of te verlaten: over zee. Omdat het eiland vijf zeemijlen van de dichtstbijzijnde vaargeul was verwijderd, waren vanaf de kust zelfs de grote tankers op weg naar de steenrijke, Arabische oliestaten slechts piepkleine stipjes aan de horizon. 's Avonds waren hun lichten in de verte snoeren van diamant, die langzaam over de rand van de wereld gleden.

Een jaar voordat de dikke man naar Thiminos kwam, maakte Andreas Asimakopoulos zich klaar om uit te varen.

'Reken er maar op dat ik woensdag weer bij je ben,' zei hij, terwijl hij het vettige touw losmaakte waarmee de boot aan de steiger was vastgemaakt.

Irini pakte hem bij de arm, en hij gaf haar met droge lippen een vluchtig kusje op haar wang. Zelfs voordat hij de trossen had losgegooid, hing de geur van vis al om hem heen.

'Pas goed op jezelf,' zei ze. 'Goede vangst.'

Ze bleef kijken tot de boot om de landtong was gevaren en uit haar gezichtsveld verdween. Op het moment dat ze hem met haar ogen niet meer kon volgen, zwaaide ze nog een laatste keer om hem succes te wensen. Als hij wegging, wenste ze altijd dat hij bij haar zou blijven. Zijn afwezigheid wreef zout in haar eenzaamheid.

Dinsdagavond ging het stormen. In haar eentje lag ze in bed, waar ze de regen tegen de ramen hoorde striemen en de wind aan de takken van de eucalyptus langs de weg hoorde rukken. Ze maakte zich geen zorgen om zijn veiligheid, want ze wist dat hij altijd heel voorzichtig was. Ze was bang dat er een paar pannen van het dak zouden vliegen en dat er niemand was om ze te vervangen. Ze was bang dat er een boom op het huis zou vallen en dat ze in haar eentje zou sterven. Om middernacht maakte ze een glas warme melk klaar, dat ze met een lepeltje honing wat zoeter maakte. Met haar eigen kussen en het zijne in haar rug nam ze kleine slokjes van haar melk en viel in slaap.

De volgende ochtend ging ze wandelen en daalde ze over de verlaten weg af naar de zee. Het waaide nog steeds hard, en de zwiepende takken van de lichtgekleurde eucalyptus kreunden als geesten toen ze er onderdoor liep.

De ijskoude wind waaide dwars door haar jasje en alle lagen van haar kleren heen. Hij knaagde aan haar vingers en stuwde haar bloed naar het puntje van haar neus, waardoor haar wangen kleurloos en bleek leken. Toen ze bij de zee kwam, zag ze dat er zelfs in de halvemaanvormige baai witte koppen op de golven stonden. Aan haar rechterhand, waar het kiezelstrand op zijn smalst was en de weg vlak langs de zee liep, vloeide elke zevende golf heel soepeltjes over het wegdek naar de kerkmuur. De onderkant van de kerkmuur was de terminus van alle rommel uit zee geworden: drijfhout, plastic, schelpen, slierten zeewier, flessen en roestige blikken. Bij de bushalte had zich een diepe poel gevormd, met aan de rand een zanderige wirwar van geel visnet met witte tongbladen van pijlinktvissen ertussen. Met de punt van haar laars draaide ze het net om, waarbij ze een kleine krab met een groene rug bevrijdde. Het dier schrok van het licht en vluchtte in de richting van de toestromende zee.

De kerkklok sloeg negen uur. Boven haar hoofd hingen dreigende regenwolken.

Ze was niet verbaasd dat hij er niet was. Er lagen geen aangemeerde boten aan de pier. Achter de ondiepe baai schommelde de mast van een eenzaam jacht op het water heen en weer, naar bakboord, naar stuurboord, als de naald van een metronoom. Een hoek van het opgedoekte zeil was losgeraakt en flapperde in de wind.

Over de weg liep ze rond de baai van Sint-Savas. Haar ogen bleven op de kaap bij de baaimonding gericht, voor het geval hij nog zou komen. Het was nog niet te laat, dus misschien had ze vanavond wel gezelschap. De luiken van het handjevol witgeschilderde huizen waren dicht, en hun deuren, die uitkeken op de zee en slechts een touwlengte van de ankerplaatsen waren verwijderd, waren gesloten. Op het terras van het hotelletje veegde een vrouw lusteloos de natte, afgevallen bladeren van een overhangende amandelboom op. In de beschutting van een bouwvallig kippenhok stond een haan triomfantelijk tussen een stel huiverende kippen te kraaien.

Het strand bij de werf lag helemaal vol met boten, doorleefde exemplaren die uit het water waren gehaald om te overwinteren. Nu ze uit hun element waren gehaald, leken hun bolle flanken plat en hun vloeiende rondingen hoekig. Hun verflaag was gebarsten en door het zout gebleekt, en hun vernis liet los en bladderde als droge, eeltige huid af. Tussen de rompen was het kiezelstrand zwart van de weggelekte olie en diesel.

Met Pasen hadden ze hier ruzie gehad. De ruzies gingen altijd over hetzelfde: de beloftes die hij voor hun huwelijk had gedaan en die hij nu voor het gemak maar vergat. Hij had gezegd dat ze weg zouden gaan om de wereld te zien, maar nu maakte hij al haar plannen belachelijk. Ze was kwaad geworden dat hij haar uitlachte.

Bij de werkplaats van de werf streek ze over de rode, met menie ingesmeerde ribben van een half gebouwde *caique*. Binnen, beschermd tegen de kou, waren de mannen aan het werk. Ze hoorde de zware klappen van een hamer en het gejank van een cirkelzaag, die planken voor een romp zaagde.

Als de mannen aan het werk waren, brandde er altijd een vuur. Achter de werkplaats waren de vlammen in de vuurkorf flink opgestookt met restanten vers dennenhout. In de luwte van de wind kwamen er wolken blauwe, naar hars ruikende rook vanaf. Ze draaide haar handpalmen in de richting van de vlammen en deed haar ogen dicht tegen de rook. Ze snufte toen er uit de zwarte, aftandse emmer onder de vuurkorf een dampende, stinkende teerlucht opsteeg.

Het gejank van de zaag hield op en de klink van de werkplaats rammelde.

Ze wilde niet met de scheepsbouwers praten. Ze wisten vast dat Andreas niet thuis was. De oudste van de twee, die rotte tanden had, had een vreemd gevoel voor humor. De kleinste, die een paar vingers miste, zou haar oneerbare voorstellen doen.

Jij en ik, mompelde hij dan. Niemand hoeft het te weten. Ik weet wanneer ik mijn mond moet houden. We hebben het vast gezellig samen. Zeg maar wanneer ik langs kan komen.

Ze trok haar handen terug van de vuurkorf en liep door.

Het grote huis aan het einde van de weg was ooit heel chic geweest. Het stond op een vooruitstekende punt in het water en had een breed terras, dat van stenen uit de zee was gemaakt. Boven de latei hing een geschilderd bord: Café Nikos. Achter op het terras, zo ver mogelijk van het water, stond een tafel met vier stoelen. Aan de tafel zat een oude man, die zich dik had aangekleed tegen de kou. Zijn gezicht ging schuil onder de klep van een schaapsleren pet.

Op haar tenen liep ze naar hem toe, want ze wist niet of hij sliep. Ze ging naast hem staan en keek naar zijn borstkas, die langzaam op en neer ging. Ze wachtte even voordat ze een hand op zijn schouder legde.

Hij schoof de klep van zijn pet omhoog, alsof hij langzaam een oog opendeed.

'Oom Nikos,' zei ze. '*Kalimera*.'

De oude man snufte en veegde een druppel van zijn neus.

'Ik dacht dat je sliep,' zei ze. 'Als je wilt slapen, laat ik je met rust.'

'Doe niet zo gek,' zei hij. 'Alleen een dwaas zou in deze kou buiten een dutje doen. Die ellendige wind verkleumt me tot op mijn botten. Ga zitten, Irinaki, ga zitten. Ik zat al naar je te kijken. Ik heb je over de weg zien aankomen.'

'Waar heb je alle tafels gelaten?'

'Achter het huis, waar ze veilig staan tegen de storm. Ik zal ze pakken.' Hij zette zijn handen op de armleuningen van zijn stoel, alsof hij wilde opstaan. Een spier op zijn wang verstrakte en zijn gezicht vertrok. Zijn handen ontspanden zich. 'Ik doe het straks wel,' zei hij. 'Het waait nog te hard. Ik ben te oud om meubilair uit zee te vissen.'

'Ik was op zoek naar Andreas. Hij is niet thuisgekomen.'

De oude man liet zijn blik over de oneindige zee dwalen, alsof hij een wijze oude zeerob, verweerde zeebonk of ervaren matroos was. Hij was geen van drieën, maar hij mocht graag de schijn ophouden.

'Nee,' zei hij. 'Vandaag niet. Het weer zal nog wel even zo blijven. Drie, vier dagen. Vóór zaterdag komt hij zeker niet thuis.'

Ze slaakte een diepe, ongelukkige zucht.

'De hele winter houdt de zee ons gevangen,' zei ze. 'We kunnen niet naar het eiland toe en we kunnen er niet vanaf.'

Hij klopte op haar knie. 'Blijf maar even lekker zitten. Ik ga koffie voor ons zetten. Ik zal er iets in doen tegen de kou.'

'Voor mij niet,' zei ze. 'Andreas wil niet dat ik drink.'

'Van mij zal hij het niet horen, lieverd,' zei hij glimlachend. 'Als de kat van huis is, kan de muis doen waar ze zin in heeft.'

Hij hees zich uit zijn stoel en slofte met de voorzichtigheid van een door kwalen geplaagde bejaarde moeizaam naar de natuurstenen vloer van de keuken.

Hij runde zijn zaak niet voor het geld, maar voor het gezelschap. Hij noemde zijn huis een café, zette tafels en stoelen op zijn terras en serveerde drankjes aan iedereen die bij hem kwam zitten. Wanneer hij geen zin had om te roddelen of koffie te zetten, of wanneer hij dacht dat het een goede dag was om op *calamari* te vissen, was het café dicht.

Hij gaf de schuld steeds vaker aan de calamari als zijn klanten niemand aantroffen en voor een gesloten keukendeur stonden. Maar in zijn hart wist hij dat zijn dagen waren geteld. 's Nachts werd hij zo vaak wakker van de pijn in zijn maag dat hij de volgende ochtend geen energie meer had om zich de dag door te worstelen. Dat waren ook de dagen waarop hij 'ging vissen'. In werkelijkheid sloot hij zich dan op in zijn slaapkamer achter in het huis, met een kan water om uit te drinken en een pot om in te pissen. Dan deed hij de gordijnen dicht en bracht hij de dag dommelend, dromend en denkend aan vroeger door. Soms dacht hij dat hij nooit meer uit bed zou kunnen komen. Als hij een goede dag had, dronk hij krijtachtige maagzuurbinders rechtstreeks uit de fles en dankte hij de hemel dat de pijn wat afnam. Maar hij had bloed in zijn ontlasting en zijn eetlust was bijna helemaal verdwenen. Hij was bang: bang om naar de dokter te gaan, bang dat hij 's nachts in zijn eentje zou sterven, en nog banger om zijn angst en behoeftigheid aan iemand te tonen.

Hij haalde een paar lepels koffie uit de pot en pakte de fles brandewijn van de plank. Maar hij was niet verslaafd aan de brandewijn, maar aan maagzuurdrankjes. Hij schroefde stiekem de dop van een blauw flesje, ging met zijn rug naar het terras staan en dronk zoals een gulzige alcoholist zich aan drank te buiten zou gaan.

Ze vouwde haar handen om haar koffiekopje om ze te warmen, maar door de melk en brandewijn was de koffie afgekoeld. Hij had er te veel alcohol in gedaan, waardoor haar wangen vuurrood werden en haar maag in brand leek te staan. Het magische effect van de drank liet niet lang op zich wachten. Al gauw leken haar sombere vooruitzichten minder erg.

Hij haalde een sigaret uit een pakje en streek een lucifer aan, die hij met een kommetje van zijn hand tegen de wind beschermde. Zijn handen trilden en zijn gewrichten waren zo opgezwollen dat het hem niet makkelijk afging, maar hij had vele jaren ervaring. Hij inhaleerde de rook.

'Zo,' zei hij, terwijl hij zijn neus met een vinger afveegde. 'Heb je je moeder nog gesproken?'

'De telefoon doet het nog steeds niet. Ik ben naar het kantoor van het telefoonbedrijf geweest om het te zeggen. Twee keer. Ze zeiden dat ze zouden komen, maar ze zijn nog steeds niet geweest.'

'Het zijn luiwammesen.' Hij tikte as van zijn sigaret op het natte stenen terras. 'Ga nog een keer langs. Maak het ze maar lastig.'

'Dat haalt niets uit. Ze komen me toch niet helpen. Ze doen niets voor vreemdelingen. Als Andreas thuiskomt, mag hij naar ze toe.' Ze keek naar de landtong en de laaghangende bewolking, waarachter het vasteland schuilging. 'Als het helder weer was, zouden we vanaf hier misschien ons dorp kunnen zien. Ik zie het wel eens.'

Hij liet zijn sigarettenpeuk in een poeltje bij zijn stoel vallen en zag het witte papier water opnemen en grijs worden. Haar ogen waren vochtig. Hij dacht dat de harde wind in haar ogen prikte.

'Dat verbeeld je je maar,' zei hij. 'Ons dorp ligt ruim twintig kilometer verderop aan de kust.' Ze verpulverde zijn sigarettenpeuk onder haar voet. 'Bel je moeder. Ze maakt zich zorgen als je niets van je laat horen. Ga naar een telefooncel, als de telefoon het daar wel doet.'

'Nu ze de zorg over mij kwijt is, piekert ze niet meer zoveel.'

'Ze mist je, net zoals jij Andreas mist.'

'Als hij er niet is, heb ik niets te doen.'

'Sommige vrouwen zouden het heerlijk vinden als hun man er niet was,' zei hij. 'Je hebt alle vrijheid. Je hoeft niet te koken. Je hoeft geen overhemden te wassen. Je hebt tijd om te wandelen en met mij te praten.'

'Waarom ben je eigenlijk op dit eiland gebleven, oom?'

'Heel eenvoudig. Ik werd verliefd op je tante. En op dit eiland. Moet je zien.' Hij maakte een weids armgebaar langs de baai. 'Wat een schoonheid. En luister.' De golven sloegen stuk op de pier, en aan de andere kant van de baai klapperde het losgeslagen canvas zeil van het jacht in de wind. 'Stilte. Geen verkeer. Geen mensen. Een weldadige rust. Het geheim van een gelukkig bestaan. Wat wil je nog meer?'

'Leven,' zei ze. 'Opwinding.'

'Opwinding wordt zwaar overschat,' zei hij. 'Geloof me.'

'Een andere omgeving, dan. Athene. Australië.'

Bij het horen van die namen maakte hij een wegwuivend gebaar.

'Niet aan denken,' zei hij. 'Zet dat toch allemaal uit je hoofd. Hij is met iemand anders getrouwd. Je leven ligt nu hier. Andreas houdt niet van reizen.'

'Hij zei van wel. Hij zei dat we naar alle plaatsen zouden gaan waar ik naartoe wilde.'

'Mannen zeggen wel meer als ze verliefd zijn. Jouw leven ligt nu hier.'

'Jij hebt makkelijk praten. Jij bent overal geweest. Jij hebt de wereld gezien.'

'Ik moest voor mijn werk op reis.' Venezuela, Costa Rica, Brazilië. 'Het viel niet mee om van huis te zijn.'

De vrouwen, al die mooie, bereidwillige vrouwen. Het viel niet mee om terug te komen.

Hij haalde nog een sigaret uit het pakje. Ze stond op en liep met hun koffiekopjes naar binnen, terwijl hij buiten over die tijd mijmerde. 's Nachts had hij gepokerd in rokerige, vervallen bars, waar de rum goedkoop was en hoeren met rode lippenstift geld in de jukebox gooiden om salsamuziek te horen. En of hij nu goede of slechte kaarten trok, of hij nu geluk in het spel had of niet, hij zorgde er altijd voor dat hij genoeg geld in zijn borstzak had om een meisje mee naar zijn kamer te nemen. Die Latijns-Amerikaanse meisjes gingen de hele nacht door, ze likten en zogen en wipten tot de zon opkwam en hij alleen nog maar wilde slapen. Ze deden niet alsof, zoals al die Griekse hoeren die het alleen maar voor het geld deden. Griekse meisjes durfden zich niet te laten gaan, omdat ze te gelovig waren. Die latina's vonden het gewoon lekker om te neuken. Een van hen was een tijdje zijn vaste wip geweest: Flora, een meisje met een heel smal middel en gigantische heupen, dat er wel pap van lustte. Toen hij weer naar huis moest, had ze haar zus meegenomen om er een onvergetelijke avond van te maken. Onvergetelijk! Ze hadden hem aan het bed vastgebonden en waren samen aan de gang gegaan. Ze hadden elkaars knoopjes losgemaakt, de tieten van de ander gekust en met elkaars poesje gespeeld. Twee zussen, nota bene! Ze hadden hem opgewonden tot hij ze had gesmeekt om bij hem te komen. Ze hadden hem aan het bed vast laten zitten en de hele nacht met hem gewipt. Om beurten waren ze op hem komen zitten om in hun eigen tempo aan hun trekken te komen. Uiteindelijk deed zijn lichaam zo zeer dat hij om genade had gesmeekt. De volgende ochtend waren zijn genitaliën zo opgezwollen dat hij nauwelijks kon lopen en een taxi naar het treinstation moest nemen. De taxichauffeur kende de meisjes over wie hij het had. Hij had hem op de rug geklopt, lachend zijn medeleven betuigd en gezegd dat het maar goed was dat hij wegging, omdat geen enkele man twee nachten met die twee meisjes aankon.

Hij voelde nu een prettige zwelling in zijn broek. Als zij er niet was geweest, was hij misschien wel naar bed gegaan om te kijken of hij zichzelf kon bevredigen. Maar ze was bij hem op bezoek en was weer naast hem komen zitten. Straks, als ze weg was, kon hij de herinnering wel weer oproepen.

'Het viel niet mee om van huis te zijn,' zei hij. 'Sommige mannen moeten dat offer brengen om hun gezin te onderhouden.'

'Misschien is niet iedereen geschikt om te trouwen,' zei ze. 'Misschien is niet iedereen gemaakt om altijd op dezelfde plek te blijven. Ik weet wat je denkt, oom. Je denkt dat ik nog steeds van Thomas hou. Dat denkt moeder ook. Maar het ging niet om hem, ik was niet verliefd op hem. Hij bleef te lang weg. Maar al die ansichtkaarten – de steden, de stranden en de binnenlanden – al die plaatsen die hij heeft gezien, daar wil ik ook naartoe. Misschien niet mijn hele leven, maar ik wil alles met eigen ogen zien. Jij vindt het onzin als mensen dromen koesteren. Dat vindt Andreas ook. Soms vraag ik me af hoe mijn leven eruit zou hebben gezien als ik niet met hem was getrouwd.'

'Het heeft geen zin om je dat af te vragen,' zei hij. 'Dat moet je helemaal niet denken. We kiezen ons eigen pad en moeten er het beste van maken. Het heeft geen nut om je af te vragen waar die andere weg toe zou hebben geleid. Maar goed. Alle vrouwen trouwen. Zodra je je eerste kind krijgt, zul je zien dat ik gelijk heb. Voor een vrouw ligt het geluk binnen haar gezin.'

'Met kinderen ben je voorgoed aan huis gebonden,' zei ze.

'Wacht maar eens af,' zei hij. 'Je zult zien dat je dan het liefst thuis wilt zijn.'

Ze knabbelde aan het uiteinde van een vingernagel. De gespreksstof leek te zijn uitgeput. Ze hadden het dagen geleden al over de prijs van sinaasappels, de maîtresse van de premier en de plotselinge dood van de postbode gehad. Maar omdat ze nergens anders naartoe kon, had ze geen zin om weg te gaan, en omdat hij geen ander gezelschap had, wilde hij dat ze bleef.

En daarom zei ze: 'Zal ik je eens vertellen wat ik vannacht gedroomd? Dan kun jij me vertellen wat het betekent.'

In afwachting van haar verhaal leunde hij met zijn vingertoppen tegen elkaar naar voren. Hij had zichzelf de reputatie van droomuitlegger toebedeeld, iemand die de betekenis en waarschuwingen van dromen kon doorgronden. Hij beweerde dat het een vaardigheid was die hij tijdens zijn reizen had geleerd. Maar zijn talent was niet dat hij dromen kon uitleggen, maar dat hij lichtgelovige mensen kon wijsmaken dat hij er verstand van had. Zijn kennis bestond uit psychologische artikelen in tijdschriften en overgeleverde interpretaties van oude vrouwen. Zo bracht een droom over vis ongeluk, betekende een droom over krabben dat je een moeizame verkeringstijd tegemoet ging, en een droom over hagedissen dat een vijand je met een mes in de rug zou steken. Zijn bewering dat hij een ziener was, leverde hem genoeg nieuwtjes op om zijn eigen voyeurisme en plezier in roddelen te bevredigen. Doordat hij op deze manier reclame voor zichzelf maakte, was hij altijd op de hoogte van de laatste problemen op het eiland. Maar door de jaren heen hadden zijn rol als interpreet, zijn nauwlettende aandacht voor de nachtelijke avonturen van zijn buren, zijn ruime levenservaring en de ondervinding wat er met zijn dromers was gebeurd, hem een zeker inzicht gegeven. Twee keer had hij begrepen dat de dromers hun eigen naderende dood voorspelden. Hij had zijn mond gehouden, waarna de voortschrijdende tijd had bewezen dat hij gelijk had. En hij kende de symbolen van verraad en ontrouw: kussen en dieven, verlatenheid en akelige voorgevoelens. Zelden vertelde hij rechtstreeks wat hij had waargenomen. Niet iedereen wil de waarheid horen. Maar soms liet hij tijdens het bijvullen van een glas ouzo een veelzeggende opmerking vallen, of gaf hij een sombere hint terwijl hij een asbak weghaalde. Een goed verstaander heeft maar een half woord nodig. Mensen die liever hun kop in het zand staken, moesten dat zelf maar weten.

'Ik droomde dat ik in een uiterst comfortabele leunstoel zat,' begon ze. 'Het was de lekkerste stoel waarin ik ooit had gezeten. Het was alsof hij voor me was gemaakt, ik voelde me er heel happy in.' Ze verschoof op haar houten stoel met rieten zitting. 'Deze stoelen zitten trouwens niet lekker, oom. Ze zijn te hard om er lang op te zitten. Je moet een paar nieuwe kopen.'

'Maar dat is nu juist een meesterlijke zet van mij!' riep hij, terwijl hij zijn vinger triomfantelijk in de lucht stak. 'Door de jaren heen heb ik hier lang over nagedacht, héél lang over nagedacht.' Hij sloeg met zijn vuist op de met regenspatten bedekte tafel. 'Denk maar na! Kijk eens naar de mensen die hier wonen, lieverd, de mensen die mijn geïmproviseerde café bezoeken. Van nature behoren ze tot de luiste mensen op aarde. Ze zijn niet zoals andere mensen, zelfs niet zoals andere Grieken. Ze lijken al helemaal niet op mensen uit andere landen, zoals Duitsers of Japanners. Ze bestellen één kopje koffie en blijven hier vervolgens urenlang zitten om te vertellen dat ze zo hard hebben gewerkt en zo vreselijk moe zijn. Als het regent, gaan ze niet naar hun werk. Zelfs de kinderen gaan bij een fikse regenbui niet naar school. Het kost deze mensen anderhalve dag om een klus te klaren die een Duitser in tien minuten af zou hebben.

Stel je dus eens voor wat er zou gebeuren als jouw stoel heel comfortabel zou zijn. Jij hebt vandaag geen andere bezigheden. Je zou je in je stoel nestelen en misschien helemaal niet meer weggaan! Ik zou je de hele dag koffie moeten brengen! Later zou je me om dekens en een kussen vragen en ter plekke in slaap vallen. Als George, de buschauffeur, langskwam om zijn biertje te drinken, zou hij gaan zitten, het zich makkelijk maken en vervolgens besluiten om de rest van de dag niet meer met de bus te rijden. Ik weet heel zeker dat Athimos, de loodgieter, precies hetzelfde zou doen. Er zou op dit eiland geen openbaar vervoer meer zijn, en onze afvoeren zouden voor altijd verstopt zitten! Toen kreeg ik in een flits dit geniale idee. Ik koos voor mijn café de ongemakkelijkste stoelen die ik kon vinden. Dat kostte niet veel moeite. Wij Grieken zijn heel goed in het maken van ongemakkelijke stoelen. Verder heeft niet één van de stoelen die ik heb uitgezocht vier poten die even lang zijn. Je hangt altijd een beetje scheef, waardoor je nooit echt ontspannen kunt zitten. Binnen een halfuur heb je gegarandeerd geen gevoel meer in je achterwerk. Je staat op om de doorbloeding weer op gang te brengen, en als je dan toch staat, kun je net zo goed weer aan de slag gaan. Het is een met zorg uitgedachte strategie, die tot nu toe altijd heeft gewerkt. Het is een perfecte manier om zeurpieten en dronkaards de deur uit te werken. Het is zo'n briljante strategie dat ik een brief naar de regering heb gestuurd, met het voorstel om alle comfortabele stoelen in dit land te verbieden. De productiviteit zou met sprongen vooruitgaan! De Griekse industrie zou toonaangevend in de wereld worden! Maar om je de waarheid te zeggen, heb ik nog geen antwoord gehad. Het zou me niets verbazen als een ambitieuze politicus mijn idee heeft gestolen en het zelf gebruikt om carrière te maken.'

Er viel een korte stilte.

Glimlachend keek ze naar hem. 'Dat zou je hem niet kwalijk kunnen nemen.'

Hij grinnikte en stak nog een sigaret op.

'Maar goed, ik zat in mijn comfortabele stoel,' zei ze. 'Het was in een bekende omgeving, misschien wel onze keuken. Maar verder stonden er geen meubels. Toen ik opkeek, zag ik een vrouw tegenover me zitten. Ze zat op een houten stoel, het soort waarvan de vier poten nooit allemaal even lang zijn. Een ongemakkelijke stoel.'

'Zoals deze,' zei hij.

'Zoals deze. Die vrouw was mooier dan de mooiste vrouw die ik ooit heb gezien. Ze was niet jong meer, maar ze had geen lijntjes in haar gezicht, zelfs niet als ze lachte. Haar huid was glad als porselein en straalde van gezondheid. Er lag een gouden glans overheen, alsof de zon haar had gekust. Haar haren waren Scandinavisch blond en prachtig doorweven met bloemen. En haar gezicht – haar lippen waren vol als die van een jong meisje, en haar ogen waren betoverend, hypnotiserend... Het was een beeldschoon gezicht. Om haar onderarm droeg ze een spiraalvormige armband, een zilveren slang met ogen van edelstenen. Ze was zo mooi dat ik wel naar haar moest blijven kijken. Ik wilde haar haren en haar armband. Ik wilde op haar lijken. Nee, sterker nog: ik wilde haar zijn.

En ik wist dat zij op de verkeerde stoel zat. Ze zei niets, maar ik wist dat we van plaats moesten wisselen. Dat wilde ik niet, o nee. Ik wilde in mijn heerlijke stoel blijven zitten, maar ik wist dat ik hem aan haar moest afstaan. Daarom stond ik op uit mijn zachte leunstoel. Zij stond ook op en ging op mijn plaats zitten. Ik nam plaats op haar ongemakkelijke stoel. Toen glimlachte ze naar me en wees naar mijn voeten. Daar lag een pak dat ik nog niet had opgemerkt, een of ander cadeau in een doos. Het was prachtig ingepakt met cellofaan en linten, en ik wist dat het voor mij was.'

Ze hield even op met vertellen, omdat ze aan haar droom dacht.

'Heb je het pak opengemaakt?' vroeg Nikos.

'Nee.'

Hij leunde naar voren om zijn woorden te benadrukken. 'Luister naar het advies van een oude man, Irinaki. Laat het pak dicht.'

Ze kregen het steeds kouder, maar bleven nog een tijdje zwijgend zitten.

'Dromen over Aphrodite zijn altijd gevaarlijk,' zei hij. 'Vooral voor getrouwde vrouwen.'

'Aphrodite?'

'Wie zou het anders kunnen zijn? Luister, Irini. Ik meen het. Kom niet aan de Liefde die ze je wil schenken. Loop er met een grote boog omheen, want anders staat je teleurstelling en verdriet te wachten. Bewaar je liefde voor je echtgenoot. Hij is een prima kerel.'

'Dat is hij zeker,' beaamde ze. Maar kon ze ook van hem houden? Peinzend keek ze langs hem heen. Was genegenheid een acceptabel substituut, of slechts een verbleekte vorm van een emotie die alleen in haar heftigste vorm waarde had?

'Hoe dan ook, je wordt nog bijgelovig op je oude dag,' zei ze. 'Goden bestaan niet.'

'Hoe weet je dat zo zeker? Kijk.' Hij gebaarde naar de heuvels en de open zee. 'Dit is hun terrein. Ze zijn hier niet ver vandaan. Sommige mensen zeggen dat ze van de aardbodem verdwenen toen de mensen niet meer in hen geloofden. Maar dit uitzicht is nooit veranderd sinds Jason de *Argo* bouwde en de Minotaurus in het labyrint maagden at. Na tweeduizend jaar is alles nog steeds hetzelfde. Denk niet dat ze verdwenen zijn! De orthodoxie is slechts een façade, een laagje vernis.' Hij wees op het midden van zijn voorhoofd. 'Als je oplet en met dít oog heel goed om je heen kijkt, begin je het te zien. Ze zijn er. Ze kijken toe. En ze bemoeien zich met onze zaken.'

Diep in zijn maag voelde hij een pijnlijke steek, alsof een rancuneuze vinger de kern van zijn ziekte had gevonden en er venijnig in prikte.

'Ze spelen nog steeds met ons,' zei hij. 'En dat doen ze nog steeds niet eerlijk volgens de regels. Het christendom verlangt dat je je hele leven braaf bent, maar aan het eind word je daar ook zonder meer voor beloond. Daarom was het in de oudheid niet moeilijk om mensen te overtuigen dat ze Zeus en zijn hele ellendige familie moesten dumpen en het geloof van de Israëliet moesten aannemen. De oude goden zijn wraakzuchtig en denken slechts aan hun eigen belangen, een enkele uitzondering daargelaten. Soms, als hun gedrag echt niet door de beugel kon, maakte de oude Zeus het weer goed. Soms nam hij de juiste beslissing. Hij had het in zich.'

'Zo mag je niet praten,' onderbrak ze hem. 'Mama zou denken dat je een heiden van me wilt maken. We zijn nu christenen.'

'Ja, maar waarom?' hield hij vol. 'Waarom is onze loyaliteit veranderd? Dat zal ik je vertellen. Betrouwbaarheid. Bij Christus weet je altijd precies waar je aan toe bent. Als je braaf en netjes leeft, mag je toetreden tot het paradijs. Deugdzaamheid maakte de oude goden juist jaloers. Geluk was nog erger. Ze vonden het niet prettig om doodgewone stervelingen gelukkig te zien. Als je te gelukkig was, verkrachtten ze je vrouw, slachtten ze je kuddes af of lieten ze je schepen zinken. Geen wonder dat ze eruit zijn gegooid. Maar ze zijn altijd in de buurt gebleven.'

'Maar als ze hier in de buurt zijn, waarom zien we ze dan niet?' vroeg ze. 'Er waren er zoveel. In de oudheid kwamen de mensen ze voortdurend tegen. Ik ben nog nooit iemand tegengekomen die een god heeft gezien.'

'Misschien ben je er vannacht een in je droom tegengekomen,' zei hij. 'En als je ze op straat ontmoet, zien ze er waarschijnlijk heel gewoon uit. Felle lichtstralen, stralenkransen en engelenkoren zijn niet helemaal hun stijl. Dat laten ze aan de tegenpartij over. Zij zijn achterbakser. Discreet. Sluw.'

De kerkklok sloeg tien uur. Ze deed haar ogen dicht en strekte haar vingers, die door de kou stijf waren geworden. Daarna hief ze haar gezicht op naar de hemel, alsof de zon haar kon verwarmen. Bij het hotel praatten twee mannen met de vrouw die bladeren opveegde. Haar handen waren zo gewend om de bezem heen en weer te bewegen dat ze zelfs tijdens het gesprek bleef vegen. Toen de langste van de twee zijn hoofd in zijn nek gooide, duurde het een paar tellen voordat de wind zijn lachende stem naar hun tafel bracht. Daardoor leek het of de man en zijn lach niet bij elkaar hoorden. Hoewel ze haar ooms vreemde beweringen over oude, dode godheden niet geloofde, leek het opeens net of de lach van iemand anders had kunnen zijn – een onzichtbare persoon die naast haar stoel stond.

Ze huiverde. De twee mannen liepen verder en kwamen in hun richting.

'We krijgen bezoek,' zei hij. Hij kneep met zijn ogen om de mannen scherper in beeld te krijgen. 'Het is onze achtenswaardige politiemacht, hard aan het werk.'

'Ik moet weg.' Ze stond op van haar stoel.

'Irini.' Hij pakte haar hand tussen zijn handpalmen. Zijn aderen waren geprononceerd, en tussen zijn botten was zijn huid bleek. 'Wil je iets voor me doen, lieverd? Breng alsjeblieft wat bloemen naar je tante op het kerkhof. Ik kan er zelf niet heen. Mijn oude benen kunnen me niet meer zo ver dragen.' Hij liet haar hand los om in zijn broekzakken te zoeken. 'Geel. Geel was haar lievelingskleur.'

'Vorige keer was het roze.'

'Heb ik dat gezegd? Nou ja. We willen allemaal wel eens wat anders, zoals je al zei.' Hij stak een bankbiljet naar haar uit.

'Je moet zelf ook eens gaan,' zei ze. Ze keek naar het kleine bedrag in haar hand. Volgens haar moeder had hij een fortuin in zijn schoorsteen verborgen. 'Je zou een taxi kunnen nemen.'

'Pff.' Hij plukte met twee vingers aan zijn tong, alsof hij een ingeslikte haar uit zijn mond wilde trekken. Daarna draaide hij zich op zijn stoel en spuugde op de grond. 'Zonde van mijn zuurverdiende geld. De wandeling zal je goeddoen. En bel je moeder. Niet vergeten. Doe haar de groeten.'

'Waarom bel je haar zelf niet?' Ze schoof de stoel onder de tafel en stopte het bankbiljet in haar zak. 'Ze vindt het ook leuk om iets van jou te horen.'

'Als ik haar kon bellen, zou ik het zeker doen,' zei hij. 'Echt, maar ik wacht nu al een maand tot ze mijn telefoon komen repareren.'

Panayiotis Zafiridis, die onlangs politiecommissaris was geworden, vond eerste indrukken heel belangrijk. Aan zijn nieuwe leren jack, de scherpe vouwen in zijn broek en kortgeknipte, met gel achterovergekamde haar was te zien dat hij graag indruk op de dames maakte. Stellios Lizardis, de agent die hem vergezelde, vond dat je moest laten zien wat je had. Hij had zijn broek hoog opgetrokken om zijn genitaliën op te tillen en groter te laten lijken. Toen ze Irini passeerden, groetten ze haar beleefd – *Yassas* – maar een paar meter verder draaide de commissaris zich om om haar beter te kunnen bekijken.

De kam in haar haren was afgezakt, en haar glanzende, zwarte haren hingen koket over een van haar donkere ogen. Hij liet zijn blik over haar brede, zacht wiegende heupen dwalen en likte over zijn dunne lippen.

'Moet je kijken,' zei hij. 'Je zou toch zin krijgen om...'

Lizardis hief zijn hand op.

'Zulke dingen moet u hier niet zeggen. Ze is het nichtje van de oude man.' Hij knikte met zijn hoofd in de richting van Nikos' huis. Door de wind en het water kon geluid heel ver dragen, en hij wilde niet dat Nikos hun gesprek kon horen.

Ze waren bij de werf gekomen. In de werkplaats was het stil.

'Hij zou me aan haar voor kunnen stellen,' zei de commissaris.

'Ze is getrouwd.'

'Dat is juist gunstig. Getrouwde vrouwen kosten minder tijd.'

Lizardis was ambitieus. Hij wilde zijn nieuwe baas graag imponeren met zijn kennis van het eiland. 'Ik kan u wel het een en ander over haar vertellen,' zei hij. 'De broer van mijn broers vriend kende haar toen ze nog op het vasteland woonde. Hij kende de familie heel goed.'

De commissaris nam Lizardis bij de arm en trok hem achter de houten flank van een boot die op het droge lag.

'Hier kan niemand ons horen,' zei hij. 'Hoe goed kende die kerel haar?'

Lizardis haalde zijn schouders op.

'Hij zat in dienst en was vlak bij haar dorp gestationeerd. Omdat hij in de verte familie van haar was, ging hij af en toe op bezoek. Hij heeft een keer geprobeerd of hij haar kon versieren, maar hij kreeg geen poot aan de grond.'

'Dan heeft hij het niet handig aangepakt,' zei de commissaris. 'Bij zo'n vrouw moet je subtiel te werk gaan.'

Lizardis schudde zijn hoofd.

'Daar lag het niet aan. Ze was verloofd met iemand anders. Nou ja, ze had een relatie met iemand. Ik weet niet of ze elkaar ook echt ringen hadden gegeven. Maar de familie was er niet blij mee, want de verloofde had aan moederskant zigeunerbloed. Hij vertrok om in Australië zijn geluk te beproeven. Ik heb begrepen dat haar familie zijn ticket heeft betaald, omdat ze hem weg wilden hebben. Hij bleef heel lang weg – jaren – en al die tijd bleef zij thuis wachten op zijn telefoontje dat ze naar hem toe kon komen. Maar toen er uiteindelijk werd gebeld, was het zijn zus, die vertelde dat hij met iemand anders ging trouwen. De familie was dolblij, maar dat zeiden ze natuurlijk niet tegen haar. Al die tijd hadden ze een geschikte kandidaat voor haar gehad, iemand die zij nauwelijks zag staan. Zodra ze hoorden dat de zigeuner uit beeld was, maakten ze hun opwachting bij de kandidaat-bruidegom. Ze waren al helemaal klaar om het stel in de echt te laten verbinden. Iedereen blij en gelukkig.'

'Kandidaat-bruidegom? Is dat de man met wie ze nu is getrouwd?'

Lizardis schudde zijn hoofd.

'Het werd heel ingewikkeld. Ik weet niet of het waar is, maar het gerucht ging dat zij en de zigeuner voor zijn vertrek meer dan vrienden waren geweest.'

'Bedoel je dat hij haar had geneukt?'

'Dat werd gefluisterd. Daarom besloot de uitgezochte bruidegom zich terug te trekken. Hij wilde geen afgelikte boterham. Toen had ze een probleem, want ze werd er niet jonger op. Er werd met de hele familie overlegd en toen besloten ze Asimakopoulos goed te keuren. Hij was op zoek naar een vrouw. De oude Nikos, die hier woont, heeft hem aan de familie voorgesteld.'

'Dus het was niet bepaald een huwelijk uit liefde.' De stem van de commissaris klonk hoopvol.

'Het is een prima kerel.'

'Maar ze heeft dus ervaring met mannen. En als ze die zigeuners leuk vindt, is ze zelf misschien ook warmbloedig. Misschien wacht ze wel op de juiste warmbloedige man...'

De blik van Lizardis was sceptisch.

'Het was geen volbloed zigeuner,' zei hij. 'Dat zigeunerbloed was al een paar generaties oud. En het enige wat de broer van mijn vriends broer van haar kon krijgen, was een klap in zijn gezicht.'

'Dat kan best zijn, maar we moeten toch ergens beginnen?' De commissaris gaf Lizardis een klap op de rug.

Over het strand liepen ze naar het café, waar Nikos aan zijn tafel zat te wachten.

'Goedemorgen, commissaris,' zei Nikos. 'En Stellios, hoe gaat het met je?'

Er stond een brede glimlach op Nikos' gezicht. De commissaris was altijd welkom in zijn café, want Nikos vond hem boeiend. Het was hem opgevallen dat Zafiridis op een bepaalde manier altijd gespannen en waakzaam leek te zijn. De man woonde natuurlijk nog maar net op het eiland en was nog niet lang commissaris, maar daar leek die spanning niets mee te maken te hebben. Nikos vermoedde dat Zafiridis niet degene was die hij beweerde te zijn. Hij was een man die iets verborg, een geheim dat niet aan het licht mocht komen. Hij vormde een uitdaging die Nikos graag aannam. Als hij het voorzichtig aanpakte en de man een vals gevoel van veiligheid gaf, zou de commissaris zich misschien wel verspreken. Een man met geheimen, een man die loog, liep altijd het risico dat hij fouten maakte. Voor een man met geheimen die ook nog eens een hoge functie bekleedde, was het een kwestie van tijd voordat hij in de problemen kwam.

Nikos bood de mannen de beste stoelen van zijn twijfelachtige verzameling aan. Zafiridis ging een stukje van de tafel zitten en legde een enkel op zijn knie. Boven zijn korte beige sok was zijn bleke kuit hier en daar met dunne zwarte haartjes bedekt. Tussen de haartjes was het uiteinde van een dikke, grillige spatader zichtbaar.

De wind blies flintertjes as van Nikos' sigaret, die als huidschilfertjes op de dijen van Zafiridis belandden.

'Nikos, wie was die knappe jonge vrouw die we onderweg tegenkwamen?' vroeg de commissaris, terwijl hij de as van zijn broek veegde.

Onder tafel schopte zijn metgezel tegen zijn voet.

'Dat is mijn nichtje, Irini,' antwoordde Nikos onbekommerd. 'Mooi meisje, hè? Ze is getrouwd met mijn goede vriend Andreas Asimakopoulos, een visser. Ze wonen even verderop aan deze weg.' Hij wees met zijn duim. 'Hoe zit het met uw gezin, commissaris? De vorige keer zei u dat uw vrouw binnenkort zou arriveren. Is ze er nog steeds niet?'

Hij keek even naar de rechterhand van Zafiridis, die bevestigde wat hem nog niet eerder was opgevallen: om de ringvinger zat geen trouwring.

'Ze vindt het vervelend om met slecht weer te reizen,' antwoordde Zafiridis.

'U zult haar wel missen,' zei Nikos. 'Vertel eens, hebt u de specialiteiten van het eiland al geproefd?'

Zijn stem had een schalkse ondertoon. De politieman keek hem met ijskoude ogen aan.

'Onze oesters zijn erg lekker,' zei Nikos. 'Als Andreas terugkomt, zal ik zeggen dat hij u er een paar moet brengen.'

'Als je vriend visser is, moet hij vaak van huis,' zei Zafiridis. 'Je nichtje zal wel eenzaam zijn.'

'Ze heeft mij. We houden elkaar gezelschap.'

'Vergeef me, Nikos, maar een oom is niet hetzelfde als een echtgenoot.'

'Ik vind uw bezorgdheid om mijn nichtje roerend, commissaris. Bent u bang dat ze op weg naar huis wordt lastiggevallen? Of is uw interesse in haar misschien… persoonlijk?'

Lizardis schraapte luid zijn keel. De dunne lippen van de commissaris vertrokken tot een kille glimlach.

'Ik doe alleen maar mijn werk, Nikos,' zei hij. 'Het is mijn taak om mensen te beschermen.'

Nu was het Nikos' beurt om koeltjes te glimlachen en zijn tanden te laten zien. 'Als u maar niet van plan bent om mijn nichtje uw soort bescherming aan te bieden. Daarmee zou u mij beledigen. Trouwens, ze is een fatsoenlijk meisje, dat zich nooit door u zou laten verleiden.'

De commissaris lachte. 'Wat heb je een lage dunk van me, Nikos. En wat heb je een hoge dunk van vrouwen.' Hij tikte met zijn vinger op de plaats waar zijn hart zou moeten zitten. 'Jij en ik weten allebei dat vrouwen diep vanbinnen allemaal hoeren zijn. Voor het juiste aanbod staan ze allemaal open. Maar goed, kunnen we misschien een kop koffie krijgen?'

Irini was helemaal alleen thuis. De dag gleed langzaam voorbij en het werd al vroeg donker. De leeuwerik, die Andreas in huis hield omdat hij hem zo graag hoorde zingen, zat lusteloos in zijn bamboekooitje. Irini vulde het voederbakje met zaadjes en bewoog haar vingers door de spijlen om hem zover te krijgen dat hij ging eten, maar de leeuwerik wendde zijn kop af en bleef doodstil op zijn stokje zitten.

Ze ging bij het raam zitten en keek naar een spin, die onder de vensterbank een web maakte. Daarna keek ze naar de worsteling van een mot, die zo dom was om in het web te vliegen. Ze haalde mos van het dak van de bijkeuken en veegde de afgevallen geraniumblaadjes van de treden op de binnenplaats. Ze plukte een bosje salie, bond de blaadjes bij elkaar en gebruikte een deel ervan om thee te zetten. Maar de thee zag zwart van de verdronken mijten en ze gooide het bosje weg. Haar gedachten dwaalden af naar Andreas, en ze vroeg zich af of het hem lukte om droog te blijven. Daarna dacht ze aan Nikos en vroeg zich af of het hem lukte om warm te blijven.

Ondanks de huishoudelijke geluiden – het gerinkel van een kopje dat werd opgeruimd, het scherpe geluid van applaudisserende mensen in een televisiequiz, een druppende kraan in de gootsteen – begon de stilte bij het vallen van de avond steeds zwaarder te drukken. De stilte begon elke dag luider te worden, en ze was niet ver verwijderd van de dag waarop ze de paradox zou begrijpen: deze stilte was geen stilte, maar het aanzwellende geluid van de leegte.

3.

Als mijn vrouw de deur uitgaat, roept ze altijd naar me – 'Theo, ik ben weg'– alsof het me interesseert waar ze is. Ze blijft lang weg, maar vergeet dan bijvoorbeeld mijn sigaretten, waardoor ze later nog een keer terug moet. Dan moppert ze en vraagt ze of ik haar in de pick-up wil brengen. Dan zeg ik, de wandeling zal je goeddoen, en dan wil zij zeggen, nou ga dan zelf, maar dat durft ze niet. Ik kijk haar door het raam na als ze het pad afloopt, en dan zorgt ze wel dat ze een martelaarsgezicht opzet om me te laten weten dat ze voor mij loopt te lijden.

Ze zegt dat het haar niet meevalt om hier te wonen. Het valt voor niemand mee, zeg ik dan.

Maar het dringt niet echt tot je door.

Het geheugen is niet betrouwbaar, zeker niet als het om mooie herinneringen gaat. Op dezelfde manier vervormt onze fantasie de waarheid. Jij, de reiziger, roept het beeld uit je dromen op. Dit is je dorp: een groep witgekalkte huizen, allemaal opgesierd met oogverblindende geraniums, bijeengekropen op de majestueuze heuvel met uitzicht op een blauwe, glinsterende zee.

Nee. Als je hier blijft wonen, word je wijzer. Je ontdekt de waarheid en de gevolgen ervan. Dit is mijn dorp, hoog op de heuvel, blootgesteld aan alle weersinvloeden. De ligging was perfect om het plunderaars uit vervlogen eeuwen moeilijk te maken, maar de tijden zijn veranderd, en de weg is nog steeds moeilijk begaanbaar. Elke tocht van en naar het dorp is een hele onderneming. De doolhof van mooie, met kinderkopjes geplaveide straten nodigt uit om op verkenningstocht te gaan – Waar zou dit naartoe leiden? Deze kant op, of die? – maar is lastig begaanbaar voor oude benen en vrouwen die zware boodschappentassen torsen. En de schilderachtige huizen zijn zo dicht op elkaar gebouwd dat iedereen op elkaars lip zit – je kunt je dus maar beter gedragen – en de kieren en spleten in de oude, stenen muren herbergen allerlei soorten ongedierte. Als we 's avonds in slaap vallen, horen we wegvluchtende kevers en scharrelende ratten.

Thodoris Hatzistratis – Theo – was op dit eiland geboren en zou er waarschijnlijk ook sterven. Zijn vader, zijn vaders vader en de vader van zijn vaders vader waren hier ook allemaal geboren. Met het instinct van keuterboertjes waren ze allemaal met meisjes van het eiland getrouwd en hadden ze hun bloedlijn puur gehouden, alsof het vee betrof. Een voor een zouden ze in hetzelfde graf op het kerkhof worden gelegd, waar ze zeven of tien jaar zouden blijven liggen, zoals de orthodoxe kerk het voorschreef. Daarna werden hun botten, kaalgevreten door de beestjes die ervoor zorgen dat wij vergaan, opgegraven en in het overvolle knekelhuis gelegd. Daar werden hun scheenbenen en kuitbenen boven op die van hun vaders, moeders, zussen en echtgenotes gestapeld: na hun dood nog net zo dicht op elkaar als tijdens hun leven.

Het heeft invloed op een man als hij van kind af aan weet waar hij later begraven zal worden. Het maakt hem fatalistisch en pessimistisch als hij bloemen legt op de plaats waar hij zelf ooit zal liggen. Ambities en plannen bloeden dood, want wat hebben ze voor nut? Op dit eiland was het doel van het leven altijd duidelijk zichtbaar. Ogen van spelende of werkende mensen dwaalden van tijd tot tijd af naar de hoge, witte muren van het kerkhof op de heuvel, waarachter voor ieder van hen een plaats in het familiegraf wachtte. Iedereen wist precies waar zijn leven hem uiteindelijk zou brengen. Al het eten, drinken, echtbreken, piekeren, werken, wensen dat alles anders was en dat het leven meer te bieden had, waren slechts stappen op het smalle pad naar boven. Ze waren allemaal onderweg naar de poorten van het kerkhof.

Het was alweer een paar jaar geleden dat Theo's overgrootvader was opgegraven. Vandaag zou opa zijn plaats innemen.

Opa lag stijf en koud in zijn grenen kist op de tafel in de woonkamer. De kist, een van de standaardmaten van de begrafenisondernemer, was te groot voor hem. De uiteinden staken aan weerszijden van de tafel uit, en bij het in- en uitgaan van de kamer stootten de rouwenden de deur steeds tegen het voeteneinde. Alle stoelen in huis waren naar de woonkamer gedragen en onder de vergulde iconen tegen de muur gezet. Met rode ogen van het huilen en het slaapgebrek zaten de vrouwen al de hele nacht op hun plaats. Ze staken lange bruine kaarsen aan en doofden ze als ze bijna waren opgebrand. In de tussentijd zagen ze erop toe dat de duivel opa's ziel niet kwam stelen.

Het deed Theo verdriet om zijn opa zo te zien liggen.

Hij boog zich voorover om het voorhoofd van de oude man te kussen. De huid onder zijn lippen was droog, en geel als het vel van een maiskip. Opa's rimpels, die tijdens zijn leven zo diep waren geweest dat er een lucifer in paste, waren nergens meer te bekennen. Nu de lijnen uit zijn gezicht waren verdwenen, had hij de huid van een jongeman gekregen. De vrouwen hadden gezorgd dat hij er netjes bij lag, veel netter dan hij er tijdens de laatste jaren van zijn leven had uitgezien. Ze hadden hem geschoren en zijn nagels geschrobd en geknipt. Ze hadden hem zijn nette pak aangetrokken, het pak waarin hij was getrouwd. (Het was zijn enige pak, maar hij was in de loop der jaren gekrompen en de mouwen van het jasje bedekten zijn artritische handen bijna tot aan de vingertoppen.) Hij droeg een wit overhemd, dat vanochtend speciaal voor deze gelegenheid was gekocht. De vouwen van de verpakking waren gladgestreken – de zoete geur van stijfsel vermengde zich met de rook van de kaarsen – en de dichtgeknoopte kraag lag losjes om zijn nek.

Rond zijn neusgaten kroop een dikke vlieg.

De vrouwen – zijn moeder, tante Maria, tante Anna en die arme tante Sofia – keken er zwijgend naar. Theo's vrouw Elpida geeuwde. Hij had haar nog zo gevraagd om een andere rok aan te trekken, want deze kwam niet eens tot haar knieën. Theo liep langs haar heen naar zijn grootmoeder, die naast opa's kist zat. Hij pakte zijn grootmoeders handen en kuste haar vluchtig links en rechts op de wangen. Haar natte tranen voelden koud aan op zijn huid.

'Theo,' fluisterde ze. '*Theo mou, agapi mou.*' Hij wist niet zeker of ze het nu over hem of over opa had. Hij had bij zijn doopsel de naam van zijn grootvader gekregen, waardoor hij nu een levende herinnering aan opa's tijd op aarde was.

'Dat zijn herinnering eeuwig mag voortleven,' zei hij. 'Hij is nu bij alle heiligen, oma.'

Er klonken stemmen op straat. Tante Sofia tilde de gehaakte vitrage op en tuurde door het raam achter haar rug.

'De priester is er,' zei ze.

De vrouwen begonnen te jammeren.

In de keuken legde pappa Philippas de spullen klaar die hij nodig had. Hij was een lange man met een mager gezicht, gebogen schouders, en lichte ogen in holle, diepliggende oogkassen. De kinderen waren bang voor hem, want hij kneep hen met zijn knokige vingers als hij zag dat ze iets stouts deden. Hij was nooit getrouwd, omdat de liefde hem had teleurgesteld. Door de jaren heen had zijn teleurstelling hem als klimop overwoekerd.

'Gecondoleerd, Theo,' zei de priester. Zijn stem was traag en somber. 'Je grootvader was een goed mens.'

Op het deksel van het fornuis legde hij een bewerkte wierookbrander, lucifers, een busje houtskool en een piepklein doosje wierook. Theo schroefde de dop van een fles whisky en hield de fles omhoog.

'Wilt u iets drinken, vader?'

'Een klein glaasje, Theo. Ik drink niet graag tijdens mijn werk.'

Op een tinnen dienblad met een geborduurd kleedje hadden de vrouwen rijen glazen klaargezet. Het waren allemaal verschillende glazen, die uit andere huizen waren meegebracht of van de buren waren geleend. Theo schonk voor hen allebei een paar centimeter drank in. Pappa Philippas streek een lucifer aan en hield het vlammetje bij de houtskool tot er felgekleurde vonkjes vanaf kwamen. Daarna legde hij de houtskool in de brander. Hij koos een ondoorzichtig, ivoorkleurig stukje wierook uit het kleine doosje, legde het voorzichtig op de gloeiende houtskool en deed het deksel van de brander dicht. Door de gaatjes in het filigraan kwamen slierten zware, naar rozen geurende rook naar buiten.

Pappa Philippas dronk zijn whisky op en pakte de rammelende kettingen van de brander om de zwaaibeweging te oefenen. Hij deed zijn ogen even dicht, repeteerde een paar woorden – *Heilige God, heilige Sterke, heilige Onsterfelijke, ontferm U over ons* – en deed de deur van de woonkamer open om aan de monotone, droevige zang van de dodenliturgie te beginnen.

De mannen hadden zich buiten verzameld. Ze rookten, dronken whisky en wisten niets te zeggen. Theo's vader Michaelis leunde met oom Janis tegen de muur van het huis. Ze hadden hun armen om elkaar heen geslagen, en op hun kaak was de stoppelbaard van de rouw al te zien. Oom Janis huilde, en de ogen van zijn vader waren bloeddoorlopen. Theo's broer Takis stond bij neef Lukas. Uit respect had Lukas zijn handen gewassen, maar vanaf de polsen zat het vuil als een mouw om zijn onderarmen. Met zijn glad achterovergekamde haren leek Takis wel een pooier. Hij dronk een flesje Duits bier en gaf Theo een knipoog. *God van de geesten en van alle vlees, Gij hebt de dood vertreden en de duivel vernietigd en zo de wereld leven geschonken. Geef rust, Heer, aan de ziel van uw dienaar Thodoris, die ontslapen is, in de plaats van licht, de plaats van vrede, de plaats van verfrissing, waar alle smart, droefheid en tranen zijn verdreven.* De noordenwind was koud en bitter, en de dreigende, grijze wolken leken regen aan te kondigen. Achter het dichte raam en de vitrage van de woonkamer ging de stem van de priester eindeloos door.

Opa's goede vriend Nikolas zat in zijn eentje op een plastic stoel onder de eik. In zijn hand had hij een bosje bloemen, dat hij in de boomgaarden had geplukt. Om de stelen van de witte margrieten, wilde orchideeën en gele klaprozen zat een verfrommelde papieren zak. De klaprozen waren al verwelkt en lieten hun kopjes hangen. Theo liep naar hem toe om hem een hand te geven, maar Nikolas was zo bedroefd dat hij hem niet leek te herkennen.

Tante Sofia wenkte hem vanuit de deuropening. Haar gezicht was bleek boven haar zwarte weduwenkleren, die door het vele wassen bijna donkergrijs waren geworden. Het lichtgroene kant van haar nylon onderjurk piepte onder de scheve zoom van haar zelfgemaakte rok uit en stak scherp af tegen de verschoten serge. Ze hadden haar een dienblad gegeven om de lege glazen van de whiskydrinkers op te halen. Toen hij dichterbij kwam, pakte ze hem bij zijn onderarm.

'Theo,' zei ze op dringende toon, 'het is bijna afgelopen. Ze zijn bijna klaar.'

Terwijl ze het zei, hoorden ze de laatste woorden – *Moge je herinnering eeuwig voortleven, dierbare broeder* – gevolgd door het zachte kuchen van de vrouwen, die nu niet meer vroom en met gebogen hoofd hoefden te bidden en de rook van de kaarsen en de wierook uit hun keel probeerden te hoesten.

'Haal de glazen dan maar vlug op, tante,' zei hij. Hij draaide zich om en liep tussen de mannen door naar de vier aanwezigen die zouden helpen om de kist te dragen. Hij legde zijn hand op hun schouders.

'Tijd,' mompelde hij. 'Het is tijd.'

Tante Sofia liep met haar eeuwige glimlach tussen de mannen door om haar tinnen dienblad aan te bieden. Uiteindelijk stond het hele blad vol lege glazen. Omdat de slappe, weinig gebruikte spieren van haar dunne, oude armen begonnen te protesteren, zette ze het blad op een lege stoel, bang voor de troep en commotie die zouden ontstaan als ze de glazen uit haar handen liet vallen.

De vrouwen kwamen een voor een naar buiten. De blik van tante Maria viel op tante Sofia, die met een blos op haar wangen en een hand op haar zwakke hart uitrustte. Tante Maria's dikke wangen lilden. Ze liep naar de plaats waar tante Sofia stond en graaide het blad van de stoel. Een glas viel op de grond en spatte uiteen. Alle rouwenden draaiden zich om en staarden naar tante Maria en de glasscherven op straat.

Tante Maria werd vuurrood.

'Daar was ik al bang voor,' zei tante Sofia beschroomd. 'Het blad is erg zwaar, hè Maria?'

'Kijk nou wat je doet!' siste Maria. 'Moet je die troep zien! Ga een bezem pakken en ruim de rommel op!'

Tante Maria zette het dienblad weer op de stoel. De baardragers trapten hun sigaretten uit en gingen naar binnen. De begrafenisondernemer liep met een hamer en een Nescafé-blikje vol rammelende spijkers achter hen aan.

Oom Janis veegde de tranen van zijn wangen. Het gezicht van Michaelis was rood van de whisky en de bijtende, bittere wind. Zijn blik dwaalde af naar Theo en de mannen en vrouwen bij de deur.

'Kunnen we naar binnen?' vroeg oom Janis.

'Ja, oom. Het is tijd.'

Zijn oom gaf hem een klap op de rug.

'Je bent een beste jongen, Theo,' zei hij. 'Je grootvaders favoriet.'

'Hij is ieders favoriet,' zei Takis. De muur van de boomgaard was aan de onderkant begroeid met hoge, dicht op elkaar staande distels. Toen hij zijn lege flesje ertussen gooide, verdween het geluidloos tussen de planten, zonder te breken. 'Onze eigen Sint-Thodoris.'

Michaelis hief zijn hand op om hem een oorvijg te geven, maar de alcohol maakte hem traag en Takis bukte op tijd om de klap te ontwijken.

'Hoe durf je?' In Michaelis' stem was het effect van de alcohol duidelijk te horen. De woorden smolten aan elkaar, waardoor ze geen van alle goed te verstaan waren. 'Hoe durf je die naam op een dag als deze ijdel te gebruiken?'

'Laat hem maar, Mikey,' zei oom Janis. 'Hij bedoelt het niet zo.'

Neef Lukas had de naam dat hij altijd de waarheid sprak.

'Hij bedoelt het wel degelijk zo,' zei hij. 'Hij is jaloers.'

'Jaloers!' reageerde Takis spottend. 'Waarom zou ik jaloers op hem zijn?'

Hij kreeg geen antwoord. Met gebogen hoofd liepen ze samen naar het huis.

In de woonkamer werd de eerste spijker in het deksel van de kist geslagen.

De kerk van Sint-Thanassis werd zacht verlicht door kaarsen. Uit de donkere hoeken leken lange schaduwen naar voren te klauwen, en in het schijnsel van de vlammen leken de gebeeldhouwde gezichten van de oude heiligen op doodshoofden. Ze zetten de kist op de schragentafel, die met een kleed was bedekt. Bij de katheder sloeg pappa Philippas een bladzijde van het in kalfsleer gebonden boek om. *Waarlijk alles is ijdelheid, het leven is slechts een schaduw en een droom, en tevergeefs tobt de mens zich af, zoals De Schrift zegt: als wij de wereld hebben gewonnen, dan zullen wij wonen in het graf, waar koningen en bedelaars gelijk zijn, daarom schenk rust, o Christus God, aan hen die ons zijn voorafgegaan, Gij enig menslievende.*

Zes jaar geleden was Theo in deze kerk getrouwd. Hij keek terug op zijn trouwdag alsof alle gebeurtenissen een ander waren overkomen, iemand die hij goed had gekend, maar die hij uit het oog was verloren en zich nog maar vaag kon herinneren. Hij kon zich fragmenten van de dag voor de geest halen, als een homevideo waarop allemaal losse opnamen achter elkaar stonden. Een goede dag, zijn mooiste dag, een fantastische, warme dag aan het begin van de zomer. Hij herinnerde zich de kleine uurtjes van de nacht vóór de bruiloft, toen zijn broer hun gezamenlijke slaapkamer binnen was gestommeld. Takis had naar sigaretten en bier gestonken en had Theo sekstips gegeven voordat hij met al zijn kleren aan in slaap was gevallen. Hij herinnerde zich dat hij 's ochtends heel vroeg met zijn moeder aan de keukentafel had gezeten en de zon had zien opkomen. Ze had koffie voor hem gezet, niet te zoet, precies zoals hij het lekker vond, en had zijn sigaretten en aansteker in een schone asbak voor hem neergezet. Hij herinnerde zich het sissende gas in het kookstelletje dat zijn moeder speciaal voor de koffie gebruikte, en het steeds lager wordende geluid van het zingende brouwsel in de pot. Hij herinnerde zich een emotie die hij niet kon benoemen – spijt, misschien – en hij had haar hand vastgehouden en haar bedankt. Zijn moeder had moeten huilen. Hij herinnerde zich de schaal zee-egels die oom Janis hem rond lunchtijd had gebracht om zijn lendenen extra potentie te geven. Al zijn familieleden hadden toegekeken toen hij ze opat, om er zeker van te zijn dat de mannelijke kracht van de familie niet in opspraak kon worden gebracht. Hij herinnerde zich dat de bouzouki's in het kleine huis erg hard hadden geklonken. Ze hadden oude nummers gespeeld, de favoriete deuntjes van de oude mannen, en de oude mannen hadden luidkeels meegezongen. Het waren vulgaire liederen over lust, verdrietige liederen over verloren liefdes, en romantische liederen over zeelieden ver van huis, die onderweg naar de haven waren en naar de glimlach van hun moeder verlangden. Hij herinnerde zich de eerste aanblik van Elpida in haar bruidsjurk. Ze had eruitgezien als een prinses, beeldschoon, een droom in het wit, verlegen glimlachend aan haar vaders arm. Op dat moment was hij verliefd op haar geworden, in elk geval voor de rest van die dag, dus toen het moment aanbrak om haar het jawoord te geven, was hij in staat geweest om daadwerkelijk in zijn eigen woorden te geloven. Na de ceremonie, toen hij en Elpida twee minuten waren getrouwd en door de zijden linten van hun oranjebloesemkronen voorgoed aan elkaar waren verbonden, had de congregatie hen met gesuikerde amandelen bekogeld. Hij herinnerde zich dat hij een noot recht in zijn oog had gekregen. Het had zo zeer gedaan dat hij tegen zijn tranen had moeten vechten, maar hij wist dat het geheid ongeluk zou brengen als je op je eigen trouwdag huilde. Hij herinnerde zich dat hij in zijn hemdsmouwen voor zijn bruid had gedanst, verhit door de goedkope Metaxa en rode wijn. Zijn vrienden hadden in een cirkel om hem heen gehurkt en in hun handen geklapt om het ritme aan te geven. Hij had met haar gedanst, hij had met álle aanwezige vrouwen gedanst. Hij herinnerde zich al het eten dat voor zijn neus was gezet – gekookte octopus, gegrild lamsvlees, gebraden kip, in kruiden gemarineerde olijven, gezouten vis, gebakken courgette met knoflooksaus, een romige auberginescho-tel, piepkleine zeeslakken in hun schelp – en dat hij niets had gegeten, omdat hij het gevoel had dat zijn leven eindelijk ging beginnen. Hij wilde geen tijd verspillen met eten.

En hij herinnerde zich dat Elpida en hij eindelijk naakt met hun tweeën in bed hadden gelegen. Ze had hem willen behagen, maar wist niet goed wat er van haar werd verwacht. Toen ze het formaat van zijn lid had gezien, was ze geschrokken. De penetratie was moeizaam geweest en Elpida had veel pijn gehad. Ze was in tranen uitgebarsten, bang dat ze hem had teleurgesteld en dat hij haar verbolgen terug naar haar moeder zou sturen. Gegeneerd en verdrietig waren ze in slaap gevallen, twee vreemden die er samen het beste van moesten maken.

Nu stond ze naast hem. Toen hij naar haar keek, glimlachte ze naar hem, maar zijn gezicht bleef stroef. Hij had gezien dat zijn broer vanaf de andere kant van de kerk naar haar lachte. Elpida had haar ogen neergeslagen, naar Takis opgekeken en teruggelachen met een warmte die ze niet voor Theo leek te voelen.

Na de dienst, toen opa naar het kerkhof was gedragen en in zijn graf was gelegd, lieten de mannen het verder aan de vrouwen over. De vrouwen waren zenuwachtig in de weer, huilden, maakten zich druk om de olie in de lamp en ruzieden over de vraag waar ieders bloemen het beste uitkwamen. Oma, die inmiddels hysterisch was, lag op de grond en beweerde dat ze nooit meer bij het graf wegging, nooit.

De buren wandelden naar huis. Theo liep met zijn vader en oom Janis langzaam naar het *kafenion* in het dorp, vergezeld door de oude Nikolas en een paar anderen. Takis ging niet mee. Sinds ze de kerk hadden verlaten, had niemand hem nog gezien. Omdat iedereen zich ellendig voelde, werd er nauwelijks een woord gewisseld. Michaelis bestelde whisky en de ober kwam een fles brengen.

Een tijdje zaten ze zwijgend te drinken, maar toen de whisky de scherpte van hun verdriet afvijlde, begonnen ze verhalen te vertellen over opa's karakter en de dingen die hij had gedaan.

'Die ouwe gek en zijn tanden,' zei oom Janis. 'Die dag vergeet ik nooit meer. Toen zijn tanden zo slecht werden dat hij ze eigenlijk moest laten trekken, zei die idioot Thassis dat hij een manier wist om hem te helpen. Opa geloofde hem, ging naar het strand en maakte een vuur van wrakhout. Vervolgens verzamelde hij zo veel mogelijk zeeslakken. Hij verwarmde de slakkenhuizen in het vuur tot ze gloeiend heet waren en beet er met de slechte delen van zijn tanden op om de verrotting weg te branden.'

Lachend riepen ze allemaal hetzelfde refrein: 'De ouwe gek!'

'Zeg dat wel, de ouwe gek! Zijn mond zag er verschrikkelijk uit! Dagenlang heeft hij pijn en blaren gehad. Maar hij was te trots of te bang om naar een tandarts op Kos te gaan, dus hij deed er verder niets meer aan. Sindsdien heeft hij altijd last gehad, weten jullie nog? De laatste jaren van zijn leven heeft hij geweekt brood en pap gegeten, en soms een stukje vis. Wat zei hij ook alweer, Mikey? "Een beetje kruidnagelolie erop en je bent de pijn al vergeten." De ouwe gek.'

Er viel een stilte. Boven de bar begon een kanarie in een kooitje te zingen. Michaelis pakte de whiskyfles en kwakte bij iedereen nog wat drank in het glas.

'We drinken op hem! We drinken op de ouwe gek, waar hij op dit moment ook moge zijn!'

Ze dronken door tot het avond was geworden en ze zoveel

hadden gedronken dat de vrolijkheid weer plaatsmaakte voor een huilerige stemming. Theo begon hoofdpijn te krijgen. Eigenlijk wilde hij weg, maar omdat hij niet naar huis wilde, bleef hij zitten. Door de openstaande deur zag hij een vrouw over straat lopen. Ze had lang, dik haar, en hij keek haar na tot ze de hoek omging en uit zijn gezichtsveld verdween. Zo bleven ze elkaar gezelschap houden en herinneringen ophalen tot ze boven hun hoofd de donder hoorden rollen en de eerste regendruppels voelden.

Het regent nog steeds. Het komt met bakken omlaag. We zitten binnen. We zitten nu al drie dagen binnen.

Er verandert niets. De jaren beginnen en eindigen allemaal hetzelfde. Dit jaar kropen de dagen voorbij naar een winter die precies op de vorige leek. Volgend jaar zal de winter ook geen verrassingen bieden. Deze oude stenen huizen zijn stervenskoud. De kou gaat dwars door je kleren heen en dringt tot onder je huid, waar ze je botten verkleumt tot ze pijn doen. We doen onze jassen aan en dragen ze de hele dag, zowel buiten als binnen. We kunnen ons niet verkleden, want het is te koud om je uit te kleden en onze schone kleren zijn klam. Ze stinken en rotten van de meeldauw, want het is nergens droog genoeg om ze te luchten. De slaapkamermuren die aan de watertank grenzen, zitten vol harige, grijze schimmel. We moeten allemaal hoesten, omdat we steeds vochtige lucht inademen. Het water heeft zich gewoon brutaal meester van ons huis gemaakt. Het komt onder de deuren door en sijpelt langs de kozijnen. De kleden zijn allemaal opgerold en in het midden van de kamer gelegd. Overal liggen natte handdoeken, die het water opzuigen en de lucht nog vochtiger maken. Om het uur haalt Elpida een emmer om de handdoeken uit te wringen. Het werk maakt haar handen rood – ze zijn schraal en gebarsten, met kloofjes tussen de vingers. Nu de kleden weg zijn, waait de wind fluitend tussen de scheuren in de vloerplanken door en staat het glas in de servieskast te rammelen.

's Ochtends berusten we in de kou. Ik ga met een stapel beddendekens op de bank liggen om te roken en televisie te kijken. Elpida kookt,

echte winterkost. Gekookte bloemkool. Linzen. Kikkererwten. Gebakken eieren. Gevulde kool. Sinaasappels. Ik droom van vlees, een goedgevulde stoofpot met rundvlees, of anders misschien gebraden lam. Maar als het regent, werken we niet, en als we niet regelmatig werken, is er geen geld voor vlees. Als Elpida niet kookt, zoekt ze andere bezigheden. Ze maakt alles schoon wat ze ziet: de lampfittingen, de poten van de stoelen, en, tussen de buien door, de straat buiten. Ze rent naar de bakker om brood te halen. Maar waar kan ik naartoe?

's Middags, als Panayitsa uit school komt, gaan we naar Elpida's moeder. De tv staat altijd aan, maar niemand kijkt ernaar omdat er altijd wel iemand over onzinnige dingen kletst: dat de buurvrouw haar kinderen in de regen buiten laat spelen en nooit de straat voor hun huis veegt, over de vraag of de vrouwen morgen naar het festival in Sint-Katerina zullen gaan, of dat de veerboot verse groente mee zal brengen. Ik rook veel en drink veel saliethee. Soms zet Elpida de elektrische haard aan (altijd slechts een van de twee blokken) en dan trekken we een stoel erbij en gaan we eromheen zitten: ik, Elpida, mijn schoonmoeder, mijn schoonvader, Panayitsa en Elpida's grootmoeder, dat getikte, ellendige ouwe wijf. Mijn schoonmoeder begrijpt helemaal niets van elektriciteit, behalve dat het duur is. 's Nachts trekt ze de stekker van de koelkast eruit om geld te besparen. Als het even droog is, gaat haar vader naar de tuin, verbrandt een paar stokken in een vuurkorf en neemt de hete as mee naar binnen, waardoor we elkaar binnen de kortste keren niet meer kunnen zien door de rook. Uiteindelijk, als we geduldig wachten, wordt het avond. We gaan naar huis, waar Elpida en Panayitsa samen in bed kruipen om warm te blijven. Ik ga onder mijn dekens op de bank liggen en lig in het donker te bibberen, te roken en te wachten.

Ik kan niet naar buiten, want waar zou ik naartoe moeten gaan? Vanbinnen ga ik dood van verveling. Er is niets te doen, werkelijk helemaal niets te doen.

Gisteren kwam mijn vriend Kleine George langs, en toen heb ik even met hem staan kletsen. Hij en Grote George gaan een paar dagen naar Kos om even uit de sleur te zijn. Vóór mijn huwelijk ging ik altijd met hen mee. Dat was soms heel gezellig. Dan gingen we naar een nachtclub, dronken wat in een bar en reden op onze motorfietsen het hele eiland over. We aten andere dingen dan wat de pot thuis schafte. We gingen naar de bioscoop, gingen winkelen en kochten soms wat nieuwe kleren. Ook zochten we wel eens een paar meisjes.

Inmiddels ben ik getrouwd, een serieuze man met een gezin. Dat leven ligt achter me. Er zat dus niets anders op.

Ik wenste hem een prettige reis.

4.

Omdat het huis eigenlijk nergens bij hoorde – niet bij de rustigste haven, waar de kleinste bootjes aanmeerden en uitvoeren, en ook niet bij de kern van het dorp, waar overal echtgenotes en lawaaierige kinderen op straat liepen – werd het Huis Halfweg genoemd. Er kwamen maar weinig mensen langs: oude mannen die uit gewoonte naar hun volkstuintje in de vallei kuierden om planten water te geven die 's nachts al kleddernat waren geregend, en soms een auto, pick-up, taxi of vrachtwagen. De postbode, die halsbrekende toeren op zijn scooter verrichtte, kwam doordeweeks altijd om elf uur langs. En dan was er nog de bus, die aan twaalf mensen plaats bood en eens per uur met zijn versleten banden voorbij rammelde.

In de zomer, als de hitte ondraaglijk was en er tot aan het late uur van de siësta geen verkoelende wind uit de bergen kwam, was het een prettig huis. Het stond in de schaduw van de overhangende eucalyptus aan de weg en werd aan de achterkant beschut door de olijfboomgaard en een welige wijnrank zonder druiven. Maar in de winter was het een ramp. De wind stuwde de regen onder de slecht sluitende deur door en liet het water langs de niet afgekitte raamkozijnen naar binnen sijpelen. Op de marmeren vloer en de betegelde vensterbanken bleef het water in plasjes liggen. Ze bedekte de vensterbanken met handdoeken, die moesten worden uitgewrongen en op een of andere manier moesten worden gedroogd. Ze dweilde de vloer herhaaldelijk, maar als het vocht eenmaal was binnengedrongen, kroop het in de muren, waar het niet kon worden opgedweild of door handdoeken kon worden opgezogen. Het werd opgenomen door de stenen en het pleisterwerk, en bleef daar rotten tot het uiteindelijk als smerige, zwarte schimmel zichtbaar werd. De schimmel klom langs de muren omhoog en kroop over de plafonds. De sporen verspreidden zich als een infectie door hun kleren, de gewassen lakens, de tapijten en haar handgemaakte kleden. En door het vocht was het altijd koud en bedompt. Op zonnige dagen gingen ze buiten zitten om een beetje warm te worden. Zo hoorde een huis, de plek waar je woonde, niet te zijn. Maar hun huisbaas zat in Athene en kwam nooit naar het eiland. En wat nog belangrijker was: de huur was laag. We doen het er voorlopig maar mee, zei Andreas. Als we ijverig sparen, kunnen we binnenkort ons eigen droomhuis bouwen.

Op het vasteland ging Andreas langs de deuren om het beste deel van zijn vangst te verkopen: stekelige dorades, twee flinke, prachtige roze snappers, de slanke, zilverkleurige zeebrasems, de lelijke sint-pietervis, de schaarloze plaatselijke kreeften die in zijn vallen waren gekropen, en de zee-egels en oesters die hij had verzameld. Een deel van de opbrengst besteedde hij aan dingen die hij nodig had, zoals een nieuwe voorraad ijs en versgebakken broden. Hij maakte zijn netten en lijnen klaar om ze voor de laatste keer uit te gooien en ging vervolgens op weg naar huis.

Hij voelde zich op de oceaan bijna net zo in zijn element als de vissen. Terwijl de motor pruttelde, liet hij de boot op de zachte golven deinen of voer hij rechtstreeks naar de grote golven, het kielzog van de grote schepen en de veerboten. Wanneer hij land zag – hij kende alle kleine en grote eilanden – ging hij dicht langs de kust varen om van de beschutting van het land te profiteren. Op open zee hoefde hij niet eens op zijn kompas te kijken om recht op koers te blijven. Het was alsof de voren tussen de golven wegen waren die hij goed kende. Als het tijd werd om te stoppen, wist hij precies op welke plaatsen zijn anker achter de rotsen zou blijven hangen, en waar het nutteloos over het zand zou slepen en de boot zou laten afdrijven. Hij onthield op welke plaatsen hij succes had gehad, in welke kleine inhammen en baaien hij veel had gevangen, en gooide daar zijn netten uit.

En hij kende zijn prooi. Hij kende de gewoontes van elke soort: hij wist op welk tijdstip ze graag aten, welk weer ze het prettigst vonden en op welke diepte ze zwommen. Hij wist met welk aas hij ze kon vangen: een stukje garnaal met een suikerlaagje, een felgekleurd lokmiddel in de vorm van een inktvis, of een kruimel brood of ham. Voor hem was het een wedstrijd die door de slimste werd gewonnen. Als de vissen het aas pikten en wisten te ontsnappen, vervloekte hij ze. Maar gelukkig voelde hij vaak dat gewicht aan de lijn, het trillen en trekken dat hem vertelde dat hij kon winnen als hij snel was en de vis heftig spartelend binnen wist te halen voordat het dier zichzelf kon losrukken.

Hij haalde ze uit het water en hield de schokkende, glibberige, naar adem happende beesten vast om de haakjes uit hun harde lippen te trekken. Zijn eeltige handen absorbeerden hun slijmerige olie, en de grote vissen bloedden en overdekten hem met bloedspatten uit hun klapperende kieuwen. Hij was ervan overtuigd dat deze vermenging van hun lichaamsappen nodig was om een goede visser te zijn. En als hij op zee was, at hij elke dag vis of schelpdieren. Hij at rauwe zee-egels rechtstreeks uit hun schelp, grilde sardientjes boven een vuurtje of draaide een blikje makreel open. Het zuur in zijn maag verteerde hun graten en huid en liet ze met de zijne versmelten. Op deze manier, zei hij, drong hij tot de kern van hun wezen door en nam hij al hun geheimen in zich op.

Zijn leven lag bij die wezens uit de zee. Hij deelde in hun geest en hun geschenk van de stilte. Als hij had mogen kiezen, had hij een zeemeerman willen zijn.

Andreas kwam zaterdagochtend heel vroeg thuis, toen zij nog in haar warme bed lag. Er rammelde een sleutel in het sleutelgat, waarna de deur openging en zachtjes werd dichtgedaan. Ze stapte uit bed en trok sokken en sloffen aan, want het was koud in de kamer. Ze hoorde het schrapende geluid van stoelpoten over de keukenvloer, gevolgd door zijn kuchende stem en het schorre geluid van zijn aansteker. Ze pakte haar ochtendjas en streek vlug haar verwarde haren voor de spiegel glad. Tegen de tijd dat zijn sigarettenrook het plafond bereikte, stond ze naast hem en had ze zijn hand gepakt. Glimlachend keek ze naar de lach op zijn gezicht.

Met zijn zoute, uitgedroogde lippen gaf hij haar een vluchtige kus. Hij had zich al dagen niet meer geschoren, waardoor zijn baardharen over haar wang schuurden. Met zijn verwaaide haar en vuile, verbrande gezicht zag hij er verwilderd uit. Zijn ogen waren rood en gevoelig, en waren door het slaapgebrek zo dik en opgezwollen dat ze nauwelijks meer dan spleetjes waren. En zijn lichaam, adem, kleren, alles stonk. Ze rook zweet, olie, uien, pis. En vis.

'Dag, vrouw,' zei hij, nog altijd met een glimlach op zijn gezicht.

'Welkom thuis.' Ze glimlachte terug. 'Ik ben blij dat je er weer bent.'

Ze zette thee en bakte eieren voor hem. Tijdens het eten vertelde hij in het kort over zijn reis – waar hij naartoe was gegaan, wat hij had gevangen en welke vissen waren ontsnapt. Terwijl hij praatte, wasemde de stank als moerasdamp van hem af.

Na het eten haalde hij de houten handkar, die onder de wijnrank stond. In een vriendschappelijke stilte daalden ze samen af naar de zee, langs de bermen waar hij vroeger ruikers schuchtere alpenviooltjes en helderwitte margrieten voor haar had geplukt. Vandaag stond zijn hoofd niet naar bosjes bloemen.

Hij trok de boot helemaal tegen de pier aan en laadde de handkar vol. Uit de piepschuimen dozen lekte troebel smeltwater vol schubben. In de dozen lag het restant van zijn vangst: zeebliekken, magere sardientjes, grijsblauwe gepen, lang en dun als buizen, en harders, die niet veel zouden opbrengen omdat de mensen ze niet lekker vonden. De vissen lagen met een wezenloze blik op het gemalen ijs, verkleurd en dof nu het verval van hun lijf was ingezet.

In de piepkleine kajuit haalde ze de dekens en het kussen van de geplastificeerde matras waarop hij sliep, en legde ze op het houten motorhuis om ze te laten drogen. De boot deinde zachtjes op de golven heen en weer, waardoor het water in het ruim als wijn in een glas werd rondgewalst. Ook in dit geval kwam er een bouquet vrij: gemorste dieselolie en ingewanden van vissen. Ze verzamelde zijn enige bord, waarop duidelijk de afdruk van een vuile duim stond, zijn kop, kom, messen, vork, lepel, lege waterflessen en bierblikjes, het blikje cornedbeef dat hij niet had opgegeten, de restjes oud brood en een appelschil.

Vroeger had ze wel eens gevraagd of ze mee mocht, omdat ze zijn leven romantisch vond en het gevoel had dat hij op ontdekkingsreis ging.

Elke keer had hij zijn hoofd geschud, omdat hij wist hoe zijn leven er werkelijk uitzag.

'Het is mannenwerk,' had hij gezegd. 'Je zou het heel onaangenaam vinden.' (En vrouwen op zee brachten ongeluk. Ze praatten te veel en kregen het koud. Bij ruwe zee werden ze zenuwachtig en ze hadden snel last van zeeziekte.)

Nu begreep ze hoe zijn leven eruitzag en ruimde ze zwijgend zijn rommel op, zonder ooit nog te vragen of ze mee mocht. Zijn leven zonder haar bestond uit vuil en overleven.

'Ik kom tussen de middag thuis eten,' zei hij, voordat hij met zijn handkar langs de deuren aan de kade ging. Onderweg riep hij naar de vrouwen: 'Vis! Verse vis!'

Irini keek hem na. De vrouwen verschenen met hun portemonnee in de deuropening en flirtten met hem om de mooiste vissen en een extra groot stuk te krijgen. Ze zag hem verlegen en gevleid glimlachen. Hij zette zijn wollen muts af en haalde zijn hand over zijn kale hoofd, maar toen een van de vrouwen lachend haar hand uitstak om zijn gladde hoofdhuid aan te raken, voelde ze niets van de jaloezie die haar vroeger wel eens had geplaagd.

Aan de andere kant van de baai stonden de vier stoelen aan Nikos' tafel eenzaam en leeg op het terras van het café.

Irini liep in haar eentje naar huis.

Ze was blij dat ze iets te doen had. Ze maakte *pasticcio* voor hem, een ovenschotel van brede, holle pasta, een goed gevulde vleessaus en kaas. Hij lepelde zijn eten naar binnen alsof hij uitgehongerd was en scheurde stukken van het brood om zijn bord schoon te vegen. Onder de tafel glibberde een van zijn cadeautjes, een octopus, in een emmer rond tot hij op de stenen van de binnenplaats tot zachte pulp zou worden geslagen. Zijn tweede cadeautje, een gevlekte moeraal, lag stijf opgerold op een bord in de koelkast. De haak, waaraan een felblauw stuk nylondraad hing, zat nog door zijn bovenlip.

'Ik moest dat rotbeest lossnijden voordat het me een vinger zou kosten,' zei hij. Hij was bang voor deze slangachtige vissen. Vorig jaar had een moeraal zijn tanden in zijn hand gezet en niet meer losgelaten tot hij de kop met een moersleutel had ingeslagen. De pijnlijke wond was gaan ontsteken, waardoor hij tien dagen niet had kunnen werken. Op de rug van zijn hand waren de littekens nog te zien, kleine deukjes in een ronde, kaakvormige rand.

Met die cadeaus had hij haar een plezier willen doen, dus ze deed haar best om er blij mee te zijn. Maar ze wist dat ze de ingewanden eruit moest halen en de vissen moest onthoofden, villen, mals slaan, koken en bakken voordat ze ervan kon genieten.

Ze zou hem hebben gezoend als hij haar geld voor nieuwe schoenen had gegeven.

Hij schoof zijn lege bord van zich af en haalde een rol bankbiljetten uit zijn zak, die hij op tafel uittelde. Hij had goede zaken gedaan.

'Geef me de trommel eens, vrouw,' zei hij.

Ze pakte de koektrommel van de plank. Nadat hij haar tienduizend drachmen had gegeven, propte hij de rol in de trommel, die al vol bankbiljetten zat.

'Je hebt er toch niets uitgehaald toen ik weg was?' vroeg hij. Irini loog dat ze de trommel niet had aangeraakt.

'Want het duurt niet lang meer voordat we genoeg hebben om het land te kopen,' zei hij. 'En dan zijn we goed op weg.'

Hij had haar niet genoeg geld gegeven. Hij gaf haar nooit genoeg. Hij wist niet wat vlees, melk en sinaasappels kostten. Het maakte niet uit. Als ze meer nodig had, stond de koektrommel altijd op de plank.

Andreas scheurde de korst van een stukje brood en haalde de vogelkooi van de haak. Hij liep ermee naar buiten en hing het kooitje onder de wijnrank, waar de zon op zijn warmst was. Daarna nam hij een kruimeltje brood tussen zijn duim en wijsvinger, dat hij tussen de spijlen door aan de zwijgende leeuwerik aanbood.

'Toe dan, Milo,' zei hij op vleiende toon. 'Iets lekkers voor jou, een liedje voor mij.'

De vogel keek hem behoedzaam aan, maar hupte over het stokje naar hem toe om het brood uit zijn vingers te pakken.

'Brave jongen,' zei hij. 'Zo ken ik je weer.' De vogel pakte nog een kruimel, en daarna nog een. Toen Andreas weer naar binnen ging, stak de vogel zijn snavel in de lucht en begon te zingen.

Ze voelde geen opwinding, maar ook geen afkeer. Ze had er gewoon geen zin in. Ze vond het vervelend om zich op dit tijdstip van de dag uit te kleden, en wist dat haar naakte lichaam het straks in hun kille, vochtige slaapkamer koud zou krijgen. Maar ze was het verplicht, net zoals ze verplicht was om zijn eten te koken en zijn kleren te strijken. Het was een deal die overal werd gesloten: haar inschikkelijkheid in ruil voor zijn geld.

Hij deed zijn best, hij probeerde verleidelijk over te komen zoals hij daar quasinonchalant op bed voor haar klaarlag. Zijn erectie duwde de handdoek om zijn middel omhoog en zag er belachelijk uit. Na zijn bezoek aan de badkamer leek hij weer op een beschaafd mens: zijn baard was verdwenen, zijn nagels waren schoongeschrobd, zijn haar was glad en gekamd, en om hem heen hing de zoete geur van zeep en aftershave.

Ze slaagde erin om ergens een glimlach vandaan te toveren en trok haar kleren uit. Hij spreidde zijn armen en zij kroop erin, waarbij ze zich tegen zijn vochtige huid aan drukte. Hij trok de dekens over hen heen, drukte zijn mond op de hare en duwde zijn tong tussen haar tanden.

'Vrouw,' zei hij, terwijl hij haar losliet. Hij glimlachte, omdat hij genoot bij de gedachte aan de bevrediging die hem nog te wachten stond. Het was de glimlach die ze een uur eerder ook had gezien, toen ze hem de pastaschotel had voorgezet. Hij trok de handdoek van zijn middel en duwde zichzelf na enig gepruts bij haar naar binnen. Haar gezicht vertrok van pijn. Hij greep haar borsten met zijn koude handen beet en begon te pompen. Zolang hij langzaam en diep bij haar naar binnen stootte, keek ze naar de muur, maar toen hij sneller begon te pompen, begon ze haar heupen mee te bewegen in de hoop dat hij snel klaar zou zijn. Hij nam de tijd, maar ze was vastbesloten, en hoewel hij het nog een poosje had willen rekken, vertrok zijn gezicht tot een aapachtige grijns en kwam hij met stokkende adem klaar.

Toen hij zijn ogen opendeed, zag hij haar glimlach warmer worden. Hij sloeg zijn arm om haar schouder en trok haar dicht tegen zich aan.

'Vrouw,' zei hij. 'Mijn vrouw.' Hij streek met zijn hand over haar blote buik. Zijn handpalm voelde net zo ruw aan als een haaienvel. 'Ik heb het gevoel dat dit mijn geluksdag is. Vandaag zou het wel eens kunnen lukken. Ik stuitte tijdens mijn tocht op een bedje oesters – slechts een stuk of vijf jonge oesters – en die heb ik voor mezelf gehouden. Oesters doen een man goed, er bestaat niets beters om je kracht te geven. Dus daarom dacht ik...'

De rest van zijn zin ging verloren in een geeuw.

'Je moet slapen,' zei ze. Ze streelde zachtjes over zijn hoofd.

'Ik kan alleen maar slapen als ik bij jou ben,' zei hij. Binnen een minuut was hij onder zeil en lag hij zachtjes te snurken.

Ze hield hem een poosje tegen zich aan. Ze lag lekker, want door de seks was het bed warm geworden. In het kuiltje van zijn sleutelbeen glom zijn huid van het zweet. Vanuit de oksel van de arm die hij achterover op het kussen had gelegd, kwam zijn ware lichaamsgeur als een wolf door het bos naar buiten sluipen. Zeep en aftershave maakten plaats voor mannelijkheid en een muskusgeur. Ze vond het een prettige lucht en snoof als een hond aan zijn oksel. Maar onder het muskusluchtje rook ze nog een andere geur, die altijd aanwezig en zeer herkenbaar was: de stank van vis.

Ze glipte uit bed en nam haar kleren mee naar de badkamer, waar ze de plakkerige resten van zijn zaad wegspoelde voordat ze zich aankleedde. Zachtjes haalde ze een met zilver versierd icoon van de bejaarde, zwangere Sint-Elizabeth van de muur boven de televisie. Toen ze zeker wist dat Andreas nog sliep, maakte ze de klemmetjes aan de achterkant los en trok de lijst open. De witte pilletjes die ze in hun folieverpakking achter het karton had gestopt, lieten een verraderlijk gerammel horen. Uit een doordrukstrip die al voor een deel leeg was, haalde ze een tablet.

Ze dacht aan Andreas, die helemaal in zijn eentje op een rotsachtig strand oesters at om zijn potentie te verhogen, en wist dat de magie van de oesters geen partij was voor de chemische tegenwerking van het tabletje in haar hand. Ze aarzelde elke dag voordat ze het pilletje doorslikte. Ze dacht aan de woorden van haar oom, en twijfelde aan zijn bewering dat een baby de sleutel naar gemoedsrust was.

Ze vond het vreselijk om Andreas te bedriegen, want ze wilde niet onaardig en huichelachtig zijn. Maar haar hart dwong haar om het te doen. Haar hart hield zich wanhopig vast aan dromen die nooit gerealiseerd zouden worden als ze haar vrijheid kwijtraakte.

Ze slikte de pil door en hing het icoon en zijn geheimen stiekem terug aan de muur. De schaduwen in de kamer verschoven, omdat er wolken voor de zon dreven. Het gezicht van Sint-Elizabeth was veranderd, maar Irini wist niet zeker of haar glimlach breder was geworden of dat ze fronste.

Tegen vier uur begon de zon al te zakken, waardoor het in de kamer en de vallei donkerder werd. Ze bleef een poosje in de schemering zitten, vechtend tegen een opkomende rusteloosheid en behoefte aan actie. Maar de wijzers van de klok leken wel stil te staan, en ze kon geen enkele bezigheid bedenken waarmee de uren tot haar bedtijd sneller voorbij zouden gaan. Ze zette nog meer thee en ging ermee bij het raam zitten. Terwijl de middag zich voortsleepte naar de avond, bleef ze naar buiten kijken, niet in staat om iets te bedenken waardoor de uren sneller voorbij zouden gaan en er een einde aan haar sombere stemming zou komen.

Andreas bleef een week thuis. De vangst was goed geweest, hij had alle vis verkocht en hij had geld in zijn zak, dus er was geen reden om weer uit te varen. Twee dagen lang sliep hij bij. Hij kwam alleen maar uit bed om aan tafel te gaan zitten en te eten, tot zijn ogen niet meer rood waren en de desoriëntatie van het slaapgebrek was verdwenen.

Daarna gingen ze elke dag naar het huis van zijn moeder, waar ze over het weer en de prijs van vis en vee praatten. Ze trokken stevige wandelschoenen aan en liepen over het rotsachtige bergpad naar Profitis Ilias om sinaasappels voor marmelade te plukken. Ze gingen naar de kruidenier in de haven en dronken koffie in het kafenion, waar de oude mannen zaten te kletsen. Ze liepen naar Nikos en luisterden een paar uur naar alle nieuwtjes die hij had gehoord.

Maar na een week werd Andreas gegrepen door dezelfde rusteloze verveling die tijdens zijn afwezigheid aan Irini knaagde. Het werd tijd om te gaan.

Hij begon zijn reis voor te bereiden. Hij liet Irini fruit, koffie en blikjes vlees en vis kopen, en repareerde op de kade de gaten die de stenen in zijn netten hadden gemaakt.

Maar voordat hij kon vertrekken, sloeg het weer om.

De winter liep ten einde en de amandelbomen zaten al vol donzige, roze bloesem. Niemand had verwacht dat het nog zo hevig zou gaan stormen. De zee kolkte over de zeewering heen en overspoelde de haven, waardoor er in winkels en huizen een vieze laag zout water kwam te staan. Huilende windvlagen rukten elektriciteitsdraden los, en het personeel van de energiecentrale weigerde naar buiten te gaan om ze te repareren. De elektriciteitsvoorziening werd onregelmatig en hield vervolgens bijna helemaal op. De telefoons deden het niet meer, maar geen enkel personeelslid van de telefoonmaatschappij was bereid zijn huis te verlaten en op onderzoek uit te gaan. Geen enkel schip mocht de haven verlaten. Omdat er geen scheepsverkeer van en naar het eiland mogelijk was, waren er al gauw geen verse producten meer te krijgen. Bij de kruideniers speurden vrouwen de steeds leger wordende schappen af naar blikken melk en pasta, die ze op gasstellen kookten en met een dikke laag margarine en harde, geraspte kaas op tafel zetten. De wind rammelde aan de huizen, waardoor overal stof van het pleisterwerk naar beneden kwam. Het belandde in het eten op het fornuis en kruidde de maaltijden op tafel met gruis. Het werd moeilijk om in slaap te vallen, want de oude huizen kreunden en kraakten, en de deuren en ramen rammelden en klapperden in de wind. De mensen die niet konden slapen, lagen te luisteren of ze dakpannen kapot hoorden vallen of bomen krakend hoorden sneuvelen.

Andreas verankerde de boot ver van de kust en nam de oude olielampen uit de kajuit mee naar huis. Om warm te blijven, haalde hij de vuurkorf uit de schuur en maakte met de houtskool van de vorige zomer een vuur. Daarna ging hij slapen. Hij hield zijn kleren aan en deed alleen zijn laarzen uit. Hij wikkelde zich in dekens als een rups in een cocon, en lag in de troosteloze slaapkamer te dommelen en te snurken.

Hij bleef maar slapen. De slordige bast van de eucalyptussen langs de weg vervelde als een verbrande huid, maar de kreunende, krakende bomen verzetten zich met succes tegen de wind. Soms, als de woedende wind overdag even op adem probeerde te komen, hoorde Irini de klok van Sint-Thanassis de uren slaan. Al die tijd zat ze bij het raam te wachten tot de storm voorbijging.

5.

De dikke man liep van het kafenion in de richting van hotel De Zeemeeuw. Nu de late ochtend in de luie uurtjes van de wintersiësta overging, sloot de verkoper van het groente- en fruitstalletje de dozen met koopwaar die hij niet had kunnen slijten. Hij sleepte de dozen met sinaasappels en onrijpe tomaten naar een voorraadkamer met een stenen vloer, waar al netten met knisperende uien en stugge papieren zakken met aardappels waren opgestapeld. De kruidenier had de blauwe luiken van zijn winkel dichtgedaan, en de deur van de apotheek zat potdicht en was met een roestig hangslot afgesloten.

Hij liep langs zijn hotel en volgde de weg langs de haven. Toen hij de bocht omging, kwam hij op een plein met kinderkopjes, dat aan drie kanten werd omgeven door hoge, smalle gebouwen. Het was duidelijk dat de gebouwen vroeger waren gebruikt als warenhuizen, want de deuren waren breed genoeg om handkarren en wagens door te laten. Nu waren ze allemaal in verval geraakt. De dakbalken rotten onder de kapotte daken, en er zaten scheuren in de muren waar een volwassen man zijn vuist in kon steken. Achter een vuil raam leunde een bordje 'te koop' tegen het vensterglas. Het bordje ging bijna helemaal schuil onder dikke spinnenwebben en was verkleurd en gevlekt door het vocht van vele jaren.

Op de hoek van het plein stond een kiosk, een houten gebouwtje waarop felgekleurde reclames voor frisdrank en sigaretten waren gehangen. Rondom de deuropening hingen verpakkingen met plastic aanstekers en rekken met toeristische landkaarten. Op de schappen in de kiosk lagen chocoladerepen, fotorolletjes en kauwgom, en achter de kassa waren discreet pakjes met Italiaanse condooms uitgestald. Op een schap aan de voorkant stond een telefoon met een tikkenteller, waarmee mensen tegen betaling konden bellen. Achter de smalle toonbank zat een mooi, maar nurks tienermeisje in kleermakerszit op een hoge kruk te bellen. Ze hield de hoorn van de telefoon tussen haar schouder en oor geklemd.

Toen ze de dikke man zag naderen, zei ze één woord in de telefoon.

'Wacht.'

De dikke man glimlachte en vroeg om een pakje sigaretten van zijn favoriete merk.

Het meisje keek hem een paar tellen aan, alsof ze nog niet zeker wist of ze hem wel wilde helpen. Ze zuchtte, legde de hoorn neer en pakte hem weer op om nog iets te zeggen.

'Een ogenblikje. Dat merk verkopen we niet,' zei ze tegen de dikke man.

'Beste jongedame, je moest eens weten hoe vaak ik dat van tabaksverkopers te horen krijg,' zei hij. 'Als ze even goed zoeken, zien ze toch vaak dat ze een paar pakjes in huis hebben. Je zou me dus een groot plezier doen als je even voor me wilt kijken.'

Ze zuchtte weer en draaide de dikke man haar rug toe om in het wilde weg tussen de sigaretten te zoeken. Op de allerhoogste plank trof ze de onbekende naam verstopt achter de populaire merken aan. De naam stond duidelijk op de oude, verkleurde papieren slof gedrukt. Het meisje blies het stof van de verpakking, scheurde hem open en legde met een klap een doosje van zijn sigaretten op de toonbank. Op het deksel was weer het kokette, ontspannen lachende filmsterretje met het platinablonde haar te zien.

'En twee doosjes lucifers,' zei de dikke man, nog altijd met een glimlach op zijn gezicht.

Ze legde de doosjes op de sigaretten.

'En ik wil graag een van die landkaarten. Wil je er eentje voor me pakken?'

Ze stak haar arm uit om een van de dunne kaarten uit het rek te halen. Ze legde de kaart naast de sigaretten en lucifers op de toonbank en keek hem met samengeknepen ogen aan.

Uit de binnenzak van zijn jas haalde hij een portemonnee van zacht kalfsleer, waaruit hij een bankbiljet met een hoog bedrag haalde. Hij gaf het aan het meisje.

'Sorry, ik heb het niet kleiner,' zei hij.

Ze sloeg vier toetsen aan op de kassa. Toen de la opengig, tilde ze de muntenbak op om het bankbiljet eronder te verbergen. Ze haalde een stapeltje biljetten van duizend drachmen onder een klem vandaan en telde er een aantal uit. Daarna grabbelde ze tussen de munten en zette een stapeltje bronzen kleingeld op de bankbiljetten.

Ze pakte de hoorn van de telefoon weer op.

'Heb je toevallig chocola met amandelen?' informeerde hij glimlachend. 'Hele noten graag, liever niet gehakt.'

Ze keek hem onvriendelijk aan voordat ze de hoorn weer neerlegde. Ze pakte een reep met een roze wikkel, waarop een mooie afbeelding van amandelbloesem stond. Ze legde de chocola voor hem neer, waarop hij haar een van de bankbiljetten gaf die hij zojuist had gekregen.

'Kun je dit voor me wisselen?' vroeg hij. 'Ik vind het prettig om een voorraad kleingeld bij me te hebben. Voor fooien.'

Ze sloeg twee toetsen aan op de kassa en de la sprong weer open. Ze legde het bankbiljet terug op het stapeltje en grabbelde weer tussen de munten. Deze keer werd het stapeltje bronzen munten op de toonbank nog hoger.

Hij pakte de munten op en liet ze in de zak van zijn jas glijden.

'Dank je wel,' zei hij.

Ze pakte de hoorn op.

'Daar ben ik weer,' zei ze. '*Kalè*? Ben je er nog?'

Het was duidelijk dat haar gesprekspartner had opgehangen. Glimlachend wenste de dikke man haar een prettige dag.

Bij de kiosk stond een vuilnisbak. De dikke man schoof de lucifersdoosjes een voor een open en liet de lucifers rammelend in de vuilnisbak vallen. Hij stopte de lege doosjes in zijn jaszak.

Toen hij de kaart openvouwde, zag hij dat hij zijn geld beter in zijn portemonnee had kunnen houden. De kaart was net zo eenvoudig als de schatkaart van een piraat: een eiland met slechts één weg erop, die vanaf de haven waar hij nu stond naar het hoger gelegen dorp op de berghelling kronkelde. Daar splitste de weg zich in een tak die naar het gehucht Sint-Savas leidde, en een tak die door de heuvels naar het uiterste puntje van het eiland en het klooster van Sint-Vassilis liep. Achter de bewoonde wereld lagen de bergen, waarin getekende stippellijntjes de zand- en voetpaden naar afgelegen akkertjes en eenzame kapelletjes aangaven. Onderaan was wat informatie gedrukt – de afmetingen van Thiminos, het hoogste punt in de bergen – en een lijst van alle kerken, kapellen en verlaten kloosters op het eiland. De dikke man zag dat het er honderdtweeëndertig waren, en dat ze bijna allemaal aan een andere heilige of martelaar waren gewijd. Onder die lijst van religieuze plaatsen stond een paragraaf – een zin – met het veelbelovende kopje 'openbaar vervoer'.

'Vanuit de belangrijkste haven is er een regelmatige busdienst naar het haventje van Sint-Savas,' las hij.

Dat leek hem wel een goede plaats om aan zijn onderzoek te beginnen.

De bus, een minibus met verroeste wielkasten en banden zonder enig profiel, stond al bij de bushalte te wachten. De chauffeur, een man met een droevig gezicht en hangwangen, leunde door zijn open raampje naar buiten. De stoppels op zijn ongeschoren gezicht waren grijzer dan je bij een man van zijn leeftijd zou verwachten, en er verscheen geen enkele interesse in zijn aangeschoten, bloeddoorlopen ogen toen hij de dikke man zag naderen.

Achter in de bus zaten twee vrouwen samenzweerderig met elkaar te fluisteren. Op hun schoot hadden ze zakken met warme broden, die ze tegen hun borsten drukten.

De dikke man kwam bij het raampje van de chauffeur staan. Nu hij zo dichtbij stond, kon hij diens vieze whiskykegel van de vorige avond ruiken.

'Goedemiddag, vriend,' zei de dikke man. 'Is dit de bus naar Sint-Savas?'

De chauffeur knikte.

'Hoe laat vertrekt u?'

'Vanuit de haven elk heel uur. Vanuit Sint-Savas ook om het uur, precies op het halve uur. Tussen twee en vier rijdt er geen bus.' Hij dreunde de eenvoudige dienstregeling op zangerige toon op.

De dikke man stapte in de bus en perste zich met enige moeite in de stoel achter de chauffeur. Hij vulde met gemak twee derde van het tweezitsbankje en zette zijn weekendtas op het stuk dat nog over was.

Hij tikte de chauffeur op de schouder.

'Wat kost het naar Sint-Savas?'

'Honderd drachmen.' Uit het kleingeld in zijn zak toverde de dikke man een munt tevoorschijn, die hij aan de chauffeur gaf.

Een oudere man, die een paar in krantenpapier gewikkelde zeeblieken bij zich had, hees zich hijgend in de stoel aan de andere kant van het gangpad. Hij legde het pak op zijn knie, maar het vocht van de vis – afkomstig van schubben, vinnen, ingewanden en graten – sijpelde al door het krantenpapier heen en lekte donkere vlekken op zijn broek.

'Goedemiddag, allemaal, goedemiddag,' zei hij, terwijl hij zich omdraaide om te kijken wie er nog meer in de bus zat. 'Nou, George,' zei hij tegen de chauffeur, 'ik heb de longen uit mijn lijf gerend om de bus te halen, maar jij zit hier alsof we alle tijd van de wereld hebben. Start de motor, man, laten we gaan.'

'Volgens de klok hebben we nog twee minuten,' zei George. Hij, de oude man, de twee vrouwen en de dikke man staken allemaal hun hals uit om op de klokkentoren aan het uiteinde van de haven te kijken.

'Hij heeft gelijk, Vassilis,' zei een van de vrouwen. 'Nog twee minuten.'

'Godsamme,' zei de oude man. 'Dan had ik niet zo hard hoeven lopen.'

'Dat heb je hier nou altijd,' zei de chauffeur chagrijnig, met zijn blik op de klok gericht. 'Mensen die te vroeg zijn, willen dat je de rest laat staan. Mensen die te laat zijn, nemen het je kwalijk dat je op tijd bent vertrokken. Je kunt het nooit goeddoen bij die lui.'

De dikke man liet een beleefde, meelevende glimlach zien, maar hield zijn mond, omdat hij niet wist of de chauffeur het tegen hem had. Tot het tijd werd om te vertrekken, bleven de drie mannen zwijgend wachten. Achter hen wisselden de vrouwen fluisterend geheimen uit, die binnenkort over het hele eiland bekend zouden zijn.

Over het water klonk het eenzame, holle geluid van de klok, die één uur sloeg.

De chauffeur startte de motor en reed langzaam langs de haven. Daarna begon de bus moeizaam aan de steile weg met haarspeldbochten, die naar de andere kant van het eiland en de baai van Sint-Savas liep.

Na een flinke stijging keek de dikke man naar het water in de haven, dat door de regen een doffe blauwe tint had gekregen. Boven de weg vormde een rij ronde molens een kroon op de rotsachtige wand. De rij deed aan de kam op de kop van een hagedis denken, en de verweerde stenen muren hadden exact dezelfde kleur als de ruige berghelling. Omdat de molens al tientallen jaren niet meer werden gebruikt, stonden ze op instorten. Het canvas was allang van de wieken gehaald en de oude, kegelvormige daken waren ingevallen.

Achter de molens begon de weg weer te dalen. De chauffeur reed met volle vaart de blinde bocht om, waarop de dikke man zijn ogen sloot en zijn maag voelde draaien. Toen het terrein wat vlakker werd, remde de chauffeur af en kwam de bus tot stilstand.

De dikke man deed zijn ogen open.

De bus stond op een bestraat plein. Tussen de omringende huizen bevonden zich een piepklein winkeltje en een hotelletje, waar de dode bladeren van een hele winter op de patio lagen. Vóór de winkel was de vrouw van de kruidenier bezig om een doos aubergines uit te pakken, maar ze hield even op om naar de uitstappende passagiers te kijken, alsof ze iemand verwachtte.

De vrouwen klemden de broden in hun armen, gaven de chauffeur een stel muntjes en stapten uit.

'Is dit Sint-Savas?' vroeg de dikke man aan de chauffeur.

'Nee, nee, nog niet,' antwoordde de oude man, zoekend in zijn broekzak. 'Dit is het dorp. Blijf maar zitten, meneer, blijf maar zitten. U moet nog wat verder naar Sint-Savas.'

'Nou,' snauwde de chauffeur tegen de oude man, 'rij je met ons mee, of stap je uit?'

'Ik zoek nog even naar mijn geld,' antwoordde de oude man. Hij keek in zijn hand naar de munten die hij uit zijn zak had getoverd en haalde er drie muntjes van twintig drachmen uit. Hij gaf ze aan de chauffeur, ging staan en klemde zijn doorweekte pak onder zijn arm. Op de dijen van zijn broek verraadden donkere, stinkende plekken waar de vis had gelekt.

'Hou het wisselgeld maar,' riep hij, toen de bus wegreed.

'Ouwe gek,' mompelde de chauffeur.

Ze zigzagden door supersmalle straatjes, waarin de huizen zo dicht bij elkaar stonden dat je ze vanuit de bus met een uitgestrekte hand zou kunnen raken. Daarna reden ze naar een brede, ondiepe vallei, waar de bestrating weer overging in een landelijke weg. Terwijl de bus rammelend van de heuvel reed, keek de dikke man naar de overblijfselen van een agrarisch erfgoed: boomgaarden vol ineengedoken, zilverkleurige olijfbomen die niet werden leeggeplukt, geterrasseerde graanvelden waarin de wilde planten en distels vrij spel hadden, en omgevallen muren van kleine wijngaarden waarin geen wijnranken meer stonden. Ze passeerden een rij huiverende eucalyptussen en Huis Halfweg, en kwamen al gauw weer bij de zee, waar de chauffeur rechts afsloeg. Hij liet de bus tot stilstand komen, zette de motor af en leunde vermoeid uit zijn raampje, alsof de dikke man niet eens bestond. De afkoelende motor tikte en pingelde. Kleine golfjes spoelden de scherpe grijze steentjes van het kiezelstrand langs de weg omver.

'Bedankt, vriend,' zei de dikke man. Hij stapte uit de bus en gooide het portier dicht.

De buschauffeur zei niets.

De dikke man nam het pad rond de baai. Bij de werf liepen kippen, die tussen de omgekeerde boten en weggegooide verfblikken in de grond krabden. In een vuurkorf lag de as van een recent vuur nog te roken. De dikke man stond stil bij een roeiboot om de verbindingen en het schuurwerk van de gerepareerde spanten te bestuderen, en prikte fronsend in de romp van een tweepersoons speedboot, waarvan de reparatie met fiberglas nog maar half klaar was. Boven zijn hoofd cirkelde een witte meeuw. Hij trok een sliert opgedroogd zeewier van de zool van zijn linkerschoen en liep door tot hij aan het einde van het pad bij een hoog huis kwam. Op de latei boven de deur hing een geschilderd bordje, waarop de letters zo oud en verschoten waren dat ze onleesbaar waren geworden. Achter op het terras, dat was gemaakt van stenen uit de zee, stonden een tafel en vier stoelen. Aan de tafel zat een man, die zich dik en warm had aangekleed. Zijn gezicht ging verscholen achter de klep van een schapenleren pet.

'Goedemiddag,' zei de dikke man beleefd. 'Ben ik hier aan het juiste adres voor een kop koffie?'

Nikos schoof de klep van zijn pet naar achteren en keek de dikke man aan.

'Een vreemdeling in het paradijs,' zei hij. 'In dit seizoen komen er nooit vreemdelingen. Maar een kop koffie kan ik altijd zetten, of het nu zomer of winter is. Wat voor koffie wilt u?'

'Griekse koffie, zonder suiker,' zei de dikke man. 'Dank u.'

Nikos hees zich van zijn stoel en hinkte naar de keuken. Onder zijn stoel likte een rode kat met waterige, ontstoken ogen over de dunne haren op zijn flank. Achter de werf reed de bus de hoek om en verdween in de richting van het dorp. De wind liet de regenplassen in de kuiltjes van het terras rimpelen. De dikke man huiverde.

Nikos kwam terug met koffie, water en een schone asbak. Hij zette alles op tafel en ging bij de dikke man zitten. Hij stak zijn hand uit.

'Nikos Velianidis.'

'Hermes Diaktoros. Vandaar de gevleugelde sandalen.' De dikke man wees naar zijn tennisschoenen. Nikos glimlachte, alsof hij het grapje begreep.

De dikke man wees naar de baai en naar de bergen, waarvan de toppen in de laaghangende bewolking verdwenen.

'Het is hier prachtig,' zei hij. 'Vredig. Ik zou me hier thuis kunnen voelen.'

'Zou u denken?' vroeg Nikos. 'Ik zal u eens iets vertellen, meneer. Als ik duizend drachmen kreeg voor elke keer dat ik iemand dat hoorde zeggen, zou ik nu rijk zijn. U kent het gezegde. Het gras is ergens anders altijd groener.'

'Soms is dat ook zo,' zei de dikke man.

'Er komen hier veel vreemden die denken dat ze dit leven leuk zouden vinden,' zei Nikos. 'Een leven vol rust. Juist die overdaad aan rust zorgt ervoor dat ze uiteindelijk weer naar huis gaan.'

'Het is hier inderdaad erg stil.'

'Dat is niet altijd zo geweest. Ooit was dit eiland een en al bedrijvigheid.'

'Echt waar?' De dikke man haalde het cellofaan van zijn nieuwe sigaretten en stak ze uit naar Nikos, die er eentje nam. Nikos hield een gouden aansteker met een klein, rustig vlammetje omhoog, en de dikke man leunde naar hem toe om zijn sigaret aan te steken. 'Ik moet zeggen dat ik hier nog maar heel weinig heb gezien dat onder bedrijvigheid zou vallen.'

'Sponzen,' zei Nikos. 'Ze vormden het hart van een internationale industrie. We visten ze uit de zee, maakten ze schoon, pakten ze in en verscheepten ze. Er woonden hier duizenden mensen, die allemaal goed van de sponzen konden leven. We waren kooplieden en exporteerden op grote schaal.' De dikke man dacht aan de vervallen warenhuizen die hij op het plein in de haven had gezien. 'Nu importeren we alleen nog maar. Duitsers, Engelsen, Nederlanders. We handelen in ijs, koud bier en luchtbedden. Seizoensgebonden, maar wel winstgevend. Zes maanden hard werken en zes maanden op onze kont zitten wachten op de volgende golf.' Hij nam een trek van zijn sigaret. 'Maar u lijkt niet op onze doorsneeclientèle, als ik zo vrij mag zijn,' zei hij. 'We krijgen niet vaak bezoek uit Athene.'

'Het nieuws gaat als een lopend vuurtje.'

'Luister, je kunt hier niet eens in je neus peuteren zonder dat iedereen het weet,' zei Nikos. 'En ik denk dat de politiecommissaris voortdurend zenuwachtig in zijn neus peutert sinds u hier bent.'

De dikke man nam een slok koffie en zette zijn kop voorzichtig terug op het schoteltje.

'Ik hou mij niet met meneer Zafiridis' neus bezig,' zei hij.

'Dat kan ik me voorstellen,' zei Nikos, 'al is hij wel een interessante man.'

Hij vouwde zijn armen voor zijn buik en wachtte tot de vreemdeling zou toehappen. De dikke man glimlachte en hapte inderdaad toe.

'In welk opzicht dan? Op mij kwam hij allesbehalve charmant en intelligent over.'

'Hij is inderdaad lomp en dom,' zei Nikos, die de opmerkingen van de dikke man met zijn sigarettenrook wegwuifde. 'Maar hij heeft een geheim.'

'Ja,' beaamde de dikke man effen. 'Dat klopt.'

Nikos keek hem aan.

'Weet u daarvan?'

'Ja. Jij waarschijnlijk ook. Je wilde me er toch net iets over gaan vertellen?'

Nikos maakte zijn sigaret uit.

'Ik moet mijn trots inslikken en bekennen dat ik er niets van weet,' zei hij. 'Dus als u weet wat zijn geheim is, vertel het me dan alstublieft. De politiecommissaris is een raadsel waar ik al lang over nadenk. Ik weet dat hij niet degene is die hij beweert te zijn, maar de man is net een heremietkrab. Hoe harder je je best doet om hem uit te horen, hoe dieper hij wegkruipt. Hij heeft een geheim. Helaas is hij een meester in het verbergen ervan. Als u iets weet, vertel het me dan. Bevredig de nieuwsgierigheid van een oude man.'

Een paar tellen verborg de dikke man zijn mond achter zijn hand. Hij bleef naar Nikos kijken, alsof hij hem taxeerde en over de vraag nadacht.

'Ik vraag me af of je iemand bent aan wie ik andermans geheimen kan toevertrouwen,' zei hij uiteindelijk.

'Ik beschaam nooit iemands vertrouwen,' zei Nikos. De leugen toverde een lichte blos op zijn wangen, en hij boog zich om de kat te aaien en zijn kleur voor de dikke man te verbergen. De kat snuffelde aan zijn hand, stond op en kuierde naar de keukendeur.

Maar de dikke man leek hem op zijn woord te geloven.

Hij leunde ontspannen achterover op zijn stoel. 'Meneer Zafiridis heeft een heel bijzonder geheim, zelfs voor dit land, waar iedereen het normaal vindt om te liegen. Hij heet geen Zafiridis en komt ook niet van Patmos, zoals hij beweert. Hij heet meneer Xanthos en komt van Sifnos.'

Nikos glimlachte opgetogen.

'Een oplichter!'

'Inderdaad. Hij ontmoette de echte meneer Zafiridis op een veerboot die uit Piraeus vertrok. Meneer Xanthos was onderweg naar huis, naar een echtgenote die hij niet mocht en een paar gênante problemen met de belastingdienst. Meneer Zafiridis was op weg naar dit eiland, naar zijn nieuwe baan als politiecommissaris. Maar hij had ook veel aan zijn hoofd, zoals een zekere jongedame die zijn liefde niet waard bleek te zijn en al zijn geld erdoorheen had gejaagd. De twee mannen raakten aan de praat en begonnen te drinken. Vooral meneer Zafiridis, de echte meneer Zafiridis, werd stomdronken. Ze praatten over meneer Zafiridis' werk, en hij zei meer dan eens dat een getrainde aap de taken van een politiecommissaris nog kon uitvoeren. Daar had hij gelijk in: u hoeft alleen maar naar uw eigen "meneer Zafiridis" te kijken om te zien dat dat klopt. Toen zei de echte meneer Zafiridis dat hij dood wilde. Hij was natuurlijk sentimenteel door de grote hoeveelheid drank, maar toch was dat een onbezonnen opmerking. Hij zei dat het leven zonder zijn minnares niet de moeite waard was. Onze "meneer Zafiridis" vatte die woorden letterlijk op en duwde hem twintig kilometer voor de kust van Halkidiki overboord. Maar eerst zorgde hij dat hij de papieren van de echte meneer Zafiridis te pakken kreeg. Hij meldde zich hier als de nieuwe commissaris en is sindsdien gebleven.'

De dikke man dronk zijn koffiekopje leeg.

Nikos' ogen glansden van opwinding.

'Maar hoe kan het dat het nooit is uitgekomen?' vroeg hij. 'En wat gebeurt er als er iemand komt die de echte meneer Zafiridis heeft gekend?'

De dikke man likte aan een vingertop en wreef over een vlekje op de sierstrepen van zijn rechterschoen.

'De valse meneer Zafiridis is niet intelligent, maar wel uitgekookt. Hij is zo handig om zich in gevaarlijke situaties niet te laten zien. Maar hij heeft hier geen rust gevonden. Hij kijkt het merendeel van de tijd over zijn schouder. Het toeval en het lot bevinden zich altijd in de buurt, klaar om zich ermee te bemoeien. Het toeval is het enige in het leven waartegen we ons niet kunnen beschermen. Uiteindelijk zal hij met zijn zonden worden geconfronteerd. Zijn uur van de waarheid komt nog. Vroeg of laat.'

Nikos fronste zijn wenkbrauwen.

'Hoe weet u dat allemaal?'

De dikke man glimlachte.

'Heel eenvoudig. Ik heb zijn gedachten gelezen.'

Nikos glimlachte terug.

'Het is een mooi verhaal. Een heel mooi verhaal, zelfs.'

'Met zo'n verhaal kun je maandenlang uitgenodigd worden om bij mensen te komen eten.'

'Maar is het waar?'

De dikke man haalde zijn schouders op.

'Misschien. Misschien ook niet. Zeg jij het maar. Ik bedoel, maakt dat voor jou echt iets uit?'

Er viel een korte stilte. Nikos had het onaangename gevoel dat hij een standje had gekregen, maar toch bleef zijn nieuwsgierigheid kriebelen.

'Maar als u hier niet bent om meneer Zafiridis te arresteren, waarom bent u hier dan wel?' vroeg hij. 'Als ik zo vrij mag zijn.'

De dikke man keek uit over de zee. In de verte gleed het piepkleine silhouet van een schip langzaam langs de horizon.

'Ik ben hier om iemands belangen te behartigen,' zei hij. 'De belangen van een jongedame die Irini Asimakopoulos heet.'

'O.' De opgewonden blik verdween uit Nikos' ogen. Zijn gezicht kreeg een verdrietige uitdrukking, die nog schrijnender werd door de opwellende tranen die hij als vermoeidheid uit zijn ogen probeerde te wrijven.

'Je hebt haar gekend.'

'*Irinaki mou*,' verzuchtte Nikos. Hij maakte het kruisteken van de orthodoxe kerk en legde zijn hand op zijn hart. 'Ja, ik heb haar gekend. Het lieve kind was mijn nichtje.'

'Ik vind het heel erg voor je.'

'Wilt u misschien iets sterkers drinken?' vroeg Nikos abrupt. 'Metaxa, ouzo? Whisky?'

'Een klein glaasje whisky, graag.'

Nikos hinkte naar binnen en de dikke man bleef even alleen achter. Toen Nikos terugkwam, had hij twee glazen en een fles Johnnie Walker Red bij zich, die voor driekwart vol was. Hij zette de tumblers met een klap op tafel, haalde de dop van de fles en schonk twee royale glazen in.

Hij ging zitten en hield zijn glas omhoog.

'Op Irini, God hebbe haar ziel,' zei hij.

'Op Irini,' beaamde de dikke man. Ze tikten hun glazen tegen elkaar en dronken.

'Vertel me eens wat meer over haar,' zei de dikke man zacht. 'Ik wil weten hoe ze is gestorven.'

Nikos keek hem verdrietig aan.

'Dat weet ik niet precies,' zei hij.

'Maar wat denk je? Wat is je onderbuikgevoel?'

'Ik voel van alles in mijn onderbuik, alleen maar onaangename dingen. Als ik kijk naar de kans dat hier dingen fout gaan, zegt mijn onderbuikgevoel dat haar dood geen ongeluk was. Al was het alleen maar omdat ik hier al vele jaren woon en nog nooit heb meegemaakt dat er iemand van een berg viel. Niemand valt per ongeluk naar beneden. Dat geldt in elk geval voor de voetgangers. Ja, die idioot Stefanos van de wijnhandel in de haven is ooit met zijn pick-up van de berg gereden, maar hij was dronken. En zelfs hij heeft het overleefd. Hij had geen schrammetje.'

De dikke man nam nog een slokje whisky en wachtte tot hij de warmte van de drank in zijn borst voelde gloeien.

'Meneer Zafiridis zei dat het zelfmoord was,' zei hij. 'Wist je dat ze dat zeggen?'

Nikos knikte langzaam.

'Zouden ze gelijk kunnen hebben?'

'U bent degene die onderzoek doet.'

'Maar jij hebt haar gekend.'

'Ik dacht van wel. Ik kende haar als klein meisje. Ik heb vele jaren in het buitenland gewerkt, en toen ik terugkwam, was ze al volwassen. We komen hier niet vandaan, weet u. We komen van het vasteland. Dat is hier niet ver vandaan, maar het is ver genoeg om...'

'Ver genoeg om?'

'Ver genoeg om in de ogen van deze bekrompen mensen vreemdelingen te zijn. Als je hier niet vandaan komt, ben je per definitie een vreemdeling.'

'Maar is het belangrijk om erbij te horen? Was zij in de gemeenschap opgenomen?'

Nikos aarzelde.

'Ik zal u zeggen hoe ik het leven zie. Iedereen wil gelukkig zijn. Voor altijd gelukkig. Maar zo zit het leven niet in elkaar, dat weten we allemaal. Sommige mensen kunnen dat beter accepteren dan anderen. Geluk komt in kleine doses voorbij, het is er niet altijd. Op de dag dat je kinderen krijgt, ben je gelukkig, in de zevende hemel. Twee dagen later, als je nauwelijks een oog heb dichtgedaan, het kind blijft krijsen en je vrouw in tranen is, voel je je diep ellendig. Je voelt je zo ellendig dat je het kind wel tegen de muur wilt smijten en de deur uit wilt lopen om nooit meer terug te komen. Maar dan is het al te laat. Je kunt ze niet meer terugstoppen. Daarom ploeter je voort. En verdraaid, het kind bezorgt je nog meer gelukkige momenten. De eerste keer dat mijn zoon me papa noemde, was ik in tranen. Maar vervolgens spugen ze al hun eten over je uit. Al met al zou je ze nooit willen missen, maar je moet offers brengen. Soms zijn dat heel grote offers. Begrijpt u wat ik bedoel? Wat mensen zouden moeten nastreven, is... zal ik het "tevredenheid" noemen? De wetenschap dat je, als je alle voor- en nadelen tegen elkaar afstreept, het nog niet eens zo slecht hebt getroffen. De rust om niet voortdurend over de heg te kijken of de buurman meer heeft dan jij. Als je dat niet begrijpt, zul je nooit gelukkig zijn. Je moet tevreden zijn met wat je hebt.'

'Dat is één manier om er tegenaan te kijken,' zei de dikke man. 'Maar wat zou er gebeuren als iedereen zich altijd maar bij zijn lot neerlegde? Hoe zit het dan met de grote ontdekkingen die de mens heeft gedaan: geneeskunde, literatuur, kunst? Als we niet een aantal mensen hadden gehad die geen genoegen met hun leven namen, zouden we nog steeds denken dat de wereld plat was en dat de zee vol draken zat. Dan zouden we nog steeds wachten tot iemand het wiel uitvond.'

Nikos glimlachte.

'Touché,' zei hij. 'Maar goed. Irini heeft de dingen in de verkeerde volgorde gedaan. Ze is getrouwd en kwam toen tot de ontdekking dat ze zich nog niet wilde settelen. Andreas was al jaren aan het sparen, en zij had het idee dat ze hem zo ver kon krijgen dat hij met dat geld de wereld wilde zien. Dat wilde hij helemaal niet. Hij wilde gewoon een rustig leven, een eigen huis, een paar kinderen, eten op tafel. Maar ze was koppig. Als ze iets in haar hoofd had, liet het haar niet los, en als ze iets niet wilde, deed ze het niet. Ze ging niet naar de kerk, omdat ze dat saai vond. Maar iedereen vindt het toch saai om naar de kerk te gaan? Ik vind het in elk geval verschrikkelijk. Niemand gaat naar de kerk omdat hij het leuk vindt. De vrouwen hier gaan naar de kerk omdat dat zo gegroeid is. Het geeft ze een bezigheid buitenshuis. Het is hun sociale kring. Maar zij wilde er niet naartoe.'

'Was ze niet gelukkig?'

'In het begin wel. Andreas paste in veel opzichten goed bij haar. Ik zou haar nooit aan iemand hebben gekoppeld die niet bij haar paste. Hij is een eenvoudige man, ongecompliceerd. Hij verdient genoeg om een prettig leven te leiden. Hij heeft geen schulden en betaalt zijn rekeningen op tijd. Dus toen mijn zus een man voor Irini zocht, zei ik dat hij een goede kandidaat zou zijn. Mijn zus en ik hebben het huwelijk samen geregeld.'

'Was Irini blij met je keuze?'

'Ze verscheen op haar trouwdag in de kerk, dus ik nam aan dat ze er wel tevreden mee was.'

'Onze vriend Zafiridis lijkt in het onderzoek naar Irini's dood nauwelijks vooruitgang te hebben geboekt, maar ik begreep van hem dat je nichtje laat is getrouwd, dat ze voor deze streek zelfs bijna een oude vrijster was. Was daar een reden voor?'

Nikos aarzelde.

'Er was daarvoor iemand anders,' zei hij uiteindelijk. 'Iemand op wie ze had gewacht. Iemand aan wie ze veel tijd heeft verspild.'

'Een gebroken hart, dus.'

'Een verbroken belofte. Een paar jaar daarvoor was ze tot over haar oren verliefd op hem geweest, maar tegen de tijd dat hij haar aan de dijk zette, gaf ze volgens mij net zo weinig om hem als hij om haar.'

'Zou het dan kunnen – vergeef me – dat Andreas haar laatste kans was?'

Nikos bestudeerde de rug van zijn hand. Achter zijn knokkels zat een donkere, ovale blauwe plek. Hij wist niet eens meer hoe hij daaraan kwam, maar hij wreef met zijn duim over de beurse plek.

'Ik begrijp dat u dat misschien denkt, maar u kende Irini niet,' zei hij. 'Irini vond een leven als oude vrijster – en u en ik weten allebei dat daar een enorm stigma op rust – beter dan een leven met de eerste de beste boerenknuppel. Mijn zus had een rijke, gerespecteerde kandidaat uit een goede familie voor haar, maar Irini trok haar neus voor hem op. Ze wees hem af. Mijn zus kon wel door de grond zakken. Het was een blamage voor haar. Het incident zorgde voor een breuk tussen haar en Irini, die nooit meer volledig is geheeld.' Hij stopte met praten en keek de dikke man aan. 'Dit is vertrouwelijk,' zei hij. 'Ik zeg het omdat ik erop vertrouw dat u uw best zult doen voor mijn Irini.'

'Dat beloof ik je,' zei de dikke man. 'En je kunt beslist op mijn discretie rekenen.'

Nikos nam een slok uit zijn glas.

'Het werd een vervelende situatie,' zei hij. 'Om hun gezicht te redden, verspreidde de familie van de huwelijkskandidaat het gerucht dat zij Irini hadden afgewezen, in plaats van andersom. De mensen begonnen te geloven dat zij erover had gelogen. Mijn zus verweet Irini dat ze de reputatie van de hele familie had geruïneerd. En toen de geruchten eenmaal de ronde deden, meldden zich natuurlijk geen nieuwe kandidaten voor haar hand.'

'Behalve Andreas.'

Nikos boog zijn hoofd.

'Behalve Andreas. Hij was bereid me op mijn woord te geloven dat ze een onbeschreven blad was. Ze maakten kennis met elkaar en vonden elkaar aardig. Ik weet dat ze het thuis niet makkelijk had, maar Andreas was niet haar laatste kans. Ze konden goed met elkaar overweg. Hij is direct, ongecompliceerd en goed in zijn werk, en daar had ze bewondering voor. Ze hadden samen heel gelukkig kunnen worden.'

'Als ze in het begin gelukkig was, wat veranderde er dan?'

'Ik zou het niet weten,' antwoordde Nikos vermoeid. 'Misschien wel niets. Het gebeurt toch vaak dat mensen ongelukkig worden als er niets verandert?'

'Denk je dat ze ongelukkig genoeg was om zelfmoord te plegen?' vroeg de dikke man.

Nikos dacht na.

'Ik denk het niet, maar wat weet ik er nu van? Mensen kunnen hun gemoedstoestand verbergen. Maar ik denk niet dat je zelfmoordneigingen kunt verbergen. Vooral niet hier.'

'Klopt het dat ze een affaire had?'

Nikos lachte. 'Wel, wel,' zei hij. 'U laat er geen gras over groeien.'

Hij pakte de whiskyfles en schonk voor hen allebei nog een glas in.

'Klopt het, Nikos?' drong de dikke man aan.

'Er zijn maar twee mensen die daar antwoord op kunnen geven. Een van hen is dood. U kunt het beter aan de ander vragen. *Yammas.*'

De dikke man pakte zijn glas en herhaalde de toost.

'Yammas. Maar zal de ander me de waarheid vertellen?'

'Als ik hem was, zou ik het niet doen.'

De dikke man glimlachte en nam een slokje van zijn whisky.

'Wat is het voor een man, die Theo Hatzistratis?'

'U weet dus wie het is?'

'Ja.'

'Knap hoor. Een rustige man. Geen rokkenjager. Maar wat zeggen moeders altijd tegen hun dochters? Kijk vooral uit voor de rustige types.'

'Denk je dat ze samen iets hadden?'

'Zou kunnen. Ze verveelde zich, en ledigheid is des duivels oorkussen. En van een oorkussen is het nog maar een klein stapje naar een heel bed. Maar als ze seks met hem had, was dat verkeerd. Ze is uit vrije wil met Andreas getrouwd en heeft hem trouw beloofd. Als ze dan de benen neemt zodra ze iets ziet wat haar aanstaat, zet ze hem voor gek. Dat is het ergste wat een vrouw een man kan aandoen, hem bedriegen. Als ze mijn vrouw was geweest, had ik haar vermoord.'

De dikke man trok zijn wenkbrauwen op.

'Bij wijze van spreken,' zei Nikos.

'Hoe zit het met de minnaar? Is hij getrouwd?'

'Ja, hij heeft een leuke vrouw, een prima meid. Ze hebben een dochter. Maar mannen gaan zich vervelen, hè? Je kunt het hem niet verwijten. Voor mannen ligt het anders.'

'Ben jij getrouwd, Nikos?'

'Ik ben weduwnaar.'

'Ben je je vrouw trouw geweest?'

Nikos lachte. 'Ik? Geen sprake van! Nu zou ik er minder moeite mee hebben. De geest is wel gewillig, maar het vlees is te zwak geworden. Nu gaat u me zeker vertellen dat ik een ouwe huichelaar ben. Nou, dat ben ik ook. Hypocrisie hoort bij de mens. Het feit dat ik me heb misdragen, wil niet zeggen dat ik niet weet hoe het hoort.'

'Misschien hielden zij en Hatzistratis wel van elkaar.'

'Pff.'

'Je bent geen sentimentele man, hè Nikos?'

'Sentimentaliteit is voor dwazen.'

Het bleef een poosje stil. De dikke man keek op zijn horloge. Tussen twee en vier uur reed er geen bus. Hij had een lange wandeling voor de boeg.

'Waar kan ik de echtgenoot vinden?' vroeg hij. 'En de minnaar?'

Nikos vertelde hem precies waar hij de twee mannen kon vinden.

De dikke man dronk zijn whisky op en leunde naar voren om Nikos aan te sporen antwoord op zijn laatste vraag te geven.

'Hoe is ze gestorven, Nikos?' vroeg hij.

'Ik hield van haar,' antwoordde hij. 'Ze was als een dochter voor me. Ik mis haar. Neem nog iets te drinken voordat u gaat.'

'Nee, dank je, ik moet weer eens gaan. Maar we spreken elkaar nog wel.' Hij stond op en schoof zijn stoel onder de tafel. Uit zijn jaszak haalde hij wat geld, dat hij naast zijn lege glas legde.

'Een prettige dag verder, Nikos,' zei hij. Hij draaide zich om en wilde weglopen.

De oude man greep hem bij zijn mouw om hem tegen te houden.

'Ik zal u nog iets vertellen,' zei hij zacht, 'maar u hebt het niet van mij.'

'Je kunt absoluut op mijn discretie rekenen,' zei de dikke man.

Nikos leek te weifelen, maar de dikke man bleef hem recht in de ogen kijken.

'Geloof me,' zei hij. 'Omwille van Irini moet je me vertrouwen.'

Nikos keek naar links en rechts, naar de kust en het pad dat naar zijn huis leidde. Hij wilde zeker weten dat er geen luistervinken waren, die zijn vertrouwelijke informatie konden opvangen. Er was niemand.

Hij wenkte de dikke man en sprak in zijn oor.

'Ga naar Profitis Ilias,' zei hij. 'Daar woont een man in een berghut. Ze noemen hem Gekke Lukas, en u zult merken dat hij nogal vreemd is. Maar hij weet iets dat u zal interesseren. Hij heeft iets gezien. Iemand. Vraag hem maar wat hij daarboven in de bergen heeft gezien – op de plaats waar haar lichaam is gevonden.'

6.

De furieuze wind bleef maar razen. De lucht was hemelsblauw, maar nog altijd wilde de loeiende storm niet gaan liggen. Langs de weg stonden de eucalyptussen te piepen en te kreunen. Bij het raam kon Irini de klok van Sint-Thanassis één keer boven de huilende wind uit horen slaan. Het was tien uur. In de slaapkamer was Andreas nog in diepe rust.

Het volgende moment klonk er een enorm gekraak, gevolgd door het huiverende geritsel van droge blaadjes die in paniek steeds harder leken te gaan fluisteren. Met een luide, doffe klap kwam er een stuk gespleten hout op het beton terecht. De afgebroken tak kwam als een barrière over de weg te liggen, en de smalle blaadjes op de geknakte takjes wapperden als verschoten, rafelige wimpels in de wind.

Ze rende naar de slaapkamer, waar Andreas met open mond op zijn rug lag te slapen. Zijn ademhaling was diep en rustig, en zijn ongeschoren gezicht werd verzacht door vouwtjes. In zijn slaap had hij de kwetsbaarheid van een kind of een bejaarde. Omdat ze het sneu vond om hem wakker te maken, liep ze terug naar de keuken, waar ze haar warmste jas aantrok. Daarna liep ze in haar eentje naar buiten, de storm in.

De snijdende wind beet in haar ogen en blies er stof en vuil in. Haar ogen begonnen te tranen, en haar haren waaiden als een sluier voor haar gezicht. Ze probeerde haar haren uit haar gezicht te houden en stond huiverend in de harde wind naast de afgebroken tak. Ze wist dat ze niet genoeg spierkracht had om de tak van de weg te trekken, dus ze besloot dat er niets anders op zat dan Andreas wakker te maken. Ze draaide zich om en wilde net naar binnen lopen toen ze boven de huilende wind uit een geluid hoorde. Ze stond stil en draaide zich om. Met een aanzwellend gebrom naderde een voertuig – en daarmee het gevaar.

De bochten in de weg waren blind, de bestuurders meestal niet.

Maar Theo Hatzistratis zocht naar het nummer van de houthandel op het vasteland. Vorige keer hadden ze verkeerde planken gestuurd, allemaal te kort. Hij wilde Malvilis spreken en controleren of de bestelling goed was uitgevoerd. Hij wilde praten met de man van het pakhuis, Buscotis, om de verzekering te krijgen dat de bestelling na de storm met het eerstvolgende schip meekwam. Het nummer stond met potlood op een papieren servetje geschreven, dat hij in de jas op de passagiersstoel had gestopt. Hij keerde zijn jas en keek opzij om zijn hand naar de jaszak te leiden. Toen hij zijn blik weer op de weg richtte, was het wegdek geblokkeerd.

Hij moest nodig iets aan de remmen doen. Dat wist hij al weken, maar hij had geen zin en tijd om in de garage van Stavros rond te hangen. Hij wist al precies hoe het zou gaan: Stavros zou op zijn rug onder de pick-up gaan liggen, vloekend zijn moersleutels laten vallen en het probleem nog erger maken dan het al was.

Hij duwde pompend op het rempedaal en trapte het zo ver mogelijk in. De auto slipte, er stoof een wolk grind omhoog en de banden piepten. In afwachting van de klap deed hij zijn ogen dicht en greep hij het stuur al steviger beet, maar hij voelde niets anders dan een zacht, speels stootje toen de auto ergens mee in contact kwam.

Hij deed zijn ogen open. De voorkant van de pick-up was begraven onder de grijsgroene blaadjes en takjes van een eucalyptus. Daarachter stond een vrouw met grote, geschrokken ogen naar hem te kijken. Ze had haar hand voor haar openstaande mond geslagen.

Hij zette de motor af. Toen hij uitstapte, pakte ze haar prachtige haar bij elkaar, trok het ongeduldig over haar schouder en hield het daar vast. Ze heeft haren om je gezicht in te begraven, flitste het door hem heen. De wind blies tegen zijn rug, gaf hem een duwtje en dwong hem om een stap in haar richting te zetten.

Hij kende haar, hij wist wie ze was, maar hij wist niet hoe ze heette. Hij wist dat ze getrouwd was met Andreas de Vis, en dat Andreas haar van het vasteland had gehaald. Nu zag hij dat deze vrouw de reis naar het vasteland waard was geweest. Als man zou je zo'n vrouw kunnen bewonderen. Savoureren. Liefkozen.

De wind gaf hem nog een zetje en duwde hem naar voren. Toen hij nog een stap zette, merkte hij dat zijn lichaam zich niet meer verzette.

Het was de schuld van de wind. De wind liet de tak afbreken en legde hem als een val over de weg. Ik kende hem niet, ik had hem nog nooit gezien, maar toen we naar elkaar keken, sloeg er een bepaalde vonk over. Het was een soort herkenning, begrip, een emotioneel stroomstootje dat op een of andere manier samenzweerders van ons maakte. Maar in een oogwenk was het weer verdwenen en keek ik naar een man die ik niet kende. Hij was lang en jonger dan Andreas. Hij had een volle, slordige baard, het soort baard dat mannen dragen als ze in de rouw zijn. Hij had dikke, zwarte wenkbrauwen, alsof hij exotische voorouders had, Arabisch bloed uit de met palmen omringde oases en geurige harems van de muzelmannen. Boven zijn neus stonden twee diepe rimpels, die mij de indruk gaven dat hij te vaak fronste. Maar toen hij naar me glimlachte, smolten die diepe fronsrimpels weg. In de hoeken van zijn prachtige donkere ogen verschenen zachtere lijntjes, die me de indruk gaven dat hij te vaak lachte.

Pas op dat moment besefte ik dat ik naar hem staarde. Ik sloeg mijn ogen neer, maar voelde dat hij naar me bleef kijken. Hij was onbeschaamd, net als de scheepsbouwers, maar bij Theo vond ik het op een of andere manier niet erg.

'Yassas,' riep hij. Hij moest schreeuwen om boven de wind uit te komen.

'We hebben een probleem,' riep hij, en schopte hard tegen de tak. Ik denk dat hij verwachtte dat de tak zou meegeven en wegschuiven, maar het hout kwam geen centimeter van zijn plaats. Zijn gezicht vertrok van pijn en hij vervloekte zichzelf om zijn domheid. En toen glimlachte hij naar me. Ik kon er niets aan doen, ik schoot in de lach.

Hij riep nog iets naar me, maar de wind voerde zijn woorden mee en ik wist niet wat hij zei, zelfs niet als ik naar zijn lippen keek. Daarom boog hij de bladeren opzij en stapte over de tak. Hij stond zo dicht bij me dat ik zijn geur kon ruiken. Hij rook naar hout, verse hars en de sigaretten die hij had gerookt. En aan zijn hand zag ik een trouwring, een brede, witgouden band die strak om zijn vinger zat.

Ik vertelde hem dat ik de tak had zien vallen, dat ik het vanachter het raam had zien gebeuren.

Hij vroeg waar Andreas was en ik antwoordde dat hij nog sliep. Hij zei dat Andreas een luie hond was en dat hij hem wakker zou maken.

Hij liep van me weg. Hij had lange benen en liep met soepele, elegante tred. Ik keek hem na. Ik zag dat hij de deur van mijn huis opendeed en naar binnen ging, alsof hij er woonde. Ik vond het helemaal niet erg dat hij inbreuk op mijn privacy maakte.

Ze bleef in haar eentje op de weg staan wachten tot de mannen samen naar buiten kwamen. Andreas deed lachend zijn jas dicht. De onbekende man trok de deur achter zich dicht.

Zo ging het nu altijd: nu ze met hun tweeën waren, zagen ze haar niet meer staan. Ze zeiden niets tegen haar, maar bleven op een afstandje staan gebaren en overleggen. Af en toe waaiden er flarden van hun gesprek naar haar toe.

'Als we nu een lier konden lenen...'

'... achterkant van je pick-up kunnen binden...'

'... in de garage... tien minuten...'

Het was koud en de wind was een kwelling. Irini ging naar binnen om vanuit de beschutte keuken naar hen te kijken, maar tegen de tijd dat ze bij haar stoel aan het raam kwam, waren ze uit haar gezichtsveld verdwenen en liepen ze over de weg in de richting van de baai.

Toen ze terugkwamen, was ze bezig om het beslag voor een citroencake te maken. Ze klopte margarine en suiker tot een lichte, romige massa. Boven de wind uit kon ze een motor met een kapotte uitlaat horen brullen. Een banaangele, zwaar verroeste pick-up kwam voor het huis tot stilstand. In de laadbak, diep in elkaar gedoken achter de cabine, zaten Andreas en de onbekende man. Hun wangen waren rood van de kou en hun verwaaide haar stond in komische pieken rond hun hoofd. In de cabine zaten de twee scheepsbouwers uit Sint-Savas. De kleinste, de man die een paar vingers miste, keek naar haar raam en stak vriendelijk zijn hand naar haar op, alsof hij nooit oneerbare dingen tegen haar mompelde wanneer Andreas niet thuis was.

Andreas sprong van de auto. Uit de laadbak haalde de onbekende man een kettingzaag, een joekel van een apparaat met een lang blad en scherpe tanden. Hij gaf het aan Andreas en sprong toen zelf ook uit de auto.

De vier mannen stonden gebogen tegen de wind met elkaar te praten. Ze zag dat Andreas zijn arm ophief en naar het lange, bleke litteken wees waar de tak van de boom was gescheurd. Ze duwden met hun tenen tegen de tak en maakten met de zijkant van hun handen al theoretische inkepingen. Ze vouwden gewichtig hun armen over elkaar en bespraken alle mogelijkheden. Ze spuugden op de grond en vielen elkaar in de rede. Ze lachten de scheepsbouwer met de vingerstompjes uit en noemden hem *malaka*. Uiteindelijk kwamen ze tot een plan van aanpak.

Andreas hield de kettingzaag omhoog en keek hoe het ding werkte, maar een van de scheepsbouwers, de man met het verrotte gebit, was ongeduldig en griste het ding uit zijn handen. Hij hield het apparaat voor zijn lichaam, met het brute blad in het midden van de groep, en trok met volle kracht aan het startkoord. Er gebeurde niets. Hij trok nog een keer. Weer niets. Hij liet de zaag zakken en de onbekende man wees op een zwart knopje op de motor. De scheepsbouwer drukte het knopje in, hield de zaag op ooghoogte en trok voor de derde keer aan het koord.

Andreas, de onbekende man en de scheepsbouwer met de vingerstompjes deinsden achteruit. Ondanks de afstand kon Irini de zaag horen brullen. De scheepsbouwer bracht de zaag naar de tak, en in een regen van zaagsel en houtsnippers viel het eerste blok op de grond.

Stoer en lachend kwamen ze de keuken binnenlopen. Ze trokken stoelen bij de tafel en gingen zitten. Buiten, in de berm waar roze cyclamen hadden gebloeid, was nu een stapel houtblokken gegroeid. Op de weg blies de wind de toppen van de bergjes zaagsel en joeg het fijne poeder omhoog, de lucht in.

Andreas zette met een klap een asbak op tafel en richtte zich over zijn schouder tot Irini.

'Zet eens koffie voor ons, vrouw,' zei hij.

Wijdbeens leunden ze achterover op hun stoel en zochten in hun jaszakken naar sigaretten en aanstekers. Andreas had zijn sigaretten het eerst gevonden en bood de anderen zijn rood met blauwe pakje Assos aan. Het was goedkope Griekse tabak, die zo slecht tot gammele sigaretten was gerold dat het filter soms in de mond van de roker losliet. Irini zag dat Andreas het losse, witte filter van zijn sigaret haalde voordat hij hem aanstak. Als ze met hun tweeën waren geweest, zou hij dat nooit hebben gedaan, want dan zou ze op hem hebben gemopperd. Sigaretten zonder filter verergerden zijn hoest, en ze vond het vies dat hij 's ochtends vroeg kuchte en rochelde en slijmerig spuug in de wastafel van de badkamer achterliet.

De keuken vulde zich met dikke, lichtgrijze rook. Ze stak de gasbrander aan en schepte aromatische koffie en vochtige suiker in de met water gevulde pot. Nadat ze de pot op het vuur had gezet, haalde ze uit het dressoir in de woonkamer vier porseleinen kopjes met pastelkleurige bloemen, die ze schoonveegde. De kopjes waren een huwelijkscadeau van haar zus geweest.

De mannen werden steeds luidruchtiger, geprikkeld als ze waren door hun avontuurtje en de overvloed aan nieuwtjes die de storm had opgeleverd.

'Bij Petros is het hele dak van de nieuwe badkamer weggewaaid,' zei de scheepsbouwer met de rotte tanden. 'Hij kwam bij ons een zeil lenen. Ik heb er een meegegeven, maar dat is ook weggewaaid. Hij had het niet goed vastgebonden. Ik had nog zo gezegd dat hij genoeg touw moest gebruiken...'

'En wat dacht je van die oude Pantelis, de Tomatenman?' vroeg Andreas. 'Die is letterlijk omver geblazen! Hij heeft drie ribben gebroken. En zijn pols. Maar geen enkele boot kan hem naar het vasteland brengen om hem te laten spalken...'

'Weten jullie nog dat Stavros van de stoffenwinkel vorig jaar die boot van fiberglas heeft gekocht? Van dat ding is het anker losgeraakt,' onderbrak de scheepsbouwer met de vingerstompjes hem. 'De boot is met de zijkant tegen de rotsen geslagen. Hij heeft flink schade. Heel veel schade. Eigen schuld, had hij maar niet moeten beknibbelen op de stalling in de werf, de gierige oude zak. Vorig jaar herfst zei hij dat we te veel vroegen. Ik zei, mij maakt het niet uit, nu verdwijnt je geld alsnog in mijn zak.'

Irini zag dunne sliertjes damp van de koffie afkomen en wachtte tot de vloeistof kookte en schuimend naar de rand van de pot borrelde. Vanaf de andere kant van het vertrek hield Theo haar in de gaten. Door zijn dikke wenkbrauwen waren zijn ogen niet goed te zien, dus ze wist niet of hij verlegen of verlekkerd naar haar keek. Toen de koffie kookte, haalde ze de pot van het vuur om de drank voorzichtig in de tere kopjes te schenken. Terwijl ze de laatste druppeltjes in het laatste kopje goot, keek ze in zijn richting. Het verbaasde haar niet dat hij op dat moment ook naar haar keek.

Andreas schoof zijn stoel achteruit en stond op.

'Laten we wat drinken!' zei hij. 'Ik vind dat we wel wat hebben verdiend, jongens.'

Irini zette de koffie voor de mannen neer. Niemand bedankte haar. Andreas pakte een fles goede Metaxa van de plank en haalde vier glazen uit de kast. Daarna zette hij voor iedereen een glas neer en goot er een flinke slok brandewijn in.

'Yammas!,' zei hij. Hij ging zitten en hief zijn glas op. 'Proost!'

Maar toen ze hun glas naar hun mond brachten, werd er op de deur gebonsd.

Andreas dronk de helft van zijn brandewijn op.

'Doe eens open, vrouw,' zei hij.

Irini liep naar de deur en zette haar voet erachter om te voorkomen dat de wind hem uit zijn scharnieren zou tillen. Ze deed de deur een paar centimeter open, maar de bezoeker was ongeduldig.

'Laat me verdorie binnen!' Hij legde zijn hand op de deur en duwde hem wagenwijd open. De wind blies naar binnen en joeg een vlaag van droge bladeren en zaagsel naar binnen. Irini deed de deur dicht. De mannen aan de tafel lieten hun glazen zakken en keken zwijgend naar de bezoeker. Hij was vierkant gebouwd en bijna helemaal kaal, op de grijze krulletjes boven zijn oren met lange oorlellen na. Met zijn jack van zacht Italiaans leer en zijn linnen overhemd, waarvan de kraag openstond, probeerde hij zich duidelijk jeugdig te kleden. Aan zijn rechterhand was de lange nagel van zijn pink vierkant gevijld. Het was het herkenningsteken van een man die nooit zwaar lichamelijk werk deed.

Hij glimlachte naar alle aanwezigen. In zijn gebit was hier en daar goud te zien.

'Kijk eens aan,' zei de bezoeker, 'wat een gezellig onderonsje. Hebben jullie een feestje, jongens? Irini, lieverd, hoe gaat het met je?'

Als begroeting nam hij haar vingertoppen slapjes tussen zijn vingers en drukte een zachte, gladgeschoren wang tegen haar beide wangen. Zijn huid rook zoet, naar viooltjes en Nivea-lotion.

'Meneer Krisaxos,' zei ze. 'Welkom. Hebt u zin in koffie?'

'Nee, nee, lieverd, dank je.' Zijn blik dwaalde over de gezichten van de mannen om de tafel, die nog niets hadden gezegd. 'Ik ben op zoek naar de idioot die met zijn pick-up de weg verspert,' zei hij. 'En ik zie de schuldige al zitten, hè neef?'

Theo bloosde en stond op van zijn stoel.

'Sorry, oom Louis,' zei hij. 'Ik zal hem even aan de kant zetten.'

Hij liep in de richting van de deur. Toen hij langs zijn oom liep, gaf de oudere man hem een kneepje in zijn schouder. Het kon zowel een vaderlijk als een verwijtend gebaar zijn.

'Yassas,' zei Theo. Hij glipte door de deur en was verdwenen.

'Zo,' zei Louis Krisaxos. 'We hebben niet allemaal de tijd om de hele dag te borrelen. Sommige mensen moeten werken. Zorg dat jullie niet te dronken worden, heren.' Hij schoof de mouw van zijn jas omhoog om met het gouden horloge om zijn pols te pronken. 'Hemel, is het al zo laat? Sorry dat ik jullie heb gestoord. Irini, kom eens gauw bij Anna koffiedrinken. Ik weet zeker dat ze het leuk vindt om je te zien.'

Ze zagen de deur achter hem dichtgaan.

'Ouwe flikker,' zei de scheepsbouwer met de vingerstompjes. 'Hij naait alles wat beweegt. Ik durf te wedden dat hij nu weer een afspraak met een reetkever heeft.'

'Een afspraak met zijn rechterhand, zul je bedoelen,' zei de scheepsbouwer met de rotte tanden. Ze moesten allemaal lachen, behalve Irini, die het koffiekopje en het glas van de onbekende man weghaalde en mee naar het aanrecht nam om ze af te wassen.

De scheepsbouwers dronken hun glas leeg.

'We gaan weer eens aan het werk,' zei de man met de rotte tanden.

Toen ze weggingen, riep de scheepsbouwer met de vingerstompjes nog een afscheidsgroet. Irini zei niets terug en Andreas deed de deur achter hem dicht.

Vanuit de schoorsteen plofte wat roet en baksteengruis in de open haard.

'Ik kan die Krisaxos niet uitstaan,' zei Andreas, terwijl hij een sigaret uit het pakje haalde. Hij duwde hem tussen zijn lippen en stak hem aan. 'Hij voelt zich te goed voor ons nu hij veel geld heeft verdiend.'

'Volgens je moeder is hij een goede zakenman,' zei ze.

'Hij is geen zakenman, hij is een dief en een oplichter. Die ouwe homo gaat door roeien en ruiten om zijn doel te bereiken. Hij heeft slecht bloed, die familie heeft meer lijken in de kast dan de rest van het eiland bij elkaar. Geloof me, er komt een dag dat ze allemaal naar buiten komen kruipen om zijn graf te graven. En dan zal ik ze met plezier een schop lenen om de klus grondig te klaren.' Hij nam een trek van zijn sigaret en tikte de as in de asbak. 'Weet je wat hij nodig heeft? Dezelfde behandeling als zijn vader. Een harde, vertrouwde les, dat zou hem leren.'

Irini liet water in de gootsteen lopen.

'Wat is er dan met zijn vader gebeurd?' vroeg ze.

'Die man was door en door verdorven,' zei Andreas. 'Tassos, zo heette hij. Hij had ongezonde voorkeuren. Ze hebben een eind aan zijn praktijken moeten maken.'

Irini liep van het aanrecht naar de tafel en kwam bij hem zitten.

'Vertel eens.'

Hij schonk nog een paar centimeter Metaxa in en stak het glas naar haar uit. Toen ze een slokje van de zachte, bruine drank had genomen, dronk Andreas de helft van het restant op.

'Onze vriend Louis is gewoon een flikker,' zei hij. 'Hij probeert het niet meer te verbergen. Maar de perversiteiten van zijn vader waren veel erger, dus de familie hield ze angstvallig geheim. Sommige mensen zeggen dat hij eerst op Louis en zijn zus heeft geoefend. Van tijd tot tijd werd er gekletst, en de buren hoorden dingen. Maar kleine kinderen worden groot en de ouwe Tassos had ze graag piepjong. Hij begon aan het dochtertje van zijn nicht, een klein ding van zes dat hij met chocola mee naar huis had gelokt. Toen zijn nicht hem betrapte, had hij zijn broek op zijn knieën en stond het kind halfnaakt te huilen.'

'Mijn god,' zei Irini. 'Hebben ze de politie gebeld?'

'De politie?' Hij tikte de as van zijn sigaret. 'Wat hadden die moeten doen? De oude Tassos zat goed in de slappe was. Hij zou zijn vrijgesproken, omdat hij meteen een advocaat zou hebben ingehuurd om voor hem te liegen. Nee, de politie hoefde er niet bij te komen. De vader en grootvader van het kind kwamen hem halen en sleepten de vuile hond uit zijn schuilplaats in de kelder. Ze bonden hem aan de plataan op het plein en lieten hem staan tot er wat mensen op afkwamen. Ondertussen haalden ze een grote, oude haan. Om de smeerlap te laten zweten, sneden ze voor zijn ogen de keel van het beest door. En toen hij eindelijk stond te babbelen en smeken, kreeg de vader van het kind de eer om zijn hoofd met teer in te smeren. Daarna trokken ze de veren uit de haan en strooiden die op het hoofd van de oude Tassos.

Toen ze hem op een muilezel zetten en met hem het dorp rondreden, gingen ze met opzet langs zijn eigen huis om hem aan zijn vrouw te laten zien. Vanuit het raam spuugde ze naar hem, en daarna nam ze de kinderen – onze vriend Louis en zijn zus – regelrecht mee naar haar moeder. Ze liet zich natuurlijk van hem scheiden. Haar familie wilde de schande niet dragen.'

'Wat is er uiteindelijk met hem gebeurd?'

'Tja, dat is een interessante vraag.' Andreas dronk de rest van zijn Metaxa op. 'Toen ze hem lieten gaan, rende hij wankelend weg. Sindsdien is hij nooit meer gezien. Sommige mensen beweren dat hij hier nog altijd in een achterkamer van een familielid zit en zich niet meer durft te vertonen. Maar ik denk dat hij al jaren weg is en in een of ander ver oord naar huis verlangt, net als alle andere Grieken die ooit verbannen zijn. Hij komt nooit meer terug. Hij zou niet durven.'

Er viel een stilte toen hij een trek van zijn sigaret nam en de rook uitblies.

'Maar goed, hou die man in de gaten,' zei hij. 'Hij heeft een oogje op je.'

Ze lachte.

'Wat moet die ouwe bok met mij?' vroeg ze. 'Hij valt niet op vrouwen.'

Maar toen Andreas zijn jas weer aan de haak hing en de televisie aanzette, kreeg Irini de indruk dat hij misschien iemand anders dan Louis Krisaxos bedoelde.

7.

Schone Maandag, de eerste dag van de vasten, was een dag om je buik met sobere, zuiverende gerechten te vullen. De bedoeling was dat de maag werd schoongemaakt en dat het lichaam op de vasten werd voorbereid. Er stond geen wolkje aan de hemel en Irini had verwacht dat de zon de berghelling zou verwarmen, maar zelfs in de beschutte luwte van de kapelmuur bleef de vochtige winterkou voelbaar. Tussen de rotsen aten magere ooien de verse kruiden en het sappige gras op, terwijl hun steeds dikker wordende lammetjes hongerig aan hun spenen trokken. Aan de voet van de heuvel, bij het droge rivierbed, gooiden de kinderen stenen, stokken en een sandaal met een gebroken riempje tegen de takken van een walnotenboom om de laatste noten van het seizoen te bemachtigen. De noten groeiden hoog en bleven altijd buiten hun bereik.

De moeder van Andreas, Angeliki, had een vlak, zanderig stukje grond schoongemaakt. Ze had de grootste stenen tussen de uitlopende tijmstruiken gegooid en een kromme oreganotak geplukt om met de geurige bladeren alle schaapskeutels weg te vegen. Nu spreidde ze een patchworkdeken uit en zocht tussen de tijmstruiken naar de grootste stenen die ze had weggegooid om ze op de hoeken van de deken te leggen. Strathia, Irini's schoonzus, vergat heel even de chagrijnige blik die ze meestal in de buurt van haar kinderen opzette. Ze boog zich over de laadbak van de pick-up en trok er de koelboxen voor de picknick uit. Onder haar jurk waren haar dijen bleek en slap, en in haar knieholtes waren dikke aderen zichtbaar.

Irini zette de Pyrex-schalen en Tupperware-kommen midden op de deken en legde de spijzen voor de vasten klaar: geen olie, geen vet, geen vlees, geen vis die bloedde. Ze hadden olijven meegenomen, dikke, zure, groene exemplaren en de verschrompelde, mildere zwarte. Er waren ingelegde wortels, bloemkool en groene pepers, minibieten in potten, augurken in azijn en viskuit in tubes. Andreas had een octopus gevangen, en er lagen garnalen met lange voelsprieten en zwarte strepen. Angeliki had bosuien en romainesla uit de tuin getrokken, en er waren schalen rucola, roze radijsjes en lichtpaarse, ronde knollen. Irini had aardappels gekookt en ze met zout en citroensap besprenkeld. Strathia had verse mosselen met laurier en uien klaargemaakt. Er waren plakjes kleverige, zoete, met cacao gemarmerde vanille-*halva* en platte, gedeukte broden die speciaal voor Schone Maandag werden gebakken. Verder waren er flessen gekoelde retsina en limonade, die in natte handdoeken waren gewikkeld om ze koel te houden.

Maar Angeliki bleef maar tobben.

'We hebben vast niet genoeg. We hadden meer brood moeten meenemen. Strathia, we zijn het zout vergeten.'

'We hebben het bij ons, moeder.'

'Je vader vindt het vast niet lekker dat er laurier tussen die mosselen zit. Hij heeft een hekel aan laurier.'

'Dan eet hij maar wat anders.'

'Er zitten allemaal gaten in de sla. Met al die regen lukt het niet om de slakken uit de buurt te houden. Maar ik heb de kroppen goed gewassen, ik heb ze heel grondig gewassen. Maar ik denk niet dat je vader ze wil eten als er gaatjes in de bladeren zitten.'

De chagrijnige blik verscheen weer op Strathia's gezicht.

'O, moeder, hou toch op,' zei ze.

De mannen – Andreas, zijn vader Vassilis en Strathia's echtgenoot Socratis – hadden afgevallen takken in stukken gebroken om een vuur te maken. Ze bogen zich nu over de stapel en stopten droge twijgjes en gras aan de onderkant. Andreas stak een sigaret op en stak het vuur met zijn aansteker aan. Al gauw hingen er wolken rook om hen heen, die hen soms aan het zicht onttrokken en dan weer optrokken om hen te onthullen. De mannen leken net schaduwen op een bewolkte dag: het ene moment waren ze zichtbaar, het volgende verdwenen. Socratis gooide een wortel van de stekelige kapperstruik in het oplaaiende vuur, die een regen van knetterende vonken liet opvliegen. Een van de vonken belandde roodgloeiend op de rug van Vassilis' hand. Toen hij de vonk vloekend wegveegde en aan de pijnlijke plek op zijn hand likte, moesten Andreas en Socratis lachen.

Andreas lachte nog steeds toen hij weer bij de vrouwen kwam. Hij legde zijn handen op Irini's schouders en kuste het puntje van haar neus. Zijn haren roken al naar het vuur, maar Irini rook ook zijn vertrouwde, veilige geur. Ze legde haar handen om zijn middel, dat een beetje uitdijde nu hij wat ouder werd. Door haar gebaar leken ze wel danspartners, die op de vloer klaarstonden om aan een dans te beginnen.

Door zijn kleren heen kneep ze hem in een vetrolletje.

'Wat is dit?' Haar lachende stem klonk plagerig.

'Mijn vrouw kan goed koken,' antwoordde hij. Hij gaf haar een kusje op haar lippen.

'Tijd om iets te drinken. Strathia, pak de bekers eens. We nemen een glas wijn.'

'Ik wil geen wijn,' zei Angeliki. 'Daar krijg ik hoofdpijn van.'

'Na de picknick heb je waarschijnlijk toch hoofdpijn,' zei Andreas met een knipoog naar Irini. Er verschenen lachrimpeltjes rond zijn ogen. 'Neem nu maar gewoon lekker een glas wijn.'

Strathia deelde papieren bekertjes uit.

'Nou, een klein glaasje dan,' zei Angeliki.

Toen het vuur was geslonken tot roodgloeiende kooltjes, legde Socratis de octopus op de grill en plaatste die boven de warmte. Onder de walnotenboom prikten de kinderen met grassprieten in een mierennest. Vanachter de kapel, waar geiten graasden, klonk het holle getinkel van bellen. Geleidelijk aan kreeg de lichtroze octopus een dieprode kleur. De sappen van het dier druppelden sissend in de gloeiende kooltjes.

Socratis dronk uit zijn beker en veegde met het vlezige deel van zijn duim een kruipend insect van het puntje van zijn neus. Hij had de gebogen, misvormde neus van een bokser, wat wel bij zijn reputatie als bikkelharde kerel paste. Voordat hij met Strathia was getrouwd, had hij een van haar andere bewonderaars met een ijzeren staaf bewerkt. De man trok sindsdien met zijn been en kon met één oog niet goed meer zien. Maar na verloop van tijd hadden Socratis en zijn rivaal elkaar weer een hand gegeven, en daarna hadden ze samen vaak het glas geheven. Socratis was niet haatdragend. Niet als hij als winnaar uit de bus kwam.

Aan de andere kant van de vallei, aan de horizon, verscheen een man bij de muur van een verlaten olijfboomgaard. Als een bijbelse profeet leunde hij op een lange staf, en als een schildwacht keek hij op hen neer. Socratis hield zijn hand boven zijn wenkbrauwen en kneep met zijn ogen om te zien wie het was. Toen hij de man herkende, bromde hij en porde hij zwijgend met een stok in het smeulende vuur. Omdat Andreas' ogen niet meer zo goed waren als vroeger, kon hij over deze afstand niet zien wie het was.

'Wie is dat?' vroeg hij.

Vassilis rochelde en spuugde op de grond.

'Lukas,' zei hij. 'Laten we maar gaan eten. Tegen de tijd dat hij hier komt, is er niets meer over.'

De man in de verte stak zijn hand op en zwaaide. De echo van zijn schreeuw was onverstaanbaar.

'Vader, waar zijn je manieren?' vroeg Strathia. 'Vraag of hij erbij komt.'

'Zouden we dan wel genoeg hebben?' vroeg Angeliki weifelend.

'O, moeder, hou toch op,' zei Strathia. 'Andreas, vraag maar of hij naar beneden komt.'

Steunend op zijn staf kwam de man voorzichtig van de heuvel af. Hij liep mank, te weinig om het een lichamelijke handicap te noemen, maar hij trok een beetje met zijn been.

'Dat hoeft niet meer,' zei Vassilis. 'Hij is al halverwege.'

Strathia gaf Lukas een beker wijn. Hij keek snel opzij naar de plaats waar Socratis in het vuur porde en bedankte haar. Hij zette de beker tussen zijn legerkistjes, die hij ooit goedkoop van een afgezwaaide militair had gekocht. Het waren zwarte, afgesleten kisten met dikke zolen, die helemaal dof van het stof waren. Hij tilde het lapje van zijn linkeroog en wreef er met een vuile vinger onder. Hij had zijn kogelvrije vest en kakikleurige broek ook van de militair gekocht, maar de broek paste niet goed en werd door een strakke leren riem om zijn ribbenkast omhooggehouden. Omdat hij de broek zo hoog had opgetrokken, zat het kledingstuk te strak in zijn kruis en reikten de pijpen niet helemaal tot aan de kisten. Tussen de zoom en zijn schoeisel was een stuk van zijn schenen te zien, waarop lichtroze littekens stonden. Hij leidde het leven van een kluizenaar en zorgde niet goed voor zichzelf, waardoor hij te mager was geworden. Hij at gulzig als iemand hem eten aanbood, maar zat 's avonds te vaak met dronkaards in het dorpscafé. Hij stonk naar ongewassen lichaam en geiten. Toch had zelfs hij een ijdel trekje: hij was trots op zijn haar, dat in dikke, zongebleekte dreadlocks op zijn schouders hing. Hij was er trots op dat zijn haar slechts één keer per jaar werd aangeraakt. Hij had een tante die dol op hem was, en op eerste paasdag mocht zij zijn haren altijd wassen en de helft afknippen.

Hij boog zich voorover om zijn wijn te pakken en dronk met neergeslagen ogen uit zijn beker.

'Eet je met ons mee?' vroeg Strathia.

Lukas schudde zijn hoofd.

'Ik moet weer eens verder,' zei hij. 'Ik moet twintig geiten bij Agia Anna te drinken geven.'

Vassilis brak het knapperige uiteinde van een brood en stak het zwijgend in zijn mond.

'De geiten kunnen nog wel even wachten,' zei Strathia. Ze bood hem een schaal olijven aan, samen met het brood waarvan haar vader het uiteinde had afgebroken. 'Tast toe,' zei ze.

Lukas brak een stuk van het brood en nam een handvol olijven. Socratis legde de geroosterde octopus met een tang op een bord en droeg hem naar Angeliki, die hem midden in de kring zette.

Grijnzend gaf Socratis Lukas een klap op zijn rug. Lukas kromp ineen.

'Hoe gaat het, neef?' vroeg Socratis. 'Nog steeds niet getrouwd?'

Angeliki gebruikte een mes om de armen van de octopus te halen en sneed het lichaam open. Het witte vlees aan de binnenkant stak fel af tegen het rood en zwart van de verschroeide huid. Ze besprenkelde het vlees met citroensap en strooide er snippers gedroogde oregano over, die ze van een struik had geplukt.

'Tast toe,' zei ze. 'Ga je gang. Strathia, roep de kinderen.'

'Laat ze nog maar even,' zei Socratis. 'Ze kunnen straks wel eten.'

Een paar minuten werd er in stilte gegeten. Irini zag dat Lukas een stuk brood afscheurde en in de met citroen aangezuurde sappen van de octopus doopte. Daarna besmeerde hij een tweede stuk brood met kabeljauwkuit.

'Zo,' zei Vassilis. 'Over veertig dagen word je weer geknipt, Lukas.'

Lukas had zijn mond nog vol met brood.

'Misschien sla ik wel een jaartje over,' zei hij. Hij bracht zijn hand naar zijn hoofd en speelde met een van de vuile dreadlocks.

'Als je haar nog langer wordt, val je erover,' zei Andreas.

'Zo, Lukas,' zei Strathia. 'Vertel ons eens wat nieuwtjes. Waar praten ze over in het dorp?'

Bij het horen van haar woorden verscheen er een kleur op Lukas' wangen. Hij stak zijn hand uit naar de wijnfles en vulde zijn beker nog eens bij.

'Ik heb niet veel nieuws,' zei hij.

'Natuurlijk wel,' zei Andreas. 'Kom op. Praat ons bij.'

Socratis stond op.

'Ik zal wat van die garnalen op de grill leggen,' zei hij. 'Ik krijg altijd honger als ik naar zijn monologen moet luisteren.' Hij liep naar het vuur.

'Tja,' zei Lukas. Hij prikte het uiteinde van een octopusarm aan zijn vork en beet erin. 'Waarschijnlijk hebben jullie het al gehoord van de vrouw van Manolis Mandrakis.'

'Welke Manolis Mandrakis?' vroeg Strathia. 'De huisschilder?'

'Ja,' antwoordde Lukas. 'De jongste.'

Irini wist wie dat was. Ze kende zijn vrouw ook: een lange, magere, knorrige jonge vrouw die afkeurend werd nagekeken omdat ze lange broeken droeg.

Ze wachtten. Lukas pakte de plakkerige halva uit, sneed een stuk af en stopte het in zijn mond.

'Nou?' drong Andreas aan.

'Tja,' zei Lukas. 'Mandrakis heeft haar met de politiecommissaris betrapt.'

Angeliki hield haar adem in.

'Dat meen je niet,' zei ze.

'Het is echt waar,' zei Lukas. 'Hij trof ze halfnaakt achter in haar vaders winkel aan. Hij heeft die slagerij naast de ijsfabriek.'

Haastig sloeg Angeliki drie keer een kruisteken.

'Mandrakis durfde die klootzak natuurlijk niet in elkaar te slaan,' vervolgde Lukas. 'Hij zei alleen dat Zafiridis moest oprotten en de deur achter zich dicht moest doen. Daarna sloot hij zichzelf met zijn vrouw op en liet hij haar alle hoeken van de kamer zien.'

Het bleef stil.

'Hij laat zich natuurlijk van haar scheiden. Haar familie is in alle staten. De moeder heeft hartproblemen. Ze kreeg hartkloppingen en moest de dokter laten komen.'

'Mijn hemel,' zei Andreas.

'Iemand zou die ellendige commissaris eens een lesje moeten leren,' zei Vassilis. 'Waarom heeft Mandrakis zijn broers niet op hem af gestuurd? Hij heeft er genoeg.'

'Een van de broers heeft een café,' zei Lukas. 'Hij heeft zijn drankvergunning nodig. Die eikel zou meteen zorgen dat hij zijn deuren kon sluiten.'

In de loop van de middag werden alle wijnflessen leeggedronken. De mannen dronken ouzo en praatten, en Lukas lag op zijn rug in de schaduw van de kapelmuur te slapen. Het zure eten, de gepekelde groenten, het citroensap en de droge wijn hadden Irini flink maagpijn bezorgd. Ze strekte zich uit, voelde de zon op haar ledematen en deed haar ogen dicht. Ze dacht aan het knorrige gezicht van mevrouw Mandrakis, en probeerde zich voor te stellen hoe het er beurs en bebloed uit zou zien. Ze vroeg zich af of de vrouw had geschreeuwd en gehuild, of dat ze haar straf zwijgend had ondergaan, omdat ze wist dat niemand haar te hulp zou komen.

8.

Omdat Irini een plichtsgetrouwe echtgenote was, bracht ze een bezoek aan haar schoonmoeder. Ze deed het met tegenzin, maar Andreas was weer vertrokken en ze hunkerde naar gezelschap. De vrouwen konden niet goed met elkaar opschieten – het oude liedje: geen enkele vrouw was goed genoeg voor haar zoon – en ze verwachtte dan ook dat ze weer koeltjes zou worden ontvangen. Maar ze had haar bezoek slecht getimed. Haar schoonmoeder begroette haar overdreven hartelijk en zei dat het een geluk was dat Irini langskwam.

'Kom binnen, Irini, kom binnen,' zei Angeliki. 'Je schoonvader kan wel wat hulp gebruiken.' Ze was een klein, fijn gebouwd vrouwtje dat zichzelf had wijsgemaakt dat ze een zwakke gezondheid had. De dokter schreef haar al jaren valiumtabletten voor, die haar suf en vergeetachtig maakten. Haar huis lag dan ook altijd vol met klusjes die ze nooit had afgemaakt: de helft van het koper was gepoetst, de helft van de aardappels was geschild, de helft van het wasgoed was gestreken en opgeruimd. 's Ochtends liep ze vaak twee keer naar de bakker om brood te halen dat ze al had gekocht. Vandaag hing er een schroeilucht in huis: op het fornuis kookte een vergeten steelpan met water sissend over. In de tuin stond een geit jammerlijk te mekkeren.

Angeliki gaf Irini een opgevouwen katoenen schort en een plastic emmer.

'Doe je schort voor,' zei ze. 'Anders krijg je het allemaal op je kleren. Als je niet oppast, wordt het een ongelooflijke troep. Ik denk dat hij klaarstaat om te beginnen. Ik vermoed dat hij op mij wacht.'

Ze legde haar handje onder op Irini's rug en leidde haar door de achterdeur naar buiten. Haar vingers drukten niet hard, maar wel dwingend, als het pootje van een muis. Irini liep snel door om eraan te ontsnappen.

De geit, een oude bok, hing met een touw om zijn achterpoten aan de takken van een citroenboom. Behalve de onmiskenbare geitengeur verspreidde het dier ook een vieze pislucht, omdat hij in zijn angst zijn blaas had laten leeglopen. Hij hing volledig uitgestrekt, met zijn gespleten hoeven een paar centimeter boven de grond die hij niet kon bereiken. Aan het uiteinde van het touw draaide hij langzaam rondjes, eerst een volle slag met de klok mee, daarna de andere kant op. Door de zwarte spleten in zijn vreemde, gele ogen keek hij om zich heen. Zijn ellendige kreten kwamen steeds met dezelfde tussenpozen, alsof het om een vast ritme ging. Misschien hing hij al een poosje aan de boom.

Vlak bij het dier scherpte haar schoonvader op zijn hurken een jachtmes met een hoekige punt. Hij haalde het mes over een platte steen, die hij met spuug had natgemaakt. Hoewel de zon nog geen kracht had, was hij vuurrood en waren zijn kalende hoofd en blote voorhoofd vochtig. Van zijn shirt, waarvan de stof om zijn dikke buik spande, steeg een muskusachtige reuk op, die haar aan de lucht van de geit deed denken. Vassilis rook minder sterk en iets zoeter, maar in wezen was het dezelfde geur. Hij keek onvriendelijk naar haar, alsof hij het niet leuk vond om haar te zien, maar Irini wist dat het hem niet uitmaakte of hij door zijn vrouw of zijn schoondochter werd geholpen. In zijn ogen waren alle vrouwen nutteloze wezens.

'Kom je helpen?' vroeg hij. 'Geef me de emmer dan maar, vlug een beetje.'

Hij haalde de scherpe rand van het lemmet over de muis van zijn hand, waardoor er een bijtend, bloedend sneetje verscheen. Hij stond op, trok zijn rug hol en klaagde over de pijn in zijn nieren. Hij vertelde haar dat hij die ochtend moeite had gehad om te plassen, en dat hij nodig een afspraak bij de dokter moest maken. Achter hem begon de geit te mekkeren. Het klonk alsof het dier hem uitlachte.

Irini voelde de drang om de geit te troosten en hem over zijn kop te strelen, maar ze wist dat dat geen zin had. Ze gaf Vassilis de emmer.

'Nou, daar gaan we dan,' zei hij. 'Ben je er klaar voor? Stap achteruit.'

Hij kende mannen die het dier nu zouden zegenen. Als zij voor God speelden, de ziel van het beest bevrijdden en naar haar oorsprong terugstuurden, zouden ze de geit veel geluk wensen. Knettergek, dacht hij. Mietjes. Het gaat om een beest, meer niet. Hij had net zo min warme gevoelens voor die geit als voor een sinaasappel waarin hij beet.

De geit, die voelde dat zijn tijd was gekomen, begon in paniek te blaten. Irini keek omhoog naar de takken van de citroenboom en concentreerde zich op het felgekleurde fruit, de glanzende bladeren en structuur van de takken. Er klonk een zacht, scheurend geluid, gevolgd door spetterende vloeistof in het zand. Het geblaat werd onregelmatig, en elke aarzelende kreet werd halverwege onderbroken als de geit wanhopig snakte naar de lucht die hij niet kon inademen. Al gauw stierf het geluid helemaal weg.

Vassilis ging kreunend op zijn tenen staan en zaagde met grommende keelgeluiden het strak gespannen touw door. Het dode dier viel op de grond en er spetterde warm bloed op haar schenen en schoenen.

'Pak dat tafelkleed, Irini. Vlug.' Hij wees op een blauwgeruit plastic kleed bij de achterdeur. Ze spreidde het uit op de plaats waar het meeste bloed lag. Vassilis pakte de voorpoten en sleepte het karkas op het plastic.

Zuchtend en steunend ging hij naast het dier op de grond zitten. Met de punt van zijn mes maakte hij de eerste sneden aan de binnenkant van de poten, ondiepe incisies om de huid van het vlees te scheiden. Zorgvuldig trok hij een ondiepe snee over de buik. Daarna sjorde hij zachtjes aan het vel en trok hij het in één keer van de geit, alsof hij het papier van een sticker haalde. Op het dier was nu een laag romig vet zichtbaar, die bubbelde van de luchtbellen en knetterde als statische elektriciteit.

Hij gaf de warme huid aan Irini.

'Hang hem daar maar over de lijn.' Hij wees met zijn bloederige hand naar de waslijn, waaraan twee witte beddenlakens in de wind opbolden. Er was geen ruimte meer aan de lijn, en Irini had te veel bloed aan haar handen om de lakens eraf te halen en op te vouwen. Daarom hing ze de huid over de laagste takken van de citroenboom.

'Emmer!'

Ze knielde naast hem neer. Hij draaide het geslachte beest op zijn rug.

'Pak de poten,' zei hij, 'en hou ze goed vast.'

Dat viel niet mee, want het vettige vlees glipte uit haar handen. De vreemde ogen van de geit waren nog steeds helder, maar puilden uit de gestripte schedel. Zijn tandjes grijnsden in een versteende grimas.

Vassilis sneed diep, van borstkas tot scrotum. De stinkende ingewanden barstten naar buiten toen de incisie openging. Irini liet de achterpoten los om de ingewanden in de emmer te leiden, maar met één hand kreeg ze het niet voor elkaar. Ze stroomden naar buiten alsof het water was en glibberden als levende wezens over de rand.

Vassilis vloekte en verwenste de geit. Onder zijn oksels waren zweetkringen zichtbaar, en zijn mannelijke muskusgeur werd steeds geprononceerder. Hij tilde de gemorste ingewanden in de emmer en dook met zijn handen de opengesneden buik in. Met zijn mes zocht hij naar de plaats waar hij ze los kon snijden, en schepte de laatste resten naar buiten: de grijze, met poep gevulde stukken darm, de sponzige longen en het dode hart.

'Je bent klaar,' zei hij. 'Ik zal de zaag pakken.'

De stalen emmer waarmee water uit de put in de binnenplaats werd geschept, stond leeg op de stenen rand van de put. Met het blauwe nylon touw in haar hand liet ze de emmer in de smalle schacht vallen. In het donker petste de emmer onzichtbaar op het water, en toen hij vol water liep, werd hij steeds zwaarder. Ze hees de emmer omhoog en liet koud water over haar plakkerige, stinkende handen lopen.

Angeliki kwam aanlopen met een theekopje en een fles afwasmiddel. Irini schrobde haar huid met het afwasmiddel schoon, en Angeliki schepte water uit de emmer om de zeep van Irini's handen te spoelen. Er zat bloed onder haar nagels, donker als rouwranden. Hoe hard ze ook wreef, spoelde en weekte, het bloed bleef zitten.

'Heb je de laatste tijd nog iets van je moeder gehoord?' vroeg Angeliki. 'We hebben haar al een poosje niet meer gezien.'

Ze gaf Irini een oude handdoek, die door het vele wassen was verschoten en dun was geworden.

Irini droogde haar handen af.

'Ik heb haar twee dagen geleden gesproken,' zei ze. 'Ze gaat naar mijn zus in Athene. Ze vindt het leuk om de kleinkinderen te zien.'

'Kleinkinderen zijn een geweldige zegen,' zei Angeliki. 'Ik denk dat ze wel wat meer tijd voor jou zal maken als jij kinderen krijgt.'

'Voordat ik getrouwd was, ging ik met haar mee,' zei Irini. 'Ik mis de kinderen ook. En ik ben dol op de stad. Soms gingen mijn zus en ik ergens dansen. Ik heb een keer zo lang gedanst dat mijn voeten bloedden.'

Angeliki snoof.

'De stad is smerig,' zei ze. 'Al die mensen en dat verkeer. En ik vraag me af met wat voor een kerel je zus is getrouwd. Wie vindt het nu goed dat zijn vrouw met haar ongetrouwde zus gaat dansen? Wie was je chaperon?'

'Hij,' zei Irini. 'Mijn zwager is gek op dansen.'

Angeliki nam de handdoek van Irini aan en vouwde hem op. Ze nam de tijd om de hoekjes keurig op elkaar te leggen.

'Andreas heeft nooit veel om dansen gegeven,' zei ze, 'en ik moet niet veel hebben van getrouwde vrouwen die dansen. Het zou me niets verbazen als je door al dat dansen nog niet zwanger bent. En het verbaast me dat je zus tijd heeft gehad om kinderen te maken als ze elke avond uit dansen gaat.'

'Niet elke avond,' protesteerde Irini. 'Af en toe.'

'Maar dan nog. Er zijn hier niet veel vrouwen die hun reputatie op het spel zouden zetten voor een avondje rondspringen.'

'En dat is ontzettend jammer,' zei Irini. 'Het zou iedereen goeddoen om af en toe een avondje te dansen. Dat zou de sleur doorbreken.'

'Ik weet niet over welke sleur je het hebt,' reageerde Angeliki beledigd. 'We hebben het hier allemaal prima naar ons zin.'

Tijdens de wandeling naar huis hield ze haar aandeel van de slacht op een armlengte afstand. De scherpe punt van een slordig afgezaagde rib had een gat in de plastic zak geprikt. Het bloed dat door het gat naar buiten was gedruppeld, had een spoor op de weg achtergelaten en haar pad gemarkeerd. Ze kon precies zien waar ze naar links was uitgeweken en waar ze in de berm was gaan staan om een motorfiets te laten passeren.

Toen ze haar huis weer in zicht kreeg, hoorde ze een auto naderen. Ze werd voorbijgereden door een rode pick-up, waarvan de bestuurder toeterde en zwaaide. Irini wist niet wie het was. Tegen de tijd dat ze zich Theo herinnerde en zich omdraaide om te zwaaien, was hij de bocht al om.

Dagen later liep Irini van de baai van Sint-Savas terug naar huis. Ze wandelde hier vaak als Andreas er niet was. Het was een gewoonte geworden om te kijken of ze zijn boot naar de haven zag varen, zelfs als hij pas een dag weg was en ze wist dat hij nog niet op de terugweg kon zijn. Ze liep langzaam en bekeek op haar gemak de planten in de berm. Soms plukte ze een paar eetbare bladeren voor een salade, of een boeketje wilde bloemen om op tafel te zetten. Aan het einde van de kade ging ze altijd een paar minuten op dezelfde meerpaal zitten, om de horizon af te speuren naar een boot die ze niet zou zien. Als ze zeker wist dat hij niet kwam, liep ze over het smalle strand om halfslachtig in het grove zand naar schelpen te zoeken of in het ondiepe water naar inktvissen te speuren. Vaak ging ze even bij Nikos langs. Soms liep ze de andere kant op, naar de bergen. Als de klok twaalf uur sloeg, liep ze terug naar de weg, gedreven door de gewoonte om rond lunchtijd thuis te zijn.

De eerstvolgende keer dat de rode pick-up naderde, draaide ze haar hoofd om naar de bestuurder te kijken. Achter het raam zag ze zijn lachende, donkere gezicht en opgeheven hand.

Ze zwaaide terug. En toen hij de bocht omging, merkte ze dat ze zelf ook een glimlach op haar gezicht had.

Het begon heel onschuldig. Af en toe zag ik haar wandelen. Ik had niet de indruk dat ze eenzaam was, nee, eenzaam is niet het goede woord. Ze was erg op zichzelf, misschien moet ik het zo zeggen. Ze zag eruit alsof ze met haar gedachten ergens anders was. Ze liep altijd in haar eentje en ze leek altijd doelloos rond te lopen. Om de tijd te doden. Ik zwaaide naar haar. Ik glimlachte. Voor mijn gevoel deed ik niets verkeerds, maar in mijn hart wist ik dat het niet hoorde. Als er iemand bij me in de pick-up had gezeten, zou ik hebben gedaan of ik haar niet zag. Eerst was ze op haar hoede en leek ze zich af te vragen waarom ik zo vriendelijk was op een eiland waar mannen en vrouwen niet zomaar bevriend kunnen zijn. De eerste keer dat ze naar me lachte, voelde ik diep in mijn hart een blijdschap die ik nog nooit eerder had ervaren. Waarschijnlijk zeg je nu dat ik het gevaar had moeten zien aankomen. Maar wie wil er nu een kaars uitblazen als die vlam de duisternis verlicht? En in een simpele kaars schuilt toch niet zoveel kwaads? Het licht van een enkele kaars is toch niet te veel gevraagd in het leven?

Het was maar een spelletje. Ik had alles onder controle.

Maar dat kaarsje vlamde op en er vloog iets in brand. Wie had ooit kunnen denken dat dat ene kaarsje in de duisternis ooit de rest van mijn leven zou aantasten en in vlammen zou laten opgaan?

Ik snapte zelf niet waarom ik me zo tot haar aangetrokken voelde. Ik heb het nooit begrepen, maar vanaf het moment waarop ik haar voor het eerst zag, wilde ik niets liever dan haar hand vasthouden.

In het begin drong hij slechts van tijd tot tijd haar gedachten binnen. Als ze buiten haar gezichtsveld een arbeider naar een ander hoorde roepen, of gehamer door de vallei hoorde weerklinken, vroeg ze zich af of hij het was.

Maar toen begonnen er dingen te veranderen. Ze begon volkomen onnodige tripjes te maken. Ze ging boodschappen halen die ze niet nodig had, of wandelingen maken waar ze eigenlijk helemaal geen zin in had. De enige reden waarom ze op pad ging, was dat ze hem kon tegenkomen. Ze zocht haar kleren met zorg uit en deed lippenstift op haar lippen. Langzaam maar zeker sloop de gevaarlijke gewoonte erin en werd hij het hoogtepunt van haar dag. Hij spookte door haar hoofd en was onbehoorlijk vaak in haar gedachten. Die verboden gedachten kregen steeds vaker een wellustig karakter. Ze wilde weten hoe hij er zonder kleren uitzag. Soms, als de zon brandde, rolde hij zijn mouwen op en liet hij een naakte, gespierde arm uit het raam van de pick-up bungelen. Ze had zin om haar hand ernaar uit te steken en hem aan te raken.

Zo ver ging het, hoewel ze sinds de dag van die ene bewuste storm geen woord met elkaar hadden gewisseld.

Ik zag haar tijdens het carnaval, waar ik met Elpida en Panayitsa naartoe ging. Panayitsa was verkleed als Turkse prinses, in een wolk van chiffon en gouden gevlochten koorden. Zij was er ook. Ik had gezien dat haar man in de haven vis verkocht, dat hij snel nog wat probeerde te verdienen voordat de mensen de rest van de vastentijd geen vis meer aten. Tussen al die mensen in hun zondagse kleren zag hij eruit als een vogelverschrikker. Zijn kleren waren vies en hij had zich al dagen niet geschoren. Maar hij was onderweg naar huis, naar haar.

Ik had gehoopt dat ik haar zou zien. Ik hield Panayitsa's hand vast, omdat ik bang was dat ik haar in de menigte kwijt zou raken. Panayitsa zeurde dat ze het koud had. Elpida had haar jas meegenomen, maar die wilde ze niet aan omdat je dan haar kostuum niet meer kon zien. Daarom kocht ik kaneeldoughnuts om te zorgen dat ze haar mond hield. Elpida was op zoek gegaan naar haar moeder, en ik zou de wind van voren krijgen omdat ik Panayitsa zo vies had laten worden.

Opeens kreeg ik haar in de gaten. Ze liep in mijn richting en keek recht in mijn gezicht. Op het moment dat ze me wilde passeren, keek ze me glimlachend aan. Haar lach vertelde me dat ze het leuk vond om me te zien. Ze noemde me bij naam, zei hallo, en ik groette en glimlachte terug. Een paar tellen lang bleef ze me aankijken, en ik weet nog dat ik dacht, wat heb je prachtige ogen. Op dat moment begreep ik dat onze gevoelens voor elkaar helemaal niet onschuldig waren. Ik had een erectie. Toen ze wegliep, liet ze me in lichterlaaie achter.

9.

De ochtend nadat de dikke man Nikos voor het eerst had ontmoet, voelde hij zich niet zo lekker. Dat had hij aan zichzelf te danken. Tegen de avond was hij in de onverlichte, smalle straatjes en steegjes achter de grootste haven gaan wandelen, en had hij een taveerne gevonden die open was. Hij had in het gezelschap van een aantal mannen gegeten: twee oude vrijgezellen, een weduwnaar, een getrouwde man die zich thuis verveelde, en twee chagrijnige jongemannen die nergens anders heen konden. Ze zaten aan gammele tafeltjes tussen zakken uitlopende aardappels, dozen papieren servetjes en kratten plaatselijke wijn en mineraalwater. Over de tafeltjes heen voerden ze op luide toon gesprekken. Ze keken uit over de donkere, verlaten patio, waarop de gasten in de zomer tot laat in de avond van hun Griekse salades en souvlaki genoten. Nu dwarrelden er droge, dode, opgewaaide bladeren van de overhangende wijnrank rond de poten van de stapel tuinstoelen.

De dikke man had honger, maar de kok had geen zin om te koken.

'Het seizoen is voorbij,' zei hij. Hij was een magere, knorrige man, die volgens de dikke man wel een goede maaltijd kon gebruiken. Een lekker bord eten zou wonderen kunnen doen voor zijn uiterlijk en zijn humeur. 'Ik kan alleen een varkenskarbonade voor u maken. Anders niet.' Hij pulkte met een lange vingernagel in zijn neus.

'Een karbonade is prima, als het vlees maar vers is,' zei de dikke man. 'En een glas ouzo met veel water, alstublieft.' Hij vond een tafeltje in de hoek, naast een deur waar 'wc' op stond. Het tochtte onder de deur, waardoor de dikke man koude enkels kreeg en de vage, scherpe lucht van het urinoir kon ruiken.

Met tegenzin gooide de kok een karbonade op de rokende houtskoolgrill en draaide het vuur onder een pan met oude olie omhoog. Daarna schilde hij een paar slechte aardappelen, waar hij met de punt van zijn mes zwarte ogen en wormgaatjes uit sneed.

De dikke man nipte aan zijn ouzo en at de karbonade op. Na het eten bleef hij nog een poosje luisteren naar de plagerige gesprekken tussen de kok en zijn klanten. Hij bestelde nog een glas ouzo en zei dat de kok er ook een mocht nemen. Dat gebaar – of de alcohol – deed wonderen. Opeens verschenen er allemaal schaaltjes met lekkernijen op zijn tafeltje. Hij kreeg een paar zee-egels in een marinade van olijfolie en citroen, een bord gestoofde, wilde, bittere groentesoorten, geroosterd brood dat hij in knoflooksaus kon dopen, en een stuk gebakken moeraal met een heerlijke zoute smaak. Tot in de kleine uurtjes bleef de dikke man zitten knabbelen, luisteren en drinken. Hij rekende af en legde een royale fooi onder zijn bord. Daarna waggelde hij langs de haven terug naar zijn ongezellige, spartaanse hotel, waarbij hij gevaarlijk dicht in de buurt van het diepe, donkere water kwam.

Nu had hij een spijker in zijn hoofd en een onbestemd gevoel in zijn maag. Daarom bleef hij nog lang liggen dommelen nadat de klok in de haven zes uur had geslagen. De douche was lauw, maar hij liet het water over zijn hoofd lopen tot de pijn een beetje afnam. Huiverend droogde hij zich af met het enige handdoekje dat in zijn kamer was neergelegd.

Hij kleedde zich met zorg aan. Uit zijn weekendtas haalde hij een pauwblauw overhemd voor onder zijn pak. Toen hij het aantrok, leek de bijzondere grijze stof een blauwgroene glans te krijgen in plaats van lavendel. De kleur paste perfect bij zijn overhemd. Uit een potje haalde hij een likje pommade dat naar oranjebloesem en rozenolie rook, en verdeelde het over zijn vochtige, warrige krullen. Hij maakte zijn nagels schoon met de punt van een stalen vijl en poetste ze op met een zeemleren doekje. Hij poetste zijn tanden met poeder dat naar kruidnagel en wintergroenolie smaakte. Daarna gaf hij zijn schoenen een mooi, nieuw wit laagje. Terwijl ze droogden, ging hij op zijn sokken op het balkon staan om van het uitzicht te genieten.

Het was een heldere, maar koude ochtend. De dikke man liep naar het *kafenion* van Jakos, waar hij plaatsnam tussen de arbeiders die zich met sterke koffie en sigaretten op de dag voorbereidden. De dikke man dronk een kop koffie en bestelde een tweede. Hij stak een sigaret op, maar zijn kater protesteerde met een golf van misselijkheid. Omdat hij wist dat hij maar beter naar die waarschuwing kon luisteren, maakte hij zijn sigaret uit.

Geleidelijk aan stonden alle bouwvakkers, scheepsbouwers, straatvegers en huisschilders op om aan het werk te gaan. Ze gingen in hun eentje weg of verlieten het *kafenion* met hun tweeën. Toen ze allemaal weg waren, pakte Jakos zijn lege kop en volle asbak om ze mee naar binnen te nemen. De dikke man hoorde hem serviesgoed in de stenen gootsteen zetten, maar toen kwam Jakos terug om weer tegen de deurpost te leunen en naar de zee te staren, alsof zijn hart en gedachten mijlenver weg waren.

'Wat krijg je van me?' vroeg de dikke man.

Jakos keek naar hem en stak zijn kin in de lucht.

'Driehonderd,' zei hij. 'Geef me maar driehonderd.'

De dikke man legde een briefje van vijfhonderd drachmen onder zijn schoteltje.

'Misschien kun je me wel helpen,' zei hij. 'Ik ben naar iemand op zoek.'

'Naar wie dan wel?'

'Naar ene Thodoris Hatzistratis. Je kent hem vast wel.'

'Ja, die ken ik wel,' beaamde Jakos. Hij keek weer naar de verre horizon, waar de bleke lucht en de zee samenkwamen. 'Maar ik denk niet dat hij u met open armen zal ontvangen. Hij heeft een timmerwerkplaats tegenover de kruidenier. Vlakbij de taveerne waar u gisteren hebt gegeten.' De dikke man begreep hem meteen. Kennelijk had de plaatselijke tamtam zijn werk gedaan. 'Ik denk dat u hem daar wel zult aantreffen. Maar zeg niet dat u die informatie van mij hebt.'

'Ik verklap nooit wie mijn bronnen zijn,' zei de dikke man. Hij wenste de café-eigenaar een prettige dag en ging op pad.

Het kostte hem geen moeite om de timmerwerkplaats te vinden, die op de begane grond van een vervallen gebouw was gevestigd. De ramen waren troebel van het vuil en tegen de muren stonden stapels planken in verschillende maten. Sommige planken waren licht van kleur en pas gezaagd, andere waren al helemaal grijs en verweerd. De deuren waren duidelijk door een vakman gemaakt, maar waren al jaren niet meer geschilderd en zaten vol zwarte houtwormgaatjes. Boven een versierd sleutelgat hing een stokoude klopper, een leeuwenkop die dreigend zijn tanden liet zien.

De dikke man duwde tegen de deuren, maar die zaten op slot. Hij liep naar het raam en tekende met het topje van zijn wijsvinger een rond kijkgaatje in het vuil. Daarna bracht hij zijn oog naar het raam om naar binnen te kijken.

'Kan ik iets voor u doen?'

De dikke man zette abrupt een stap naar achteren en keek om. Achter hem stond een man met een donkere huid en dikke, borstelige wenkbrauwen, die hem een Arabisch uiterlijk gaven. Blijkbaar had hij de gewoonte om altijd te fronsen, want zijn knappe gezicht werd ontsierd door diepe rimpels.

Nu stond er ook een frons op zijn gezicht.

Met een vriendelijke glimlach stak de dikke man zijn hand uit.

'Ben jij toevallig Theo Hatzistratis?' vroeg hij.

De jongere man gaf hem geen hand. Hij had een antieke sleutel bij zich, die bijna net zo lang was als zijn handpalm. De lus aan het uiteinde was zo groot dat er een stuk of tien andere sleutels aan waren gehangen. Hij stak de sleutel in het versierde sleutelgat en draaide hem om.

'Wat wilt u van me?' vroeg hij.

De dikke man liet zijn hand zakken.

'Mijn naam is Diaktoros, Hermes Diaktoros. Ik wil je graag even spreken, als dat kan.'

'Waarover?' Theo duwde de deur van de werkplaats open. Binnen rook het naar een mengeling van zaagsel, vernis en een vieze, vochtige lucht.

'Ik ben vanuit Athene hierheen gestuurd om de dood van Irini Asimakopoulos te onderzoeken,' antwoordde hij.

Theo bleef even met zijn rug naar de dikke man staan en bestudeerde zijn werkplaats. Toen hij zich omdraaide, stond er een verbaasde glimlach op zijn gezicht.

'Waarom wilt u mij dan spreken?' vroeg hij.

De dikke man voelde zich niet lekker. Hij had geen zin om diplomatiek te zijn en had ook geen behoefte aan spelletjes. Daarom kwam hij meteen ter zake.

'Omdat ze dood is en jij een affaire met haar had,' antwoordde hij.

De glimlach verdween van Theo's gezicht.

'Dat is een smerige leugen,' reageerde hij koeltjes.

De dikke man kwam dichter bij hem staan. 'Wat is er precies gelogen?' vroeg hij. 'Ze is toch dood? Ze ligt toch in haar eentje op het kerkhof te rotten?'

Theo draaide zich om en trok de deur van de werkplaats dicht.

'Volgens mij was ze verliefd op je,' hield de dikke man vol. 'Misschien wel hevig verliefd op je. En ik denk dat jij misschien ook wel verliefd op haar was. Misschien ben je dat nog steeds. Ben je nog verliefd op haar, Theo?'

Theo deed de deur weer op slot en haalde de oude sleutel uit het sleutelgat.

'Ik kende haar niet eens,' zei hij. 'Dus ik stel voor dat u haar dood ergens anders gaat onderzoeken en onschuldige burgers met rust laat.'

Hij liet de sleutels in zijn jaszak glijden en wandelde weg.

Uit ervaring wist de dikke man dat een getergde, nijdige maag nergens zo van opknapte als van een zachte, zoete, troostrijke tompoes.

Bij de bakker zocht hij een bijna volmaakt exemplaar uit, dat royaal met poedersuiker en kaneel was bestrooid. Hij at het gebakje met smaak op, waarbij er poedersuiker op zijn revers en overhemd belandde. Hij vouwde het papieren zakje van de bakker keurig doormidden en stopte het in de voorste zak van zijn weekendtas om het later weg te gooien. Daarna pakte hij een blauwe zijden pochet met paisleymotief uit zijn borstzak om de suiker van zijn kleren te vegen. Hij borg het pochet op, pakte de weekendtas en kneep zijn ogen stijf dicht, alsof hij diep nadacht of zich iets probeerde te herinneren. Toen hij zijn ogen opendeed, liep hij doelbewust weer in de richting van Jakos' kafenion.

Daar trof hij Theo aan, die in zijn eentje aan een tafel voor twee personen zat. De dikke man ging bij hem zitten. Als een klein kind draaide Theo zijn hoofd weg, alsof de dikke man daardoor onzichtbaar werd.

De dikke man leunde naar voren en begon zachtjes te praten.

'Het interesseert me niet of je me aankijkt als ik tegen je praat, Theo,' zei hij. 'Het gaat mij erom dat je luistert. Ik heb een taak. Ik moet uitzoeken wie Irini Asimakopoulos heeft gedood. Misschien heeft ze zelfmoord gepleegd. Misschien heb jij haar vermoord, of heeft iemand anders het gedaan. Ik krijg de waarheid wel boven tafel. Maar daar houdt het niet mee op, want ik wil niet alleen uitzoeken wie het heeft gedaan. Ik wil weten wie voor haar dood verantwoordelijk was. Dat kunnen twee totaal verschillende dingen zijn. Het draait om verantwoordelijkheid, Theo. Ik laat je nu met rust, want dan heb je tijd om eens diep over jouw aandeel in deze tragedie na te denken. Ik weet namelijk dat je een van de sleutelfiguren bent geweest, vriend. De eerstvolgende keer dat ik je zie, zullen we eens een hartig woordje met elkaar spreken.'

Hij stond op van zijn stoel.

'En dan nog een goed advies,' zei hij. 'Maak me niet kwaad. Je weet niet half hoe vervelend ik dan kan worden.'

Na die woorden liep de dikke man fluitend in de richting van de bushalte.

10.

Aan alles was te merken dat er iets was veranderd. Ze besteedde plotseling veel aandacht aan haar kapsel en maakte zich op, terwijl ze dat vroeger zelden had gedaan. Ze kocht allerlei lotions voor haar gezicht en lichaam. Ze gooide haar saaie kleren weg en kocht outfits die haar mooier stonden. Ze had geen aandacht meer voor het huishouden en besteedde nauwelijks zorg aan het eten. Ze bracht nauwelijks nog tijd met hem door en stond niet op hem te wachten als hij in de haven aanmeerde. Ze ging vroeger naar bed, zodat ze kon doen of ze sliep als hij bij haar kwam liggen, en vond het niet prettig meer als hij haar aanraakte, kuste of in zijn armen nam. Maar het was het duidelijkst te zien aan haar ogen en haar gelaatsuitdrukking. Hij kon zien dat haar liefde voor hem verbleekte en dat ze warmliep voor een nieuwe passie, die ergens anders – of bij iemand anders – lag. Dat was nog wel het ergste: dat hij haar liefde zag doodbloeden en merkte dat ze alleen nog maar koude onverschilligheid en minachting voor hem voelde.

Toen de verraderlijke Liefde de kop opstak, stond Irini voor haar open, omdat ze haar niet herkende. In haar rustige leventje kreeg de belangstellende glimlach van een doodgewone, onbelangrijke man opeens enorme proporties. De Liefde, die haar kans schoon zag, glipte razendsnel door de geopende deur naar binnen.

Het was moeilijk te zeggen waar of wanneer de verandering had plaatsgevonden, maar ze merkte dat deze man opeens al haar gedachten beheerste. Ze dacht aan hem zodra ze wakker werd en viel met het beeld van zijn gezicht in slaap. Langzaam maar zeker verloor ze haar hart en haar macht om zelf na te denken en haar gedrag te bepalen. Ze had geen controle meer over zichzelf.

Ze sloeg Nikos' wijze raad in de wind en maakte het mooie, glanzende cadeau van de onbekende vrouw in haar droom open.

De comfortabele leunstoel van haar huwelijk stond leeg. Al die rustige, saaie, vredige dagen waarop ze had gewandeld, genaaid, gebakken en gemopperd dat ze zich verveelde, bestonden alleen nog maar in haar herinnering. Ze bracht haar dagen nu bij het raam door, wachtend tot hij voorbij zou rijden. Ze durfde niet van haar plaats te komen, omdat ze bang was dat ze hem zou mislopen.

Als een soort Pandora haalde ze het deksel van de bonbondoos die de Liefde haar aanbood, om vervolgens te ontdekken dat de liefde vele smaken had. Als hij haar glimlachend aankeek, proefde ze Verrukking en Euforie. Wat waren ze heerlijk, en wat deed de smaak haar goed! Ze leek op wolkjes te lopen en elke ochtend kreeg iets magisch. Als hij zijn hoofd afwendde en op straat deed of hij haar niet kende, proefde ze bittere Wanhoop en Verdriet. Dan waren haar dagen zwart en somber en vond ze het leven de moeite niet waard, omdat hij niet van haar hield.

Ze nam een hapje van Hoop en Illusie, de mooiste, glimmendste bonbons in de doos van klatergoud. Ze wist zeker dat ze ooit samen zouden zijn. Hun liefde zou eeuwig duren, daar was geen twijfel over mogelijk. Ze zouden voor altijd gelukkig zijn en zouden samen ergens anders een nieuw leven beginnen. Ze wist het gewoon zeker.

Ze probeerde Fantasie, dat effectieve slaapmiddel. De Fantasie nam haar bij de hand en leidde haar naar haar stoel bij het raam, waar ze haar aan haar lot overliet. Urenlang zat Irini bij het raam te wachten en naar buiten te kijken. Naast Fantasie lagen Neurose en Obsessie, en met hun drieën vormden ze een fatale combinatie. Ze maakten haar apathisch. Door Neurose en Obsessie kon ze nergens rust en kalmte vinden. Ze kwam vast te zitten in haar nieuwe sleur tot de Hoop haar 's nachts in bed eindelijk met rust liet.

Toch kon ze dan nog niet slapen, want in het diepste, donkerste hoekje van de doos lag de grootste bonbon, die als een vurig stuk kool rood opgloeide. Deze smeulende kool kon niet met water worden geblust en moest uit zichzelf opbranden. De enige remedies ertegen waren Tijd en Gewoonte.

De roodgloeiende bonbon was de gevaarlijke, verachtelijke, ongenode, arrogante Passie. De Passie ging recht op haar kruis af en nestelde zich daar. Daar gloeide ze als een brok lava en verlangde ze naar de verkoelende, frisse aanraking van die ene man. Haar hitte verspreidde zich door Irini's lichaam tot Irini brandde van hartstocht, begeerte en het verlangen om door hem, alleen door hem, te worden aangeraakt, gelikt en gepaald. Ze verlangde zo naar hem dat ze verder nergens meer plezier in had. De begeerte verspreidde zich als een virus door haar bestaan, alsof er onkruid door een verwaarloosde tuin woekerde. Uiteindelijk leek ze alleen nog maar te bestaan uit witheet, wellustig vlees, dat om bevrediging smeekte. 's Nachts werd ze in bed verteerd door het laaiende vuur.

Andreas, die natuurlijk niet op zijn achterhoofd was gevallen, rook de verrotting die hun huis was binnengeslopen. Hij wist dat het veranderde gedrag van zijn vrouw niet aan hem lag. Zelf was hij steeds dezelfde gebleven. Zij was degene die was veranderd. Het was een wrede grap van de Liefde dat hij haar steeds aantrekkelijker begon te vinden. Ze kleedde zich goed, gebruikte parfum en had een glans in haar ogen die hij nog niet eerder had gezien. Maar wanneer hij met haar wilde vrijen, stak ze haar armen niet uitnodigend naar hem uit. Als een goedkope hoer keek ze ongeïnteresseerd naar het plafond en liet ze hem zijn gang gaan. Na afloop liet ze hem eenzaam en vernederd in bed achter.

Hij wist door wie ze was veranderd. Hij noemde de man bij naam en uitte beschuldigingen die ze lachend ontkende. Hij kon niets bewijzen. Hij werd er stapelgek van. Toen hij tegen haar begon te schreeuwen, trok ze vol afkeer haar lip op en keerde hem de rug toe.

'Waar ga je naartoe?' Ze had gedacht dat Andreas sliep, maar zijn zachte stem dreef door de donkere deuropening van de kamer naar haar toe.

'Boodschappen doen.'

'Waarom?'

'De melk is op.'

Hij knikte heel langzaam en keek haar met halfgesloten ogen aan voordat hij zijn hand naar zijn mond bracht en zijn keel schraapte. De hand trilde door slaapgebrek en een overmaat aan whisky. Hij zag er slordig en onverzorgd uit. Op zijn gezicht stonden rode vouwen van de deken die hij als kussen had gebruikt. Zijn overhemd was gekreukt en vuil, de gulp van zijn broek stond half open.

Hij liep naar haar toe. Ze was bezig om haar jas aan te trekken en wilde net haar linkerarm in de mouw steken.

'Ogenblikje, madame.' Zijn sarcasme was iets nieuws. De toon had veel effect en werkte haar op de zenuwen. 'Kom eens hier.' Hij wenkte haar overdreven met zijn wijsvinger. Zijn ogen waren rood van de alcohol en de slapeloze nachten. 'Kom eens hier, vrouw.'

Omdat ze nerveus van hem werd, bleef ze op haar plaats staan.

'Ik ben zo terug,' zei ze. Ze zei het luchtig, want deze situatie vroeg om luchtigheid.

'Kom hier!' schreeuwde hij.

Ze wist niet waarom hij zo kwaad was, of hoe ze hem moest kalmeren. De laatste tijd waren er wel vaker uitbarstingen geweest. Dan gooide hij een bord kapot of sloeg hij met zijn vuist op tafel: kleine erupties van de woede die kalm, maar gestaag in zijn binnenste was gegroeid. Op zulke momenten was ze bang voor hem, maar haar minachting maakte haar onbezonnen. In plaats van hem te kalmeren, daagde ze hem uit: 'Toe dan, sla me dan. Dat wil je toch?'

Ze besefte dat ze het nu niet moest proberen, omdat hij in een heel andere stemming leek te zijn.

Ze probeerde hem te kalmeren en trok haar jas weer uit.

'Als je liever niet wilt dat ik ga, blijf ik wel thuis,' zei ze op verongelijkte toon, in de hoop dat ze onverschillig en onschuldig overkwam.

'Ik zei kom hier!'

Hij dook op haar af en greep haar haren vlak bij haar hoofd vast. Hij rukte eraan en trok haar dichter naar zich toe. Aan haar haren sleurde hij zijn jammerende echtgenote naar de keuken, waar hij de deur van de voorraadkast met een klap opengooide.

'Zullen we eens even kijken?' Het leek een normale vraag, maar er klonk een woedende ondertoon in zijn stem door. 'Zullen we samen eens kijken of er nog melk in huis is?'

Haar gezicht vertrok van de pijn op haar hoofd. In gedachten zag ze de komende minuten al voor zich. Een deel van haar zei: verzet je niet, laat het gewoon over je heen komen. Dan valt het misschien wel mee. Maar haar hoofd deed pijn, flink pijn, en zijn ijzeren greep waarschuwde haar dat hij met haar kon doen wat hij wilde. Haar lot lag in zijn handen, en zijn angstaanjagende agressie kon elk moment in gewelddadigheid overgaan.

Want ze wist wat hij in de kast zou aantreffen. Haar obsessie, haar verslaving, haar behoefte om 'hem' op te zoeken en 'hem' te zien, hadden haar roekeloos gemaakt, en voor roekeloosheid moest je een prijs betalen. Toch leek het lang te duren voordat de uitbarsting kwam. Ze wisten allebei wat hij in de kast zou aantreffen, maar hij leek de schappen minutenlang, úrenlang te bestuderen voordat hij het bewuste artikel vond.

Hij pakte het eerste blikje melk, de soort die ze altijd in de koffie deden, en smeet het door de keuken. Het blikje raakte de muur, sloeg een deuk in het pleisterwerk en viel op de grond.

'De melk is op.' Als een klein kind bauwde hij haar na. Hij imiteerde haar stem, haar onschuldige bewering en haar leugen. 'Ze zegt goddomme dat de melk op is! Hier!' Hij haalde een tweede blikje uit de kast om het tegen de muur te smijten. 'Onbetrouwbaar smerig rotkreng! We hebben goddomme een kast vol melk en zij zegt dat de melk op is!' Hij keek weer in de kast.

Ze begon zachtjes te huilen, omdat ze de situatie afschuwelijk vond. Hoe had ze zo dom kunnen zijn om tegen hem te liegen? Hij vond een literpak gesteriliseerde melk met een vrolijke roodwitte koe erop en hield het voor haar neus. Vervolgens sloeg hij haar zonder enige waarschuwing met het pak op haar hoofd. Ze gilde. Hij sloeg haar op haar rug en liet het pak uit zijn hand vallen, omdat hij blijkbaar liever zijn knokkels gebruikte. Hij hield haar gezicht recht voor zich en begon te beuken. Ze voelde haar lip splijten en proefde haar warme bloed op haar tong. Ze had verwacht dat zijn slagen pijn zouden doen, maar heel haar gezicht leek wel verdoofd. Hij sloeg tegen de zijkant van haar hoofd, waardoor haar oor begon te suizen. Ze liet zich op haar knieën vallen, zakte op handen en voeten en probeerde weg te kruipen. Een paar tellen lang hield hij haar haren vast, tot hij een hele bos haar uit haar hoofd trok. Op dat moment liet hij haar los om de bos te bestuderen en te kijken wat hij had gedaan. Zij dacht te kunnen ontsnappen en wilde vlug onder de tafel kruipen, maar hij gaf haar een harde schop tegen haar achterwerk, recht tussen haar billen. Ze schreeuwde weer, of misschien had ze de hele tijd wel geschreeuwd. Hij boog zich om haar voet te pakken en trok haar naar achteren, waardoor ze plat op haar gezicht viel. Vervolgens trok hij haar onder de tafel vandaan naar het midden van de keuken, zodat hij haar weer kon bewerken. Met zijn voet schopte hij tegen haar ribben, waar ze aan de rechterkant met een helse pijn iets voelde breken. Ze probeerde zich tot een bal op te rollen en zich zo klein mogelijk te maken. Ze beschermde haar bloedende hoofdhuid met haar onderarmen, maar hij bleef schoppen, trappen en uithalen. Hij hijgde zelfs van de inspanning. Toen begon het zwart om haar heen te worden en hoorde ze een onbekende stem in haar hoofd, die op zangerige toon zei: het is zo voorbij, het is zo voorbij. Daarna hield het schoppen op.

Met haar armen om haar hoofd bleef ze doodstil in foetushouding op de keukenvloer liggen luisteren. Ze wilde weten waar

Andreas was, wat hij dacht en waar hij mee bezig was. Er gingen een paar minuten voorbij. Omdat ze niets hoorde, ebde de angst voor een nieuwe aanval weg.

Ze haalde haar armen van haar hoofd en deed haar ogen open. Ze kon zijn benen zien – hij stond nog steeds vlak bij haar. Ze keek naar hem omhoog. Met gebogen hoofd en gebalde vuisten stond hij te huilen.

Ze wilde overeind komen, maar wist niet goed op welke manier dat het minst pijn zou doen. Ze duwde zich omhoog tot ze op haar knieën zat en leunde op haar hielen. Versuft en duizelig bleef ze zo een poosje zitten. Hij zette aarzelend een stap in haar richting, maar liep weer achteruit toen ze haar hand ophief. Met een van pijn vertrokken gezicht hield ze haar ribben vast op de plaats waar de pijn het ergst was, en pakte een hoek van de tafel beet om zich overeind te hijsen. Hinkend liep ze naar de slaapkamer, waar ze op bed ging liggen.

Ze hoorde een vloerplank kraken toen hij in de deuropening kwam staan, en draaide haar gezicht naar hem toe. In zijn betraande ogen was berouw te lezen.

'Irini,' zei hij. 'Irinaki. Gaat het?' Ze wendde haar gezicht van hem af. Hij liet zich met een plof op het bed zakken en probeerde haar hand te pakken, maar ze trok zich terug.

'Kan ik iets voor je halen?'

'Laat me maar gewoon met rust,' zei ze. Haar stem klonk vreemd, als die van een ander.

'Irini...' Zijn ogen vulden zich weer met tranen. 'Irini, ik kan er niet meer tegen. Ik vind het onverdraaglijk, de gedachte dat jij met hem...'

'Laat me met rust!' schreeuwde ze.

Hij stond op en bleef in de deuropening even staan, bang dat hij haar kwijt zou raken als hij nog iets zou zeggen. Ze hoorde hem als een oude man naar de woonkamer schuifelen en hoorde de bank kraken toen hij ging liggen.

Ze had gedacht dat ze door de pijn en shock niet zou kunnen slapen, maar blijkbaar was ze toch in slaap gevallen, want ze werd wakker van hem. Hij zat op het dak, op de plaats waar ze 's zomers altijd hand in hand hadden gezeten. Nu zat hij daar in zijn eentje in de kou te zingen. Ze kon de woorden niet verstaan – misschien zong hij wel helemaal geen tekst – maar de toon van zijn stem klonk helder en het hopeloze verdriet was duidelijk te horen. Hij had zijn ziel, zijn gebroken hart, zijn verdriet, zijn rouw en zijn ellende in zijn lied gelegd. Hoewel ze hem niet kon verstaan, begreep ze waar hij over zong: hij hield van haar, hij had haar nodig, hij kon het niet verdragen om haar te verliezen, maar zij wilde hem niet meer. Hij wist dat hij haar kwijt was en vertelde zijn zielenleed zingend aan de bergen.

Ze veegde de tranen uit haar ogen. Bij het horen van zijn diepe smart voelde ze onverwachts een innig verdriet, een verdriet dat een einde dreigde te maken aan de starre woede die ze voelde nu hij haar had afgetuigd. Die woede was haar enige verdediging tegen haar schaamte en schuldgevoel. Hij ging kapot aan de pijn die zij hem had aangedaan. Ze had hem slecht behandeld, ze had een einde gemaakt aan hun rustige leventje en de kalme genegenheid die ze voor elkaar hadden gevoeld. Ze had in haar leven ruimte gemaakt voor verliefdheid op een andere man. Andreas wist dat, en om hem de schande te besparen, moest ze de schande op zich nemen en bij hem weggaan. Ze kon nu echt niet meer bij hem blijven.

Ze bleef een poosje liggen huilen – om zichzelf, om Andreas, om hun verdrietige, tragische verhaal – tot ze bedacht dat ze naar hem toe kon gaan om de brokstukken te lijmen. Maar op het moment dat die gedachte bij haar opkwam, liet de Liefde haar aan die Ander denken. De Liefde wees haar op de onprettige gevolgen van een aardig, lief gebaar of een verzoeningspoging.

Ze kon niet bij hem weggaan. Dat was niet de oplossing. De oplossing, zo fluisterde de Liefde, lag in leugen en bedrog. Ze had dan wel diep medelijden met Andreas, maar ze kon dat laatste restje tederheid beter gebruiken om hun huwelijk draaglijk te houden tot zij en Theo hun liefde openbaar maakten.

Andreas was nog steeds niet klaar met zijn gezongen liefdesverklaring aan haar. Hij dronk het laatste restje whisky op en smeet de lege fles de duisternis in. Het glas viel op de rotsachtige heuvel kapot en hij begon wanhopig te snikken.

Irini hield zichzelf voor dat ze heen en weer werd geslingerd tussen twee liefdes, maar bleef in het echtelijke bed liggen en ging niet naar buiten om hem te troosten. Ze maakte zichzelf wijs dat het zo het beste was, maar in haar hart wist ze hoe de vork in de steel zat. In haar hart scheen het licht van de waarheid, en zag ze wat ze werkelijk was: een vrouw die door de Liefde meedogenloos en egoïstisch was geworden.

II.

De dikke man rekende af bij buschauffeur George en vroeg hem vlak na de windmolens te stoppen, op de plaats waar de weg weer aan een afdaling begon. Terwijl de bus langzaam over de haarspeldbochten omhoog klom, keek de dikke man naar de bijna verlaten haven onder hen. Een grote veerboot met drie scheepsdekken voer om de landtong heen en gleed door het kobaltkleurige water naar de haven.

Achter de windmolens zette George de bus in de berm. De dikke man kwam met moeite van zijn plaats, bedankte de chauffeur en stapte uit. De bus begon aan de afdaling naar het midden van het dorp.

Onder de weg bevond zich een stuk grasland, waarop drie melkgeiten graasden. De dieren waren allemaal met een touw om hun voorpoot vastgemaakt. Dwars door het landje liep een modderig, platgetrapt voetpad, waarop geitenkeutels lagen.

De dikke man aarzelde, want hij had die ochtend net de vlekken op zijn schoenen weggewerkt. Terwijl hij daar zo stond, naderde er langs de windmolens een auto die in de richting van het dorp reed. Het was een grijze auto, met het witte woord *Astinomia* op de zijkant.

De dikke man wachtte tot de auto de bocht om was gekomen. Toen de bestuurder de dikke man zag staan, remde hij af en bracht de auto tot stilstand.

De politiecommissaris draaide zijn raampje omlaag en glimlachte, maar zijn ogen lachten niet mee.

'Goedemorgen,' zei hij. 'Het verbaast me dat u hier nog bent. De veerboot is net aangemeerd en ik dacht dat u klaarstond om weg te gaan.'

'Commissaris, dat valt me van u tegen,' zei de dikke man. 'Ik kan toch niet vertrekken zonder u te vertellen wat ik heb ontdekt?'

'Bent u nog steeds ijverig aan het speuren?' vroeg de commissaris glimlachend. 'Mag ik vragen wat u tot nu toe hebt ontdekt?'

'Nog niet veel, eerlijk gezegd,' antwoordde de dikke man. 'Maar ik ben nog maar net begonnen. Kunt u me vertellen waar ik de familie Asimakopoulos kan vinden?'

De commissaris wierp zijn hoofd in zijn nek en lachte.

'Dus daarom loopt u helemaal hier,' zei hij. 'U volgt een belangrijk spoor. De echtgenoot is uw hoofdverdachte, neem ik aan? U kunt zich de moeite besparen. Hij heeft het niet gedaan.'

'Hoe weet u dat zo zeker?' vroeg de dikke man. 'Gelooft u hem op zijn woord?'

'Geloof me, u verdoet uw tijd. Hij is geen moordenaar.'

'Onder de juiste omstandigheden kan iedereen een moordenaar worden,' zei de dikke man. 'Een crime passionnel. Een spontane misdaad. Een misdaad uit opportunisme. Ik weet zeker dat u daar ervaring mee hebt.'

De commissaris keek hem een paar tellen aan en haalde zijn schouders op.

'Ga dan maar met hem praten, als u wilt,' zei hij. 'Hij heeft het niet gedaan. Niemand heeft het gedaan. Het was zelfmoord.'

'Waar vind ik hem?'

'U kunt het huis van hieraf niet zien. Vraag het maar aan de mensen hier in de buurt.' Hij trapte de koppeling in en zette de auto in de versnelling.

'Nu ik u toch spreek,' zei de dikke man, 'u zei dat u van Patmos kwam.'

De commissaris fronste en veegde een stofje van zijn broekspijp.

'Mijn familie komt van Patmos, ja,' zei hij onzeker.

'Ik heb daar goede vrienden wonen,' zei de dikke man. 'Misschien kent u ze wel.'

'Patmos is een groot eiland,' zei de commissaris. 'Ik ken natuurlijk niet alle bewoners. Veel succes met uw speurtocht, rechercheur. Ik moet weer aan het werk.'

Hij liet de koppeling opkomen en reed weg. De dikke man stapte in het gras en liep voorzichtig tussen de modder en geitenkeutels door.

Het voetpad kwam uit op een stenen achterstraatje, dat hier en daar werd onderbroken door traptreden. Het weggetje volgde de contouren van de heuvel, waardoor de dikke man nu eens twee treden omhoog moest en dan weer drie treden omlaag. Op sommige plaatsen waren de rotsen uitgehouwen om huizen te kunnen bouwen. De huizen hadden terrastuinen en keken uit over de bergvoet aan de andere kant van de vallei, waar het kerkhof met de witte muren lag. Boven de rode dakpannen flitsten krijsende zwaluwen heen en weer. Een onderdanige straathond kwam ineengedoken op de dikke man af en snuffelde met gebogen kop aan zijn schoenen. Zijn dunne vacht was kaal gekrabd op de plaatsen waar de vlooien hem hadden gebeten, en uit een zweer onder zijn oog lekte roomachtige pus. De dikke man boog zich om hem over zijn kop te aaien, maar de hond rende weg en verdween achter een vervallen huis, waarvan de voordeur deels schuilging achter hoge, donzige distels. Hij floot naar de hond om hem terug te halen, maar bij het lege huis bleef het doodstil.

De dikke man liep verder. Op een drietal traptreden zat een klein kind met autootjes te spelen. Hij liet een gele kiepauto over een traptrede rijden en parkeerde hem in een garage die hij had gebouwd door platte stenen tegen de volgende trede te laten leunen. De vrachtwagen had duidelijk buiten in de regen gestaan, want de assen waren verroest. Het gezicht van het jongetje was vuil van het rode bergzand, en van zijn neus naar zijn bovenlip liep een straaltje snot. Na een wantrouwige blik op de dikke man veegde hij het kriebelende snot met zijn mouw van zijn gezicht.

Met een brede glimlach ging de dikke man op zijn hurken zitten, zodat het jongetje hem recht kon aankijken. Het kind had heldere, stralende blauwe ogen en een ernstige blik.

'Hallo, knul,' zei de dikke man. 'Wat heb jij een mooie auto. Die hadden ze niet toen ik klein was.'

De jongen keek hem zwijgend aan.

'Mag ik hem even bekijken?'

Abrupt verstopte de jongen de auto achter zijn rug. Hij perste zijn lippen koppig op elkaar.

'Heel verstandig, knul,' zei de dikke man. 'Geef je dierbare bezittingen nooit zomaar aan een vreemde. Hou je van chocola?'

De jongen gaf geen antwoord. De dikke man ritste zijn weekendtas open en haalde er een reep melkchocola uit. De reep had een zilverkleurige wikkel met kleurige, jonglerende clowns erop.

De jongen keek de dikke man aan.

'Die is voor jou,' zei de dikke man. 'Maar dan moet je wel eerst aan je moeder vragen of je hem mag hebben.'

De jongen knipperde met zijn ogen.

'Toe maar,' zei de dikke man. 'Ga het maar vragen. Ik weet zeker dat ze ja zegt.'

De jongen liet de auto kletterend op de grond vallen en rende naar de openstaande deur van het dichtstbijzijnde huis. De dikke man raapte de vrachtwagen op en liet de wieltjes peinzend ronddraaien. Hij speelde eerst met de voorwielen, vervolgens met de achterwielen.

'Kan ik iets voor u doen?' Een meisje van een jaar of zeventien stond met de jongen op haar arm in de deuropening. Haar mouwen waren tot aan haar ellebogen opgerold, en ze had rode, natte handen. De bordeauxrode lak op haar korte, afgebeten vingernagels was beschadigd en afgebladderd.

De dikke man legde de vrachtwagen naast de garage op de trap en hield de reep chocola omhoog.

'Ik heb je zoon chocola aangeboden, maar ik zei dat hij het eerst moest vragen.'

Het jongetje wees naar de chocola en wriemelde om los te komen. Aarzelend hield het meisje hem vast.

'Ik zoek het huis van de familie Asimakopoulos,' zei de dikke man. 'Misschien kun je me de goede kant op sturen.'

De greep van het meisje verslapte en het jongetje gleed naar de grond. Met uitgestrekte hand kwam hij naar de dikke man toe rennen. Zodra de dikke man hem de reep met de zilveren wikkel gaf, ging hij op de trap zitten om het folie eraf te scheuren.

'Petro, zeg eens dank u wel,' zei het meisje, maar het kind zei niets. Hij brak een stuk chocola af en stak het in zijn mond. Terwijl hij erop kauwde, veegde hij zijn neus weer af met zijn mouw, waarop inmiddels een zilverkleurig spoor stond.

'Het is drie deuren verder,' zei het meisje. 'Het huis met de groene deur.'

'Hartelijk dank,' zei de dikke man. Hij begon in de aangegeven richting te lopen, maar het meisje ging niet verder met haar taken binnenshuis. Met gevouwen armen keek ze naar het jongetje, dat zijn mond vol chocola propte.

De dikke man aarzelde.

'Denk je dat ik de familie op dit tijdstip thuis aantref?' vroeg hij aan het meisje.

'Dat denk ik wel,' antwoordde ze. 'Angeliki is er bijna altijd, tenzij ze een boodschap doet.'

'Ik wil Andreas Asimakopoulos spreken,' zei de dikke man. 'Ik had begrepen dat ik hem hier kon vinden.'

'O, moet u hem hebben.' Ze liet haar armen langs haar lichaam zakken en riep naar het jongetje. 'Petro, niet knoeien met die chocola!'

'Meneer Asimakopoulos zal wel erg ondersteboven zijn van de dood van zijn vrouw,' zei de dikke man. 'Of niet?'

Het meisje gooide haar haren naar achteren. Even was te zien dat ze een flirt moest zijn geweest voordat ze in het keurslijf van het huishouden was geperst.

'Hij doet in elk geval of hij er kapot van is,' antwoordde ze. 'Of dat verdriet oprecht is, kan hij alleen beoordelen.'

'Hield hij dan niet van zijn vrouw?' vroeg de dikke man. 'Ik had begrepen dat hij gek op haar was.'

'Wie zei dat?'

'O, deze en gene,' antwoordde de dikke man ontwijkend. 'Mensen hier uit de buurt.'

'Hij sloeg haar,' vertelde ze. 'Hij dronk te veel en ging haar dan te lijf. Bent u van de verzekering?'

'Welke verzekering?' vroeg de dikke man.

'Volgens mij ging het daarom,' zei ze. 'Hij heeft een levensverzekering voor haar afgesloten en haar vermoord om het geld te krijgen.' Met een bezem die tegen de muur leunde, begon ze de stoep voor het huis te vegen. 'Als ik u was, zou ik hem niet uitbetalen. Hij verdient nog geen stuiver van dat geld.'

'Ik zal het in mijn oren knopen,' zei de dikke man. Na een knipoog naar het met chocola besmeurde jongetje liep hij weg.

Uit de felrode geraniums in de terracottapotten moesten nodig uitgebloeide bloemen worden verwijderd, en niemand had de moeite genomen om hun afgevallen, gele bladeren op te vegen. De dikke man klopte op de deur. Nadat hij een tweede keer had geklopt, hoorde hij in huize Asimakopoulos de lichte, langzame voetstappen van een vrouw naderen.

Angeliki Asimakopoulos deed de deur een paar centimeter open. Haar gezicht bleef in de schaduw en er zat wat spuug in haar mondhoek.

'Mevrouw Asimakopoulos?'

'Ja?'

'Mijn naam is Hermes Diaktoros. Ik kom uit Athene.'

'Ik heb niets nodig,' zei ze. Ze praatte langzaam en onduidelijk. 'Ik koop nooit aan de deur.'

'Ik ben geen verkoper,' zei de dikke man. 'Ik zou graag uw zoon Andreas willen spreken.'

'Ik denk niet dat hij op dit moment iemand kan ontvangen,' zei ze aarzelend. 'Het spijt me, maar...'

'Het gaat over zijn vrouw. Over Irini.'

'Ze zeiden dat ze verder niets meer te vragen hadden,' zei ze onzeker. 'Meneer Zafiridis vertelde ons...'

'Ik werk niet voor meneer Zafiridis,' onderbrak de dikke man haar.

'Ik denk niet dat Andreas nog meer agenten wil spreken. Van mijn man mogen we niet meer met de politie praten.'

Achter haar klonk een mannenstem. Hij praatte zo zacht dat de dikke man hem niet kon verstaan.

Ze keek over haar schouder naar binnen.

'Het is een man die iets wil verkopen,' zei ze.

De dikke man overstemde haar. 'Andreas Asimakopoulos, ben jij dat? Ik ben hier om je te helpen! Ik doe onderzoek naar de dood van je vrouw!'

Het bleef even stil, maar toen klonk het geluid van schrapende stoelpoten. Een man met grote, zwart behaarde handen haalde Angeliki's smalle hand van de deur en keek naar buiten. Hij had zich al zeker vijf dagen niet geschoren en de stoppels op zijn gezicht waren grijs. De huid onder zijn rode ogen was gaan hangen door het gewicht van zijn verdriet.

'Ik beantwoord geen vragen meer.' Hij stapte opzij en wilde de deur dichtdoen.

'Wacht,' zei de dikke man. 'Ik ben vanuit Athene hierheen gekomen om je te helpen. Ik kom uitzoeken wie je vrouw heeft gedood.'

De deur ging weer open en Andreas keek de dikke man aan. Op zijn gezicht verscheen een bittere glimlach.

'Wilt u weten wie mijn vrouw heeft gedood?' vroeg hij. 'Kom binnen, dan zal ik het u vertellen.'

De luiken voor de ramen waren allemaal gesloten. Het was binnen schemerig en koud, alsof het huis was overgenomen door melancholie. Er stond een fles whisky op tafel, die voor driekwart leeg was. Ernaast stond een glas, waarin nog een klein laagje whisky zat. Andreas gebaarde dat de dikke man mocht gaan zitten.

'Wilt u iets drinken?' vroeg hij. 'Ik had net een opkikkertje voor mezelf ingeschonken. Mijn eerste glas van vandaag.'

'Wacht nog heel even, Andreas,' zei de dikke man.

Achter zijn stoel wreef Angeliki onzeker haar handen over elkaar. De dikke man richtte zich tot haar. Ze had haar bloes scheef dichtgeknoopt, waardoor er aan de bovenkant een knoop over was en aan de onderkant een ongebruikt knoopsgat hing.

'Mevrouw, zou u zo goed willen zijn om een kop koffie voor ons te zetten?' vroeg de dikke man. 'Ik drink de mijne zonder suiker. U weet vast wel hoe uw zoon zijn koffie drinkt.'

Zwijgend liep ze het vertrek uit. Andreas wilde zijn glas pakken, maar de dikke man legde zijn handpalm erop.

'Wacht,' zei hij. 'Voordat je dat glas leegdrinkt, moeten jij en ik praten.'

Andreas likte met zijn tong over zijn lippen.

'Zeg dan maar vlug wat u op uw hart hebt, want ik heb dorst,' zei hij.

'Ik wil dat je vertelt wat er met Irini is gebeurd. Alles wat je over haar dood weet.'

Andreas legde zijn hoofd in zijn nek en slaakte een zucht waarin genoeg ellende voor een heel leven besloten lag.

'Ik heb alles al aan Zafiridis verteld.'

'Zafiridis wil niet met me praten. We werken voor twee verschillende teams.'

Andreas glimlachte.

'Flauwekul,' zei hij. 'Politie is politie, waar u ook vandaan komt.'

'Ik werk niet voor de politie, Andreas.'

Andreas ging weer recht op zijn stoel zitten en keek de dikke man verontwaardigd aan.

'Als u geen politieman bent, wat hebt u dan verdomme met mijn vrouw te maken?'

'Ik werk voor een andere autoriteit,' zei de dikke man. 'Een hogere autoriteit. Je zou kunnen zeggen dat ik privédetective ben.'

'Dan heeft haar familie u zeker gestuurd. U werkt voor hen.'

'Ik behartig in elk geval hun belangen.'

'Ze denken dat ik het heb gedaan, hè?'

'Het doet er niet toe wat zij denken. Ik ben volkomen onpartijdig. Ik ben van plan om zelf uit te zoeken wie verantwoordelijk is.'

Andreas zette zijn ellebogen op tafel en legde zijn hoofd in zijn handen, waardoor de dikke man zijn gezicht niet kon zien. Half verscholen tussen zijn grijzende borsthaar glinsterde een gouden kruis aan een kettinkje.

'Zo'n onderzoek naar haar dood heeft geen zin,' verzuchtte Andreas. 'Ze is dood. Punt uit. Het gaat niemand wat aan, behalve mij. Laat me toch rustig om haar rouwen. En geef me in godsnaam mijn whisky.'

De dikke man zette het glas nog verder weg.

'Meneer Zafiridis zegt dat je vrouw zelfmoord heeft gepleegd,' zei de dikke man. 'Maar dat geloof ik niet. Ik denk dat iemand anders haar heeft gedood.' Hij zweeg even. 'Er zijn inderdaad mensen die denken dat jij het hebt gedaan.'

Andreas hief zijn hoofd op en keek de dikke man met zijn behuilde ogen aan.

'Die lui kunnen mijn rug op,' zei hij. 'Ik hield heel veel van mijn vrouw. Ik had geen enkele reden...'

Hij maakte zijn zin niet af.

'Je wilde zeggen dat je geen enkele reden had om haar te doden, dat er geen aanleiding was,' zei de dikke man. 'Maar ik vrees dat je wel degelijk een motief had, Andreas. Het krachtigste motief dat een man kan hebben om zijn vrouw te vermoorden. Jaloezie.'

Andreas liet een korte, blaffende lach horen.

'Als u me wilt chanteren, verdoet u uw tijd,' zei hij. 'Ik heb Zafiridis al betaald, en het was een behoorlijk bedrag ook. Hij zei dat hij onze goede naam zou beschermen. Hij zei dat er verder geen vragen zouden worden gesteld. Nu u hier zit, krijg ik de indruk dat ik het geld beter op een andere manier had kunnen besteden. Ik zal u vertellen wat ik tegen hem heb gezegd. Ik heb haar niet vermoord. Ze is van een rots gesprongen omdat die klootzak haar heeft gebruikt en gedumpt. Ik weet wie het was en geloof me, hij krijgt zijn trekken nog wel thuis. Hij had net zo goed een pistool tegen haar hoofd kunnen zetten en de trekker kunnen overhalen. Hij is de schuldige! Als u een moordenaar zoekt, moet u bij hem zijn. Ga maar met hem over de dood van mijn vrouw praten.'

'Geloof me, hij staat boven aan mijn lijstje,' zei de dikke man. 'Waar was je toen je vrouw stierf?'

'Niet bij haar,' antwoordde Andreas. Langzaam schudde hij zijn hoofd. 'Dat is alles wat ik weet. Ik was niet bij haar, terwijl ik dat wel had moeten zijn.'

'Was je erbij toen het.. toen Irini werd gevonden?'

Het gezicht van Andreas vertrok bij de herinnering. Lawaai, stof. Bederf.

'Ja,' antwoordde hij. 'Het was mijn straf dat ik dat moest meemaken. Toen ik thuiskwam uit Plati heb ik haar als vermist opgegeven. Ze was er niet. Ik dacht dat ze weg was. Eerst dacht ik dat ze met hem was vertrokken.'

'Hoe kwam je erachter dat dat niet zo was?'

'Ik zag hem lopen. Terwijl ik mezelf voor schut zette en overal vroeg waar mijn vrouw was, zag ik hem gewoon zijn gang gaan, alsof er niets aan de hand was. Ik was blij dat ik hem zag, heel blij, want daardoor wist ik dat ze niet bij hem was. Toen dacht ik dat ze naar haar moeder was gegaan. Ik belde op in de overtuiging dat ze daar zat, maar daar was ze niet. Vervolgens heeft haar moeder de politie gebeld.'

'Waarom heb je dat zelf niet gedaan?'

'Omdat ik wist wat er speelde. Ik dacht dat we de politie er niet bij hoefden te halen. Ik wist hoe onze relatie ervoor stond, en wist dat het een wonder was dat ze nog niet eerder was vertrokken.'

'Heb je je vrouw ooit geslagen, Andreas?'

Angeliki kwam met een dienblad met rammelende kopjes uit de keuken. Ze zette het zo ingespannen op de tafel dat het puntje van haar tong tussen haar lippen door piepte, als bij een klein kind dat haar uiterste best deed. Ze zette een kop koffie en een glas water voor de dikke man neer en gaf Andreas een kop koffie.

'Hij drinkt het toch niet op,' zei ze. 'Hij neemt tegenwoordig alleen nog maar whisky. Als hij niet oppast, gaat hij nog voortijdig de pijp uit.'

Andreas liet zijn hoofd weer in zijn handen zakken, maar Angeliki leek niet te beseffen dat ze een tactloze opmerking had gemaakt en praatte rustig door.

'U moet het water eens proeven, meneer,' zo spoorde ze de dikke man aan. 'Het komt uit onze eigen put. Zulk lekker water vind je nergens. Proef het maar eens.'

Om haar een plezier te doen, nam de dikke man een slokje uit zijn glas. Het water was koud en smaakte naar steen.

'Het is heerlijk,' zei hij beleefd. 'Een drank voor de goden.'

Met een tevreden glimlach liep ze de kamer uit. Uit de koffiekopjes stegen dunne sliertjes damp op. Voorzichtig nam de dikke man een slokje. Angeliki had suiker in de koffie gedaan.

Andreas hield zijn ogen op de whiskyfles gericht.

'Sloeg je haar, Andreas?' vroeg de dikke man zacht.

'O, dat zult u wel van iedereen horen,' reageerde Andreas bitter. 'Zo zien ze me tegenwoordig. Ze zeggen dat mijn handen los aan mijn lijf zitten en dat het mijn schuld is dat mijn vrouw voortijdig de pijp uit is gegaan, om de woorden van mijn moeder maar eens te gebruiken. Denkt u dat ik haar dood wenste?'

'Nee,' antwoordde de dikke man. 'Daarom stel ik voor dat je me over jullie leven vertelt.'

'Ik kan u alleen maar vertellen dat ik van haar hield. We waren gelukkig. Ik was gelukkig. Ik dacht dat zij het ook naar haar zin had. Zo zie je maar...' Hij snoof en wreef met de rug van zijn ruwe hand langs zijn neus. De dikke man dacht aan het jongetje op straat, dat met zijn vrachtauto speelde. 'Er veranderde iets. Niet van de ene dag op de andere, maar wel in korte tijd. Het ene moment sloofde ze zich voor me uit, het volgende liep ze de kamer uit als ik binnenkwam. Ze kocht make-up en nieuwe kleren en was nooit meer thuis. Altijd op pad, de ene wandeling na de andere. Als ze niet wandelde, hing ze rond bij het raam in de hoop dat ze hem zou zien. Luister, ik ben op dit eiland geboren en getogen, maar ik ben niet op mijn achterhoofd gevallen. Ik wist dat er een andere man in het spel was. Ik kon hem ruiken. Het was alsof hij voortdurend bij ons in huis was. Ik vond het onverdraaglijk dat ze zich zo gedroeg en mij verachtte. Ze had het liefst gehad dat ik uit mijn eigen huis was vertrokken. Ja, ik heb haar geslagen. Eén keer. Het is één keer gebeurd.'

'Dat is één keer te veel, beste vriend,' zei de dikke man streng. 'Geweld hoort in een relatie tussen man en vrouw niet thuis. Je zegt dat je van haar hield, maar door haar te slaan, heb je die liefde voor haar ontheiligd.'

'Dacht u dat ik er geen spijt van had? Ik kan u verzekeren dat ik nog nooit ergens zoveel spijt van heb gehad. Geen enkele man heeft zich ooit zo geschaamd. Het kwam door al dat liegen en de gedachte dat ze naar hem toe ging. Ik kreeg een rood waas voor mijn ogen, ik ging volledig door het lint. Dat is daarna nooit meer gebeurd. Na die ene keer liet ik haar met rust. Ik ging vaak weg, bracht veel tijd op zee door en kwam van tijd tot tijd thuis om te kijken of er iets was veranderd. Wat was ik toch een sukkel, een ongelooflijk rund. Ik dacht dat het wel over zou waaien. Ik dacht dat ik op een dag thuis zou komen en dat het dan allemaal achter ons lag. Ik vroeg erom in mijn gebeden en was zo dom om te denken dat God aan mijn kant stond.' Hij liet nog een vreugdeloos lachje horen. 'Mijn hemel, wat was ik toch een laffe, bedrogen sufferd! Ik dacht dat ik het maar het beste een poosje door de vingers kon zien. Me er niet mee moest bemoeien. Ik had veel beter het geweer van mijn vader kunnen pakken om hem af te maken. Ik had hem recht door zijn hart moeten schieten...'

'Waarom heb je dat niet gedaan?' informeerde de dikke man.

Andreas keek even naar het whiskyglas, waar hij net niet bij kon, en daarna naar het koffiekopje voor zijn neus. Hij bracht het kopje naar zijn mond en nam een slok.

'Mijn moeder zet nooit lekkere koffie,' zei hij. 'Het is altijd veel te zoet. Irini kon goed koffiezetten. Precies goed.' Hij legde zijn hoofd weer in zijn nek en staarde naar het plafond, waar spinnenwebben hingen.

'Waarom heb je hem niet doodgeschoten?' vroeg de dikke man nog een keer.

'Ik had het graag gedaan,' antwoordde Andreas. 'Ik kon dag en nacht aan niets anders denken. Ik dacht, ik schiet ze allebei dood als ik ze ooit samen betrap. Tijdens het vissen dacht ik alleen maar aan hem vermoorden. De reden waarom ik het uiteindelijk niet heb gedaan, is allesbehalve nobel. Ik was te laf en was bang om gezichtsverlies te lijden. Als ik hem had doodgeschoten, had iedereen geweten dat die klootzak mijn vrouw naaide.'

Er viel een stilte. Andreas liet zijn hoofd zakken en wreef met de muis van zijn handen over zijn ogen.

'Ik geloof je niet,' zei de dikke man zacht.

'Daar kan ik niet mee zitten, vriend,' zei Andreas glimlachend.

'Volgens mij waren je motieven om hem met rust te laten wel degelijk nobel,' vervolgde de dikke man. 'In mijn ogen ben je geen lafaard, Andreas. Ik denk niet dat je hem wilde doodschieten, maar niemand had het je kwalijk genomen als je hem met je vuisten of een stok te lijf was gegaan. Volgens mij speelde er nog iets anders.' Andreas nam nog een slok van zijn koffie, maar zei niets. 'Volgens mij heb je hem met rust gelaten omdat je haar te schande zou maken als je hem in elkaar sloeg. Dan zou je huwelijk in een scheiding zijn geëindigd en had je haar met haar koffers terug naar haar moeder moeten sturen.'

Andreas lachte.

'U hebt me door,' zei hij. Zijn ogen glinsterden van de tranen. 'De spijker op de kop. Goed geraden. Zo'n sneu type ben ik nou. Een man – minder dan een man, een kerel zonder ballen – die zo gek was op zijn vrouw dat hij haar terug wilde als een andere kerel met haar klaar was. Zo zit ik in elkaar. Ik was zo dom om te geloven dat we de brokstukken van ons huwelijk konden lijmen als ik geduld had. Maar ja, nu zijn er geen brokstukken meer om te lijmen. Mag ik mijn glas?'

'Nog heel even,' zei de dikke man.

Hij boog zich voorover en ritste zijn weekendtas open om er een plastic zakje met gedroogde bloemen, zaden, twijgjes en bladeren uit te halen. Hij legde het zakje kruiden voor Andreas neer.

'Ik zei dat ik je wilde helpen, Andreas,' zei hij. 'Dat is ook zo. Ondanks het feit dat je je vrouw hebt mishandeld, geloof ik dat je een goede, trouwhartige man bent.' Andreas slaakte een zucht waarin zijn diepste verdriet doorklonk. 'Ik weet dat je een gebroken hart hebt. De Liefde heeft je wreed behandeld, onvoorstelbaar wreed. Soms is het gedrag van de schikgodinnen onacceptabel en onvergeeflijk. Je vindt je verdriet ondraaglijk en zoekt troost in de drank. Dat is logisch, maar aan drank ga je dood en ik heb iets beters voor je.' Hij tikte met zijn hand op het zakje. 'Dit zijn kruiden die jij niet kent. Ik heb ze tijdens mijn reizen verzameld. Ze helpen je om te slapen en rustig te worden. Zet er thee van en neem een paar slokjes – dat is al voldoende – als je er behoefte aan hebt en de pijn in je hart op zijn ergst is. En ga weer naar zee als je denkt dat je dat aankunt. Doe je werk en laat de tijd zijn helende werk doen. Ik beloof je dat je weer van iemand zult leren houden. Er komt een dag dat je in een haven vlakbij aanmeert en haar zult vinden. Ze is Irini niet, want niemand van ons kan haar nog tot leven wekken. Maar ik weet zeker dat ze zou willen dat je weer gelukkig werd en van iemand ging houden. En die dag breekt aan, Andreas. Over een poosje zul je weer gelukkig zijn.'

Andreas draaide zich naar hem toe. De dikke man legde een arm om zijn schouders en hield hem een paar tellen dicht tegen zich aan.

'Hou vol, jongen,' zei hij. 'Hou vol.'

De dikke man stond op en liep zachtjes naar buiten, waar de wind inmiddels in kracht toenam. Achter de bergen ontstonden grote, grijze banken van regenwolken. Het jongetje en zijn moeder waren nergens meer te bekennen. Terwijl de dikke man de deur achter zich dichttrok, kraaide er een jonge haan. Toen het geluid wegstierf, hoorde de dikke man Andreas achter de deur huilen.

12.

'Theo? Theo!'

Theo, die aan de keukentafel bezig was om met zijn wijsvinger het patroon van het tafelkleed na te tekenen, hield zijn hand stil. Blauwe vierkantjes.

'Krijg ik het nou?' Bij het aanrecht roerde Elpida ongeduldig in een pan. Op haar gezicht stond de zeurderige, chagrijnige blik waar hij zo'n hekel aan had. Uit een pan kwamen een zacht, sissend geluid en de heerlijke geur van fruitende uien. Uit een andere pan ontsnapten stoom en een gedempt gebubbel. Er kroop een dikke vlieg over de plaats waar zijn vinger de vierkantjes had nagetekend.

'Wat?'

'Krijg ik het geld?'

'Waarvoor?'

'Heb je wel naar me geluisterd, Theo?'

Hij had helemaal niet naar haar geluisterd, want hij was met zijn gedachten ergens anders. Hij had plannen gemaakt, nagedacht, slimme smoesjes bedacht. Hij had alles eens op een rijtje gezet. Hij had gefantaseerd over de vrouw naar wie hij verlangde. Erotische fantasieën. Hij had weer een erectie waarvan Elpida niets mocht weten.

'Waarom moet je geld hebben?' vroeg hij.

'Schoenen.'

'Je hebt al te veel schoenen.'

'Verdorie, Theo. Niet voor mij. Voor Panayitsa.'

Hij wilde geen problemen. Hij leunde achterover op zijn stoel en liet zijn hand in de zak van zijn spijkerbroek glijden. Hij haalde er al het contant geld uit dat hij had, twee briefjes van duizend drachmen en een paar munten. Hij legde het geld op tafel.

'Is dat genoeg?' Zijn stem klonk ongeduldig. Tegenwoordig had hij een hekel aan zulke onbelangrijke dingen.

'Nee.' Verward en geïrriteerd keek ze hem aan. Hij wist toch hoe duur schoenen waren? Ze had zeker vier keer zoveel nodig als het bedrag dat op tafel lag.

Hij wilde haar niet om zich heen hebben en was rusteloos in zijn eigen huis. Hij dacht dat hij het voor haar kon verbergen, maar daarin vergiste hij zich. Hij vond het vervelend om naar haar te kijken, omdat zijn kijk op haar was veranderd. De kwaliteiten die hij ooit in haar had gewaardeerd, leken er nu niet meer toe te doen. En deze keuken, die zijn hele huwelijk zo vertrouwd was geweest, bekeek hij nu door kritische ogen. Hij zag een langgerekt vertrek met een laag plafond, waarin veel dingen niet klopten. De grenen vloer liep schuin af. Een paar jaar geleden, toen ze nog gelukkig waren, had hij een houten wig onder de achterpoten van het fornuis geduwd om ervoor te zorgen dat de pannen tijdens het koken recht stonden. Het hele vertrek werd elke dag van top tot teen schoongemaakt, want dat was haar taak. In de hoeken waar de zon niet bij kon, zaten nooit spinnen, en in de groeven tussen de vloerplanken lag nooit stof. Ze leefden altijd met de geur van haar neurotische schoonmaakwoede in hun neus. Het rook in huis naar wasmiddel, bleekmiddel, stijfsel en de vieze ammoniaklucht van Brasso. Overal vond hij voorbeelden van de irritante smaak die ze van haar moeder had meegekregen: kitscherige frutsels, veel te bonte iconen en met de hand gehaakte kleedjes. Boven het fornuis hingen de grote, glimmende, opgepoetste koperen pannen die van haar oma waren geweest, symbolen van de continuïteit van hun stamboom en hun taak. Hij vond ze lelijk. Hij dacht terug aan de keren dat hij Elpida met een trotse glimlach en zwarte handen bezig had gezien om de pannen te poetsen. Hij keek nu neer op haar trots, en zijn schuldige hart kromp ineen.

In zijn ogen stonk de keuken naar armoede, beknibbelen en de eindjes aan elkaar knopen. De dunne gordijnen hingen aan een stuk vislijn, dat aan twee spijkers in het afbladderende pleisterwerk was gehangen. Het blad van de keukentafel was uit een oude deur gezaagd, en onder het tafelkleed met de blauwe vierkantjes kon je nog zien waar de scharnieren hadden gezeten. Omdat de zittingen van de vier rieten stoelen waren doorgezakt, had Elpida kussens gemaakt om de gaten te bedekken. Ze had de overtrekken van oude kleren gemaakt en de kussens met de resten van een gescheurd beddenlaken gevuld.

Hij liet zijn blik door de keuken dwalen en zag alles door de ogen van een vreemde.

Hij dacht, is dit alles wat we hebben? Is dit alles wat ik heb bereikt?

'Als je wilt, kun je eten,' zei ze.

Hij had helemaal geen zin in eten.

'Ik eet straks wel,' loog hij. Hij stond op en pakte zijn jas van de haak. 'Ik ga uit.'

'Waarom ga je nu weg als ik het eten klaarheb?'

Daar had hij geen antwoord op. Hij wist het niet. Daarom zei hij: 'Ik ga naar de bank.'

'De bank is al een uur dicht,' zei ze.

Er kwam geen reactie. Hij was al weg.

Ze roerde in de pan met kokende kikkererwten, schepte er een op een lepel en bracht die naar haar mond om te proeven. De erwt was gaar. Ze draaide het vuur uit. Buiten kon ze Panayitsa's stem tussen de gillende, spelende kinderen herkennen.

Ze deed de deur open en riep: 'Panayitsa! Aan tafel!'

Haar schreeuw had geen enkel effect. De kinderen gilden, zongen en schreeuwden en speelden tot na de middag verder.

Buiten, onder het raam, spatten de losse steentjes en het grind van de halfverharde weg op onder de banden van een auto. De bestuurder ging langzamer rijden en kwam tot stilstand. Voordat de motor werd afgezet, was een bandje met muziek te horen. Het was *rembetika*, langzame, trieste, traditionele muziek.

Elpida liep naar het raam. Op Theo's parkeerplaats stond een zilverkleurige Mercedes, die vroeger ongetwijfeld een pronkstuk was geweest. De auto had zachte, rode leren bekleding, een walnoten dashboard en glimmende chromen onderdelen. Nu was het een curiosum, het soort auto waarin magnaten uit oude nachtfilms reden. Elpida kende de auto en de bestuurder. Iedereen kende Michaelis Kypreos.

De muziek hield op toen Kypreos de motor afzette. De talismans aan de achteruitkijkspiegel – een kruisbeeldje met turkooizen, een geplastificeerd icoontje van een madonna met blozende wangen en een zakje potpourri – hielden op met bungelen.

Elpida zette haar strijkijzer af, schopte haar sloffen uit en trok haar tuinschoenen aan. Onder een van de zolen zat wat opgedroogde kippenstront, waaraan een strootje was blijven plakken.

Kypreos stond met zijn handen op zijn heupen omhoog naar het raam te kijken. Hij was een grote, lelijke man. Een kop als de kont van een octopus, zeiden de mensen. Dat zeiden ze niet in zijn gezicht, want Kypreos had geld en macht. Niemand vond hem aardig, maar ze respecteerden hem om zijn geld.

Kypreos begon naar het raam te schreeuwen.

'Timmerman! Timmerman! Zit je goddomme daarboven?'

Elpida haalde een hand door haar sluike haren en liep naar buiten. Toen Kypreos naar haar toe kwam, hield ze de deur wijd open.

Mannen als Kypreos waren nooit tevreden. Ze wilden altijd meer. Kypreos had zijn geld ergens in Afrika verdiend, en was vertrokken toen het ernaar uitzag dat de plaatselijke bevolking hun revolutie ging winnen. Hij zei dat hij in Afrika een supermarktketen had gehad, maar achter zijn rug werd gepraat over wapensmokkel en illegale belangen in diamantmijnen. Hij zei dat hij in Afrika dienstbodes had gehad. Hier had hij een gigantisch huis met gouden kranen in de badkamer. Er werd gefluisterd dat hij en zijn knappe, jonge vrouw een waterbed hadden waar vier mensen op pasten. Iedereen wist dat zijn vrouw een verhouding had met de kapitein van de veerboot, maar niemand had het lef om dat tegen Kypreos te zeggen.

Kypreos had geld in een stuk land aan de kust gestoken. Hij wilde zich toeleggen op de toeristenindustrie en was bezig om huurappartementen voor een Duits bedrijf te bouwen. Theo was met hem aan de praat geraakt en had hem zover gekregen dat hij alle deuren, ramen en luiken mocht maken. Het was een grote opdracht, de grootste die Theo ooit had gehad. Maar Kypreos had zo zijn eigen ideeën over de vergoeding.

'Luister,' had hij tijdens de onderhandelingen tegen Theo gezegd, 'ik weet het goed met je gemaakt. Als je half maart klaar bent, geef ik je nog eens vijftig procent boven op de afgesproken prijs. Als je na 1 april klaar bent, betaal ik je maar de helft. Als je flink doorwerkt, heeft dat voor jou dus alleen maar voordelen.'

Ze bezegelden de deal met een handdruk. Kypreos had Theo een klap op de rug gegeven en was lachend weggegaan. Hij was ervan overtuigd dat zijn geld veilig was, want de plaatselijke ambachtslieden waren nooit op tijd klaar. Maar Theo had geglimlacht en geblaakt van zelfvertrouwen.

'Ik heb besloten dat ik ruim op tijd klaar wil zijn,' zei hij tegen Elpida. 'Ik verheug me nu al op het gezicht van Kypreos als hij me het geld moet geven.'

Van tijd tot tijd had ze gevraagd of het werk vorderde.

'Ik werk van zonsopgang tot zonsondergang,' had hij geantwoord. 'Ik werk me uit de naad om alles op tijd klaar te hebben.'

'Waar is Hatzistratis?' Kypreos praatte altijd hard, maar vandaag stond hij te schreeuwen. Zijn gezicht was rood van kwaadheid en zijn gierige, harde ogen schoten vuur. 'Waar is die luie klootzak?'

Hij stond te dicht bij haar. Hij rook naar vers zweet, warm leer en de anijsgeur van ouzo. Zijn overhemd hing te ver open voor een man van zijn leeftijd en omvang. Op zijn dikke buik rustte een groot gouden medaillon met de ster van Macedonië, dat aan een zware gouden ketting om zijn nek hing. Kypreos zei altijd dat het medaillon van Alexander de Grote was geweest, en sommige mensen geloofden hem. In werkelijkheid was het gemaakt door een goudsmid wiens broer hem geld schuldig was.

'Hij is er niet,' zei Elpida. 'Hij is ruim een uur geleden weggegaan.'

'Waar is die eikel dan goddomme naartoe?' schreeuwde Kypreos. 'Tijd is geld!'

'Ik weet het niet,' antwoordde Elpida. 'Ik heb geen idee. Als u binnen op hem wilt wachten...'

'Ik heb geen tijd om op timmerlieden te wachten!' brulde Kypreos. 'Zeg maar dat ik een ander bel als hij het werk morgen niet af heeft. De glazenmaker wil met de ramen aan de slag, maar de helft van de kozijnen staat nog tegen de muur. Hij is de laatste vier dagen niet eens in de buurt van de appartementen geweest. Hij zou drie weken geleden al klaar zijn. En zeg maar dat hij geen cent van me krijgt als die kozijnen morgen niet op hun plaats zitten.'

Ze liet haar schoenen bij de keukendeur staan en liep op haar kousen naar de woonkamer, waar ze op de bank ging liggen omdat ze onder haar slapen hoofdpijn voelde opkomen. De woorden van Kypreos galmden door haar hoofd en vormden vragen waarop ze geen antwoord had. Theo had al dagen niet meer gewerkt. Hij had gezegd dat hij aan het werk was, maar dat was gelogen.

Waar was hij al die tijd geweest?

En het geld – nu raakte hij al dat geld kwijt. Ze hadden zoveel dingen kunnen kopen, zoveel problemen kunnen oplossen. Nu kreeg hij helemaal niets. Geen cent.

Het doffe gebonk onder haar slapen verergerde en achter haar rechteroog begon het zeer te doen. Als ze nu had geweten waar hij was, zou ze hem hebben vermoord. Het ging haar niet eens om de vraag of hij haar had bedrogen of ontrouw was geweest. Een stemmetje in haar achterhoofd bleef daar wel over zeuren, maar ze had besloten het gefluister te negeren. Ze was woedend dat hij het salaris voor een hele winter werk was kwijtgeraakt. In haar hart had al heel lang een opstandig kooltje liggen smeulen, maar ze was nu zo verschrikkelijk kwaad dat het kooltje opgloeide en vlam vatte.

Ze lag op de bank haar slapen te masseren toen haar moeder binnenkwam.

'Ben je ziek?' vroeg Eleni. Ze boog zich over Elpida heen en voelde aan haar voorhoofd of ze koorts had, alsof haar dochter een klein kind was. Haar hand voelde koud aan en haar adem rook naar azijn.

'Je ziet er slecht uit,' zei Eleni. 'Ik zal thee voor je zetten.'

'Ik hoef geen thee, mama. Ik heb gewoon hoofdpijn. Het zakt wel weer.'

'Ben je ongesteld? Een kop thee zal je goeddoen. Ik zag je strijkwerk in de keuken liggen. Ik zal de mand hierheen halen, dan kun jij lekker blijven liggen.'

Elpida legde een hand op haar ogen.

'Je hoeft niet te strijken, mama,' protesteerde ze. 'Laat de was in godsnaam liggen.'

Eleni hoorde haar al niet meer. Ze was in de keuken al bezig om thee te zetten.

'Waarom heb je dit stijfsel gekocht?' Eleni hield de felgele spuitbus omhoog en bestudeerde het witte prijsstickertje, maar het werd elke dag moeilijker om kleine lettertjes te lezen. Zelfs als ze met haar ogen kneep, kon ze het bedrag niet goed zien. 'Ik had toch gezegd dat je dit merk niet moest kopen? Je moet Evrika nemen. Dat is veel beter. Bij dit spul raakt het mondje verstopt, en ik weet zeker dat het duurder is. Waarom zou je onnodig veel betalen?'

'Omdat dit lekker ruikt.'

Elpida nam een slokje van de kruidige saliethee. Die smaakte bitter, want haar moeder had de thee te lang laten trekken. Omdat de pijn naar de brug van haar neus was getrokken, fronste ze haar wenkbrauwen om de spanning in de spieren van haar voorhoofd te verminderen. Door de frons kreeg ze een gezicht als een oorwurm.

Eleni rolde haar mouwen op tot aan haar ellebogen. Elpida zag dat ze zich over de plastic wasmand boog en een van Theo's gekreukte overhemden pakte. Eleni legde de gekreukelde mouw op de strijkplank, spoot er wat stijfsel overheen en pakte het strijkijzer. De spieren in haar onderarm spanden zich, en de blauwe aderen van haar pols waren duidelijk zichtbaar tegen de achtergrond van haar bleke, winterwitte huid. Elpida vond haar moeders bouw en lichamelijke kracht erg onvrouwelijk. Ondanks de instructies van de dokter werd Eleni steeds zwaarder, en onder al haar gemarmerde vet had ze de armen van een landarbeider. Elpida keek naar haar eigen handen, die ruw en rood waren. Op haar vingertoppen en de muis van haar handen was de huid droog en hard, en bruin verkleurd door de vele uien die ze had gesneden.

Ze luisterde naar de kalme geluiden van het strijken: het strijkijzer dat over de stof gleed, het psstpsst van het stijfsel en het gesis van de stoom. Door de stoom kon ze de frisse buitenlucht in het wasgoed ruiken. Het was een geur die nostalgie opriep, herinneringen aan middagen van vroeger, toen zij met veel tegenzin haar huiswerk maakte en Eleni haar vanachter de strijkplank in de gaten hield.

'Kypreos was net hier,' zei ze.

'O ja?' Haar moeder vouwde het overhemd op en legde de mouwen behendig op de rug. Toen ze klaar was, legde ze het hemd op de leuning van de bank. Het zag er zo netjes uit dat het in plastic verpakt had kunnen worden en als nieuw hemd kon worden verkocht.

'Hij wilde Theo spreken.'

'Was die dan niet op de bouw?'

Elpida gaf geen antwoord.

'Elpida?'

'Hij is er al dagen niet meer geweest.'

Eleni zette het strijkijzer op de achterkant en haalde een roze T-shirtje uit de mand.

'Waar zat hij dan?' vroeg ze.

'Geen idee, mama.' Elpida kneep in de brug van haar neus, maar de pijn wilde niet zakken. 'Kypreos zegt dat hij geen cent betaalt als het werk morgen niet af is.'

Eleni streek de mouwen van het T-shirt: rechts, links.

'Ik dacht dat hij met die klus miljoenen kon verdienen,' zei ze.

'Dat is ook zo. Wat moet ik nu doen, mama? Als ik iets tegen Theo zeg, begint hij vast te schreeuwen.'

Eleni legde het opgevouwen T-shirt naast het katoenen overhemd en pakte een onderbroek met rode strepen.

'Laat Theo maar naar mij over,' zei ze.

'Mama, waarom moeten vrouwen trouwen?' vroeg Elpida.

De laatste tijd was ze zich gaan afvragen of ze hem eigenlijk wel aardig vond, of dat hij háár aardig vond. Ze wist precies hoe hij haar zag: een plooibare, volgzame vrouw, een schepsel dat hij zelf had gecreëerd. Zijn methode was heel eenvoudig geweest, en zij had hem gehoorzaamd. Had ze dat uit liefde gedaan? Of uit angst? Telkens wanneer hij ergens boos over was, wanneer ze niet aanvoelde wat hij wilde of van haar verlangde, haalde hij een koffer onder de kast vandaan en legde die op het bed. De boodschap was duidelijk: als je het me niet naar de zin wilt maken, ga je maar terug naar je moeder. Ze kon de goede naam van haar familie natuurlijk niet op die manier te schande maken. Ze had geleerd hem te gehoorzamen.

Hij behandelde haar schandalig, maar dat had hij niet vanaf de eerste dag gedaan. Het was pas op de achtste dag begonnen. Op de achtste dag van hun huwelijk, 's ochtends vroeg. Sigaretten en een asbak op tafel. Koffie op het fornuis. Ze had de koffie volgens haar moeders zuinige instructies gemaakt. *Economia.* 'Je moet niet meer dan een halve lepel koffie in de pot doen, Elpida,' had Eleni gezegd. 'Dan doe je twee keer zo lang met een pak.' Hij had haar al een week gevraagd om sterkere koffie te zetten. Dat had ze niet gedaan, want haar moeder had haar opgedragen om zuinig te zijn. Ze zette zijn koffie voor hem neer. Hij nam een slok en zette het kopje op het schoteltje. Daarna stond hij langzaam op, trok zijn jas aan en stak op zijn dooie gemak een sigaret op. Nadat hij het pakje sigaretten in zijn jaszak had laten glijden, veegde hij met de rug van zijn hand de hele tafel leeg. Het ontbijtservies, dat ze op hun trouwdag hadden gekregen, viel kletterend op de grond. Ze herinnerde zich het lawaai, de scherven, de koffie die van de tafel op de grond was gedruppeld en de klap waarmee hij de deur achter zich dicht had getrokken. Ze was doodsbang geweest dat hij nooit meer terug zou komen en had huilend alle rommel opgeruimd. Aan het eind van de ochtend, toen Eleni kwam, huilde ze nog steeds.

Toen ze haar moeder het hele verhaal had verteld, was Eleni in de lach geschoten.

'*Kori mou*, zo zijn alle mannen,' had ze gezegd. 'Het is jouw taak om alles op zijn manier te doen. Pas maar op, want anders gaat hij terug naar zijn moeder. Dat zou een enorme schande zijn.'

De lunch en het avondeten van die dag waren in de schalen koud geworden. Het onaangeroerde eten lag al uren in de emmer voor de kippen toen hij eindelijk thuiskwam. Hij had niet met haar willen praten, omdat zijn eten niet voor hem klaarstond. Elpida had een omelet voor hem gebakken. Vanaf zijn plaats aan de keukentafel had hij toegekeken, maar toen ze zijn bord voor hem neerzette, stond hij op en gooide hij de omelet glimlachend in de vuilnisbak.

Nu begon ze te beseffen dat ze aan het kortste eind had getrokken. Ze voelde zich bedrogen, belazerd, omdat zij zich aan haar deel van de afspraak had gehouden en helemaal niets terugkreeg. Ze had een slechte deal gesloten. Hij was afstandelijk, afwezig en ongeïnteresseerd. Onverschillig.

Eleni pakte een broek van Theo uit de wasmand.

'Vrouwen trouwen nu eenmaal,' zei ze. 'Dat is altijd zo geweest.'

'Maar waarom?' vroeg Elpida. 'De mannen houden niet van ons. Ze hebben nauwelijks respect voor ons.'

Hij hield niet van haar. Op het moment dat ze de woorden uitsprak, wist ze dat het de waarheid was.

Haar moeder lachte.

'Nee, lieverd, ze houden inderdaad niet van ons,' zei ze. 'In het huwelijk gaat het niet om liefde of romantiek. Het gaat om zekerheid, een gezin en iemand die voor je zorgt. Maar het gaat voornamelijk om kinderen. Dat is de reden waarom vrouwen trouwen. Mannen kunnen ons het allermooiste geschenk op aarde geven, *kori mou*. Ze geven ons baby's. Die baby's geven ons de liefde en het respect waarnaar we verlangen, lieverd. Dat is het enige wat telt. Omwille van de kinderen pikken vrouwen alles.'

13.

Andreas was weggegaan zonder te zeggen wanneer hij terugkwam. Ze hadden elkaar geen afscheidskus gegeven en er was vanaf de kade niet liefdevol gezwaaid. De deur was gewoon zachtjes dichtgegaan en het geluid van zijn voetstappen was weggestorven. Op haar kussen had hij een briefje neergelegd. *Ik geef je tijd om na te denken*, stond erop. *Ik hou van je. Je echtgenoot Andreas*. Alsof ze zou vergeten wie hij was.

Er gingen twaalf dagen voorbij. Eerst was ze blij dat hij weg was, want daardoor had ze alle tijd om aan Theo te denken en aan haar dwangmatige gedrag toe te geven. Maar de dagen waren lang en eenzaam, en 's nachts lag ze wakker van het krabbelende ongedierte, het zuchtende oude hout en de fluisterende, ruisende bladeren en grassen. Vroeger had ze nooit last van die geluiden gehad.

Toen begon het te regenen. Een hele nacht bleef het plenzen, en de volgende ochtend kwam het nog steeds met bakken uit de hemel. De grijze regenwolken hingen zo laag dat de bergtoppen erachter schuilgingen. Het was een melancholieke, saaie, koude dag. Ze ging de deur niet uit en sprak niemand. Het werd vroeg avond, en al die tijd bleef het maar regenen. Irini maakte warme soep voor zichzelf klaar. Terwijl ze vermicelli uit haar kom schepte, dacht ze aan Andreas en vroeg ze zich af waar hij was.

De donkere kamer werd slechts verlicht door de flakkerende schaduwen van de televisie. Voor de vorm betuigde de quizmaster zijn medeleven aan de kandidaat, en zodra de herkenningsmelodie begon, ging de aftiteling rollen. Terwijl de regen op de dakpannen kletterde en er een stroom water uit de dakgoot lekte, ging de buitendeur zachtjes open. Het publiek applaudisseerde en de zwaaiende, glimlachende quizmaster wenste Irini een prettige avond toen een geluidloze figuur door de keuken liep en een paar tellen naar Irini bleef staan kijken. De omroeper vertelde dat de uitzending werd gevolgd door het nieuws, en dat het daarna tijd was voor het weerbericht voor boeren.

'Irini.'

Zijn stem klonk anders dan normaal, heser, zachter, maar ze herkende hem meteen. Toch schrok ze zo hevig dat haar hart wild begon te bonken. Ze draaide zich om. Hij zag er verschrikkelijk uit. Zijn kleddernatte kleren kleefden als bloedzuigers aan zijn ledematen, en zijn gezicht was zo bleek dat het wel licht leek te geven. Het blauwe, fosforescerende licht van de televisie verlichtte slechts de botten, waardoor de holtes zo zwart als de grimmige gaten van een doodskop leken.

Andreas...

Het kwam door het vreemde, slechte licht en de schok dat hij opeens voor haar stond, maar twee tellen lang had ze het gevoel dat ze naar zijn geest zat te kijken.

Hij heeft zichzelf verdronken, dacht ze. Nu komt zijn geest mij halen.

Maar de geur van deze spookachtige Andreas was vertrouwd. Hij rook naar vis en sigarettenrook, al was het luchtje deze keer vermengd met de zure, scherpe geur van braaksel.

'Andreas, ben jij dat?' vroeg ze. Ze wist het niet helemaal zeker. 'Doe alsjeblieft het licht aan.'

De gestalte stak langzaam zijn hand uit en drukte op de schakelaar. In het licht van de lamp had zijn gezicht een grauwe tint. Om zichzelf te verwarmen, hield hij zijn bovenarmen vast, maar toch stond hij nog te rillen. Hij leek wankel op zijn benen te staan, alsof het ritme van de deinende zee nog in zijn ledematen zat. Wankelend liep hij langs haar heen naar de slaapkamer, waar hij zich op het bed liet vallen en met zijn handen zijn maag beethield. Op zijn wangen stonden koortsige blossen. Hij deed zijn ogen dicht en probeerde de pijn in zijn hoofd te verminderen door in zijn neusbrug te knijpen.

Hij stak zijn hand uit en Irini pakte zijn vingers. De hand was ijskoud en paars gevlekt.

'Irini,' zei hij. 'Ik heb iets nodig om op te warmen. Ik ben koud vanbinnen.'

Ze kneep in zijn hand en maakte zijn veters los om zijn schoenen uit te trekken.

'Trek die natte kleren uit,' zei ze. Uit de ladekast pakte ze schone kleren. In de badkamer zag ze dat er nog maar één aspirine in het flesje zat. Ze zette kamillethee en bracht een dienblad met een kop thee, een glas water en de aspirine naar hem toe.

Ze klopte de kussens achter zijn rug op en hielp hem overeind, zodat hij de aspirine kon doorslikken en een slok van zijn thee kon nemen.

'Ik moest wel naar huis,' zei hij. 'Ik was te ziek om weg te blijven.' Omdat ze besefte dat zijn woorden een verontschuldiging waren, begon ze zich schuldig te voelen.

'Hoe lang ben je al ziek?' vroeg ze.

'Twee dagen. Ik denk dat ik iets verkeerds heb gege...'

Hij duwde het theekopje in haar hand en hees zich overeind van het bed. Met zijn hand voor zijn mond leunde hij een paar tellen tegen de muur om steun te zoeken. Daarna strompelde hij naar de badkamerdeur, die hij achter zich op slot deed.

Toen hij terugkwam, was zijn gezicht bezweet. Zijn ademhaling ging vlug en gejaagd, en hij leunde weer achterover in de kussens op het bed. Toen ze hem het kopje wilde geven, schudde hij zijn hoofd en deed zijn ogen dicht.

'Ga mijn moeder maar halen,' zei hij. 'Zij weet wel wat ze moet doen.'

Ze boog zich over hem heen om haar lippen op zijn gloeiende voorhoofd te drukken.

'Ik ben zo terug,' zei ze.

Buiten regende het niet meer, maar er drupte nog steeds water van de eucalyptussen en in de zanderige bermen waren stroompjes regenwater ontstaan. Het wegdek glinsterde in het licht van de zaklamp. De opgefriste blaadjes van de struiken ritselden, en in de tuinen kwamen slakken tevoorschijn om zich aan de planten te buiten te gaan. In de verte blafte een hond, maar verder was het stil in het dorp. In veel huizen waren de lampen al uit.

In het huis van haar schoonmoeder brandde nog volop licht. Aan tafel keken vier mannen fronsend naar de kaarten in hun hand. In het midden van de tafel lag een stapeltje bankbiljetten en munten, en er stond een asbak vol peuken. Bij Vassilis' elleboog stond een glas Metaxa, afkomstig uit een bijna lege fles aan zijn voeten. De andere mannen dronken retsina, en op het tafelkleed lagen overal harde schilletjes van geroosterde pistachenoten. De mannen keken in haar richting, maar niemand zei iets. Vassilis had een vuurrode kleur op zijn wangen en op zijn bovenlip parelden zweetdruppeltjes. Met een klap legde hij een kaart op tafel: klaverentien. Een van zijn tegenstanders glimlachte sluw en legde nog een bankbiljet op het stapeltje.

Angeliki zat zwijgend in de hoek. Het roze vest om haar schouders zat vol olievlekken, en haar handen werkten ijverig aan een stuk kant. Het was een teer, wit, verfijnd handwerkje.

Ze stond op om Irini te begroeten.

'Welkom, welkom,' zei ze. 'Ga zitten, ga zitten.' Fronsend keek ze om zich heen of ze een stoel voor Irini kon vinden. Alle stoelen waren in gebruik. 'Ga hier maar zitten,' zei ze. 'Neem mijn stoel maar. Ik vind het niet erg om te staan. Ik heb de hele dag al gezeten.'

'Andreas is ziek,' zei Irini. 'Hij vraagt naar je. Ik kom je halen.'

'Lieve help!' Angeliki sloeg een kruis. 'Ik ga mee. Natuurlijk ga ik mee. Hoor je dat, Vassilis? Andreas is ziek. Hij vraagt naar me. Ik ga kijken wat ik voor hem kan doen.'

Behendig vouwde Vassilis zijn kaarten tot een stapeltje, dat hij tegen zijn borst hield.

'Wat heeft hij?' vroeg hij.

'O,' zei Angeliki, 'dat weet ik niet.'

'Kun je niet beter vragen wat er aan de hand is voordat je naar hem toe rent? Irini, wat heeft hij?'

'Dat weet ik niet,' zei Irini. 'Hij heeft vreselijke hoofdpijn. Zijn maag doet zeer. Volgens mij heeft hij iets verkeerds gegeten.'

'Voedselvergiftiging! Lieve help! Of misschien heeft hij kou gevat, kou op zijn maag. Dat zou kunnen. Is hij met al die regen uitgevaren?'

'Pak je jas en ga erheen, mens,' zei Vassilis. 'Blijf hier niet staan kletsen. Je staat altijd te kletsen. Sotiris, je moet er een opleggen.' Hij spreidde zijn kaarten weer uit tot een waaier.

Angeliki leek een enorme kick te krijgen van de crisis en het zeldzame gevoel dat iemand haar nodig had. Op haar gezicht verscheen een vastberaden blik, en tijdens de wandeling nam ze lichtvoetig het voortouw.

'Heb je citroenen in huis?' vroeg ze. 'En alcohol? Die dingen hebben we nodig. Als je ze niet hebt, moet je naar Panayiotis rennen om ze te kopen. Haal maar veel citroenen, citroensap is goed voor de maag. Ik loop wel door om bij die arme jongen te gaan zitten. En Irini, denk erom: onderweg niet treuzelen en blijven kletsen.'

Irini haastte zich door de donkere straten. In de steegjes weerklonk het sinistere gekrol van onzichtbare katten, en bij de werf zocht een gladde rat haastig een goed heenkomen. De deur van de kruidenierszaak stond open, waardoor de met water volgelopen kuiltjes in de stoep werden verlicht door het gele licht uit de winkel. Binnen zat Panayiotis op een kruk naast een bijna lege koelvitrine. In de vitrine lagen een halve mortadella en een halve salami met uitgedroogde uiteinden, een onaangebroken, ronde harde kaas, en een in papier verpakt blok feta. Panayiotis stond bekend als een vrek. Hoewel de worsten er onsmakelijk uitzagen, gaf hij zijn klanten pas nieuwe worst als deze verkocht was. Het achterste gedeelte van de winkel, waar hij de schoonmaakproducten en de pakken zeeppoeder, bleekmiddel en servetten had uitgestald, was niet verlicht. Als Irini in dat deel van de winkel moest zijn, stond hij op om het licht voor haar aan te doen. Zodra ze haar keuze had gemaakt, deed hij het licht weer uit. Hij keek even op, begroette haar en sloeg de bladzijde van zijn goedkope pocketboek om. Op de omslag stond het zwarte silhouet van een cowboy met hoed tegen een ondergaande zon. Irini kon de naam van de schrijver lezen: Zane Grey. Tussen de blikken wortels en glazen potten met doperwten stond een kleine transistorradio, waaruit krakerig commentaar op een voetbalwedstrijd klonk.

Irini koos zes citroenen uit het krat achter de deur en legde ze op de weegschaal. Achter de doosjes haarverf vond ze een flesje medicinale alcohol en wat aspirine.

Panayiotis gebruikte een kauwgompapiertje als boekenlegger, kwam van zijn kruk en haalde een potlood achter zijn harige oor vandaan. Op een papieren zak telde hij haar boodschappen bij elkaar op. Irini had geen geld bij zich. Zuchtend reikte hij onder de toonbank om een schrift te pakken, waarin hij bladerde tot hij haar naam had gevonden. Irini keek toe terwijl hij zorgvuldig de datum en het totale verschuldigde bedrag noteerde. Iedereen wist dat je hem in de gaten moest houden, want hij wilde er nog wel eens een extra bedrag bij optellen.

Ze wenste hem goedenavond. Panayiotis pakte zijn westernverhaal en ging verder met lezen.

Op weg naar huis kwam ze niemand tegen. De stilte van de avond werd alleen onderbroken door haar eigen voetstappen en het druppelende water in de goten en afvoeren. Al gauw lag het dorp achter haar. Een aantrekkende wind blies de wolken uiteen, en heel even werd de vallei verlicht door een heldere, volle maan, die de doornstruiken en cactussen vreemde, ineengedoken schaduwen gaf.

Ze was bijna thuis. Nog één bocht, dan kon ze haar huis al zien, maar plotseling hoorde ze achter zich een auto naderen. Ze keek niet om, maar maakte plaats en ging in de modderige berm staan tot de auto haar zou passeren. De planten in de berm lichtten op door zijn koplampen, alsof er in de duisternis groen licht werd gemorst.

De auto reed niet voorbij. Hij ging steeds langzamer rijden en kwam uiteindelijk naast haar staan. De bestuurder boog zich opzij om het portier voor haar open te maken.

Het was Theo.

Ze staarde naar zijn mooie, half verscholen gezicht in de schaduw en zag dat hij ook naar haar keek. Haar handen trilden, haar hart ging als een razende tekeer. Eindelijk waren de goden haar gunstig gezind. Het moment waarnaar ze al zo vreselijk lang had gehunkerd, was eindelijk aangebroken. Maar nu ze haar gevoelens eindelijk kenbaar kon maken, aarzelde ze. Ze keek naar links en rechts, bang dat ze werden bespied, maar er was niemand te bekennen. Dit was het uur van de waarheid, een verleidelijke, verrukkelijke, onweerstaanbare kans. Tegelijkertijd was dit moment beschamend, immoreel en verraderlijk.

In haar hand had ze de zak citroenen, haar link met de normale wereld.

Ze legde de zak op de mat voor de passagiersstoel en stapte in.

Ze trok de deur dicht, waardoor ze in hun eigen, besloten wereld kwamen te zitten. Eindelijk waren ze met hun tweeën.

Hij boog zich naar haar toe en kneep zachtjes in haar hand, alsof hij haar fantasieën had gedeeld. Het was of Irini werd aangeraakt door een godheid, maar tot haar verbazing bleef haar hand er hetzelfde uitzien. Ze wisselden geen woord met elkaar. Wat moesten ze ook zeggen? Na al dat wachten zouden woorden de magie van dit moment alleen maar verstoren.

Toen hij haar kuste, wist ze dat dromen werkelijkheid konden worden. De gedachte aan zijn kus had haar al vaak opgewonden, maar nu drukte hij zijn lippen werkelijk op de hare en voelde ze zijn tong in haar mond. Irini had het gevoel dat ze in de hemel was beland. Ze wilde hem in zich opnemen, hem indrinken en zijn lichaam overal strelen. Ze woelde door zijn haren, trok er zachtjes aan en streek met haar handen over zijn gespierde rug en schouders. Ze trok zijn shirt over zijn rug omhoog en aaide zijn blote huid. Hun ademhaling ging zwaar en snel, en ze knabbelden, likten en zogen aan al het naakte vlees dat ze konden vinden. Hij beet in haar nek en zij bracht zijn hand naar haar gezicht om aan zijn vingers te zuigen. Zijn handen gleden over haar dijen, duwden ze uit elkaar en zochten tussen haar benen. Ze spreidde haar knieën bereidwillig voor hem. Hij schoof de kleren van haar borsten en bracht zijn mond naar haar harde tepels. Daarna kwam hij weer terug naar haar gezicht, om in haar lippen te bijten en haar te kussen alsof ze elkaar nooit meer zouden laten gaan.

Duurde het maar een paar seconden, of gingen er minuten voorbij? Ze gingen zo verrukt in elkaar op dat ze geen idee van tijd hadden. De wereld leek voor hen in lichterlaaie te staan, en plotseling werd de hemel verlicht door vuur, die de plaats van hun vrijpartij een withete gloed leek te geven. Uit hun liefde ontstond een wit licht, waardoor ze elkaar beter konden zien en leren kennen.

Nee. Het witte licht in de cabine was afkomstig van de koplampen van een achteropkomende auto. De bestuurder stopte en ging op zijn claxon hangen.

'Shit,' zei hij. Ze fatsoeneerde haastig haar kleren en streek haar haren glad. Hij ramde de pick-up in de versnelling en stuurde de auto van de weg af. De automobilist reed hen voorbij, en al gauw waren de vurige drakenogen van de achterlichten in het donker verdwenen.

'Ik moet gaan,' zei ze. Hij zuchtte.

Op het moment dat ze het portier openmaakte, zei hij: 'We vinden er wel iets op.' Hij pakte haar hand en drukte die op zijn verhitte, harde erectie.

Met diezelfde hand pakte ze de zak citroenen. Toen hij haar op de weg passeerde, kuste ze de lucht waar hij doorheen was gereden.

Andreas had zich in de badkamer opgesloten. Angeliki spoelde bij het aanrecht een kom met bleekmiddel schoon. In huis hing de geur van schoonmaakmiddel en Andreas' zure braaksel.

Het deed er allemaal niet toe. Hij hield van haar, hij wilde haar, hij verlangde naar haar. Door de opwinding, de extase en de herinnering aan zijn aanraking kon ze alles aan, zelfs het verzorgen van die arme Andreas.

14.

De bus was veel te laat, waardoor hij lang op de kade moest wachten. Het bankje in het houten bushokje was al bezet, door een serene jonge vrouw met een slapende baby tegen haar borst. Naast haar zat een chagrijnig kijkende jongen met een mitella en een arm in het verband. Op zijn hele gezicht had de jongen rode, natte schaafplekken.

De dikke man nam plaats op een stenen trap die naar het water leidde. Vanaf de trede waar hij zat, keek hij naar de vissen aan zijn voeten. Een school piepkleine, glinsterende jonge visjes bewoog zich als één lichaam en had wel iets weg van een ronddraaiende bal, die als een cel onder een microscoop van vorm veranderde. De onervaren visjes zwommen razendsnel en opvallend synchroon. Ze flitsten naar links en rechts, maar nergens waren achterblijvers, andersdenkenden of eenlingen te bekennen. Ze zwommen dicht bij elkaar omdat hun leven ervan afhing. De dikke man bedacht dat te veel mensen dit denkpatroon kopieerden. Ze zochten veiligheid in grote aantallen, en liepen altijd met de kudde mee. Hij dacht aan Nikos en diens opvatting dat iedereen tevreden moest zijn met wat hij had. Daarna begon hij over de oude man te piekeren en vroeg hij zich af of Nikos ziek was. Hij had beloofd dat hij voor zijn vertrek van het eiland nog eens op bezoek zou komen. Hij nam zich voor om dezelfde dag nog te gaan, als zijn taak voor die dag het toeliet.

Tegen de tijd dat de bus arriveerde, stond er een heel groepje passagiers klaar. De serene jonge moeder mocht als eerste instappen en een plaats uitzoeken. Op het moment dat ze haar voet op de treeplank zette, maakten de lippen van het dromende jongetje in haar armen zuigbewegingen, alsof hij zijn adorerende moeder kleine kusjes toewierp.

Een vrouw met een papieren zak vol medicijnen sprak de buschauffeur aan.

'Je bent laat, George,' zei ze. Blijkbaar had ze niets dringends te doen, want ze klonk niet geïrriteerd. De chauffeur gaf haar ook geen verklaring, maar nam zwijgend haar geld aan.

De dikke man perste zich weer in zijn favoriete bankje achter de chauffeur. De chagrijnige jongen stapte als laatste in en gaf George een bankbiljet om zijn rit te betalen.

De chauffeur keek hem aan en grijnsde vol leedvermaak.

'Kijk eens wie we daar hebben,' zei hij. 'Dat is lang geleden. Waar is je motorfiets, Sostis?'

De jongeman kleurde van zijn nek tot zijn haarwortels.

De buschauffeur stopte het bankbiljet in zijn zak en begon het wisselgeld in de kleinste muntsoort uit te tellen.

'Weet je, ik heb gisteren nog een motorfiets gezien,' zei hij, nog altijd grijnzend. 'Het was net zo'n scheurijzer als de jouwe, maar hij kan niet van jou zijn geweest, want hij lag in een greppel.'

De jongen klemde zijn kaken op elkaar en stak zijn hand uit om zijn wisselgeld aan te nemen. De chauffeur hield de stapel munten nog even in zijn hand geklemd.

'Waar is je motorfiets, Sostis? Moest hij een beurt hebben? Had je geen benzine meer? Alsjeblieft.' Hij liet de muntjes in de hand van de jongen vallen. 'Laat het een les voor je zijn.'

De jongen liep naar een lege zitplaats.

'Ze luisteren nooit,' zei de buschauffeur. Hij haalde de bus van de handrem en reed weg. 'Ze zijn veel te eigenwijs.'

Tegen de borst van zijn moeder slaakte de baby een zuchtje.

De bus reed het dorpsplein op. De vrouw van de kruidenier was bezig om de pastelkleurige bezemstelen tegen het raam van het piepkleine winkeltje recht te zetten, maar ze hield op toen ze de bus zag aankomen. Ze keek naar de uitstappende passagiers alsof ze iemand verwachtte. Voor het hotel waren alle droge bladeren opgeveegd. Tegen het net geschilderde, lichtblauwe stucwerk van de buitenmuur leunde een aluminium ladder, en op de enige, met verfspatten besmeurde stoel op de patio zat een oude man met een marineblauwe zeemanspet. In zijn hand had hij een bos witte margrieten met in het midden één roze, geurige roos. Terwijl de passagiers uitstapten, hinkte de oude man over het plein naar de bus.

De dikke man tikte de chauffeur op de schouder.

'George, mag ik je iets vragen?' vroeg hij. 'Ik ben op zoek naar een geitenherder die Lukas heet. Ik neem aan dat je hem wel kent.'

George wreef met zijn knokkel over zijn rode ogen en maakte een geluid alsof hij een verdwaald insect door zijn neusgat naar buiten blies.

'O, zeker, die ken ik wel,' zei hij. 'Wat moet u in vredesnaam met Lukas?'

‘Ik wil weten waar hij is,’ antwoordde de dikke man ontwijkend.

‘Die jongen is geschift!’ George tikte met zijn wijsvinger tegen zijn slaap. ‘Hebben ze u dat niet verteld?’

‘Nee,’ antwoordde de dikke man. ‘Dat heeft niemand me verteld.’

De laatste passagier was uitgestapt. Alleen de dikke man zat nog in de bus.

De oude man legde een hand op de deurstijl en zette zijn voet op de treeplank van de bus. Hijgend wachtte hij even op energie om zichzelf naar binnen te hijsen.

Om hem te pesten, drukte de chauffeur het gaspedaal in om de motor te laten brullen.

‘Schiet nou toch op, Nikolas,’ zei hij. ‘We zijn al laat, en dan moet ik ook nog eens op jou wachten.’

De dikke man stond op en pakte de oude man bij de elleboog om hem in de bus te helpen. Onder de dunne stof van zijn jas gleed zijn huid losjes over zijn botten.

‘Sta mij toe, meneer,’ zei de dikke man.

De oude man glimlachte naar hem. De kraters van zijn wangen zonken weg tussen zijn tandeloze kaken, en zijn laatste haren leken wel verwaaide spinnenwebben. De dikke man hielp hem naar een bankje tegenover de plaats waar hij had gezeten.

‘Ga je weer naar het kerkhof, Nikolas?’ vroeg de chauffeur.

‘Ja,’ antwoordde de oude man, ‘naar het kerkhof, alsjeblieft.’ In afwachting van de korte rit bleef hij glimlachen, als een kind dat iets leuks in het verschiet had.

George stuurde de bus naar de smalle rijstrook aan de overkant van het plein. Omdat hij met zijn rug naar de passagiers zat en de rammelende, oude dieselmotor veel kabaal maakte, moest hij bijna schreeuwen om zich verstaanbaar te maken.

‘Ik begrijp niet dat je daar niet blijft,’ riep hij. ‘Dat bespaart ons de moeite om je binnenkort naar boven te dragen.’ Toen de glimlach van de oude man verdween, schoot de chauffeur in de lach.

De dikke man legde zijn hand op de onderarm van de bejaarde en leunde over het gangpad om iets in zijn oor te fluisteren.

'Luister maar niet naar hem, vriend,' zei hij. 'Ik weet zeker dat u nog heel wat jaren voor de boeg hebt.' Hij knipoogde en tikte samenzweerderig met zijn wijsvinger tegen zijn neusvleugel. 'Wat een prachtige bloemen,' zei hij, nu op hardere toon. 'Uw vrouw boft maar.'

De oude man schudde zijn hoofd.

'Ik ben nooit getrouwd, meneer,' zei hij. 'Die zegen ben ik misgelopen. Deze bloemen zijn voor een dierbare vriend, die kortgeleden is gestorven.'

'Helemaal niet kortgeleden,' riep George uitdagend. 'Hij is al minstens een jaar dood.'

'De tijd vliegt,' zei de dikke man. 'Nu ik ouder word, lijken de jaren steeds sneller te gaan. Maar chauffeur, je zou me vertellen waar ik die Lukas kan vinden.'

'Ik hoop dat u uw wandelschoenen hebt meegenomen,' riep George.

'Ik draag mijn vertrouwde gevleugelde sandalen,' zei de dikke man, terwijl hij zijn rechtervoet uitstak. De tennisschoen was weer keurig wit gemaakt, en de veters waren nieuw en brandschoon. De oude man keek glimlachend naar de schoen. 'Dus ik zou je zeer erkentelijk zijn als je zegt waar ik hem kan vinden.'

'Hij heeft een huis, hut, keet, of hoe je het ook wilt noemen, bij Profitis Ilias,' zei George. 'Daar kan ik u niet naartoe brengen. Deze oude bus kan de slechte weg niet aan. Ik kan u tot Sint-Anna brengen. Van daaruit is het nog een halfuur lopen, misschien iets minder. Maar op dit tijdstip is hij niet thuis, maar op pad met zijn geiten.'

'Hij komt vast wel thuis om te lunchen,' zei de dikke man. 'En tegen de tijd dat ik daar aankom, hoef ik vast niet lang meer te wachten.'

Op de plaats waar de weg aan de afdaling naar de baai van Sint-Savas begon, nam George de andere afslag, die naar de bergen leidde. De bochtige weg liep onder de brede takken van een rij granaatappelbomen door en passeerde een aantal huizen in aanbouw aan de rand van het dorp.

Bij de hekken van het kerkhof nam de dikke man de oude man bij de arm om hem uit de bus te helpen. De oude man pakte de hand van de dikke man en drukte die stevig tussen de zijne.

'God zegene u, meneer,' zei hij. 'U bent een heilige.'

De dikke man maakte een wegwuivend gebaar.

'Het was een kleine moeite,' zei hij. 'Het is de normaalste zaak van de wereld om een ander te helpen.'

George zette zijn voet op het gaspedaal om de motor te laten grommen.

Toen de bus langzaam tegen de berg opklom, kwam het kerkhof weer in zicht. De dikke man zag Nikolas in de verte tussen de marmeren grafstenen door lopen tot hij zijn vriend had gevonden. Bij het graf nam hij zijn pet af, knielde met gebogen hoofd en legde zijn kwijnende bosje bloemen op de koude, witte steen.

Zo'n drie kilometer buiten het dorp stond een stokoude kapel, die over de zee uitkeek. De pannen van het ronde dak waren bedekt met mos, en boven de lage deurpost hing een bel, waarvan het gedraaide touw aan een vleeshaak in de muur was vastgemaakt.

'Sint-Anna,' zei de chauffeur. 'U moet deze weg blijven volgen tot u bij een ezelpad aan uw rechterhand komt. Dat pad leidt naar Profitis Ilias. Het eerste huis dat u tegenkomt, is van de geitenherder. Het is trouwens ook het laatste, want er staan verder geen huizen. U kunt het niet missen, zelfs niet als u de weg niet kent.'

'Hartelijk dank, George,' zei de dikke man. 'Wat krijg je van me?'

De chauffeur dacht even na.

'Driehonderd lijkt me redelijk,' zei hij. 'Geef me maar driehonderd.'

De dikke man legde een briefje van duizend drachmen op het dashboard.

'Je mag het wisselgeld houden,' zei hij.

Terwijl het geronk van de motor wegstierf, luisterde de dikke man naar de immer aanwezige geluiden van de bergen. De wind liet de dennenbomen fluisteren, en een krijsende gaai vloog van een tak. Het geklapper van zijn vleugels weerkaatste tegen de rotsachtige, naar zee aflopende berghellingen.

Hij kwam al vlug bij het ezelpad. Hij nam grote passen en was verbazend snel voor een man met zijn omvang. Het pad was net breed genoeg voor een zwaarbeladen ezel en was bestraat met vierkante, gelijkmatige stenen, die in een keurig geometrisch patroon waren neergelegd. Het was zowel een kunstwerk als een staaltje van meesterlijk vakwerk. Het getuigde van het geduld en de tijdloosheid van een ander tijdperk, een tijdperk dat hier, op dit eiland, nog maar net achter de horizon was verdwenen. Dit was een glimp van het hart van Griekenland, het onveranderlijke, tijdloze, leeftijdloze Griekenland: bergen met een blauwe lucht erachter, een vluchtige blik op een saffierblauwe zee, de geur van kruiden in de wind. En stilte: behalve de ruisende grassen in de wind was er helemaal niets te horen. Toch luisterde de dikke man naar een geluid dat niet te horen was, wegstervende muziek, alsof hier net nog oeroude panfluiten te horen waren geweest.

Het ezelpad leidde hem over de heuvels van het binnenland naar Profitis Ilias, een klooster met witte muren waarin eeuwenlang monnikenorden hadden gewoond. Nieuwsgierig duwde de dikke man het gietijzeren hek naar het terrein rond de kapel open. In een hoek van de binnenplaats kropen honingbijen over een rozemarijnstruik met kobaltblauwe bloemetjes. Op het deksel van de put naast de refter lag een beker aan een touw. De dikke man haalde het deksel van de put, liet het touw zakken en dronk een beker koel, helder water. Hij liep naar de schemerachtige, koude kapel, waar de profeet Elias streng vanaf de zwartgeblakerde muren naar beneden keek. Er hing een zware, zoete geur van oude wierook en boven zijn hoofd hingen de versierselen van de orthodoxe kerk: kandelabers en versierde, koperen wierookbranders.

De dikke man pakte een kaars uit de alkoof, maar deed geen geld in het offerblok. Hij stak de kaars met zijn sigarettenaansteker aan en hield hem in het donker omhoog om de muur boven de boogvormige deur te verlichten. De muur was bedekt met een middeleeuws fresco, waarvan de eenvoudige, heldere kleuren nog steeds intact waren. Het was een afbeelding van de verdoemde zielen die in de hel werden gesmeten. Bovenaan zat Christus, omringd door zijn heiligen. Niemand glimlachte en niemand greep in toen er onder hen een groep stervelingen – die allemaal naakt waren en allemaal met een zonde als lust, hebzucht, trots of gierigheid waren bestempeld – door een fronsende engel naar de gapende muil van een angstaanjagend, visachtig monster werden gestuurd. Het vismonster zwom in een meer van rode en gele vlammen. Rode duivels met drietanden en martelwerktuigen waarover je liever niet te lang nadacht, plaagden en prikten de mensen die naar de hel liepen. Boven dat alles deed Christus alsof hij niets in de gaten had, als een vorst die iets onaangenaams ruikt en het luchtje negeert.

De dikke man liet de kaars zakken en keek naar de vloer, een mozaïek van zwarte en witte steentjes waarin zeewezens waren afgebeeld. Hij zag een octopus, een opspringende dolfijn en een opgezwollen vis, die door zijn dikke lippen water naar buiten spoot. De dikke man glimlachte. De Grieken die deze kapel hadden gebouwd, hadden niet met hun hele hart in het christendom en de hel geloofd. Ze waren slim genoeg geweest om een slag om de arm te houden. Deze vloer was een verzoeningsgebaar aan de oude goden, en de afbeeldingen van de zeewezens waren een eerbetoon aan Poseidon.

Vlak achter Profitis Ilias lag de kleine, stenen hut van Lukas. Het was een eenzame plek. Het enige raam keek uit over kale heuvels en een brede, eindeloze hemel. Een jonge geit, die nog steeds zijn mooie, zachte nesthaar had, stond op een met kippengaas afgezet stuk grond. Hij probeerde zijn verbonden voorpoot te ontzien en mekkerde toen de dikke man met zijn knokkels over zijn pluizige voorhoofd aaide.

In de richting van de zee vloog een eenzame adelaar langzaam rondjes. Naast de gesloten deur stond een blauwe houten stoel, waarop fijne bloemetjes en lieveheersbeestjes waren geschilderd. De dikke man ging op de bloemen zitten om op Lukas te wachten en van het uitzicht te genieten.

Ergens beneden klonken een scherpe fluittoon en een schreeuw. De dikke man werd wakker en zag dat er inmiddels een halfuur voorbij was gegaan. Tussen de struiken op de heuvel rende een ruwharige hond met lange poten, die met zijn vacht achter de stekelige struiken bleef hangen. Hij werd gevolgd door een man die mank liep. Hij was niet echt gehandicapt, maar hij leek een beetje te hinken. Bij het zien van de dikke man stond de hond stil. Hij snuffelde in de lucht en begon te blaffen. De man plantte zijn staf stevig in de grond en keek omhoog naar de dikke man. De dikke man stak vriendelijk zijn hand op, maar de andere man reageerde niet. Hij riep dat de hond stil moest zijn en liep verder de heuvel op. Zijn haar hing in vuile dreadlocks op zijn schouders, en zijn legerkleding was versleten en gescheurd. Aan zijn voeten had hij soldatenkisten, die bleek waren van het stof. Toen hij dicht bij de dikke man kwam staan, kon deze zijn vieze geitengeur en zure zweetlucht ruiken. Toch rook de dikke man onder die stank ook de geur van hooi en zoete, verse melk. De geitenherder droeg een zwart ooglapje en keek de dikke man met zijn andere, helderblauwe oog aan.

'Iets voor u doen?' vroeg hij.

De dikke man stak zijn hand uit.

'Mijn naam is Hermes Diaktoros. Ik kom uit Athene,' zei hij.

'Nu ik u zie, weet ik wie u bent.' Hij draaide zich opzij om de dikke man geen hand te hoeven geven. Hij floot zijn hond, die meteen naar hem toe kwam en hijgend aan zijn voeten ging zitten.

De dikke man liet zijn hand zakken.

'In zo'n kleine gemeenschap gaat het nieuws als een lopend vuurtje,' zei hij. 'Je weet al wie ik ben, en ik weet ook wie jij bent, Lukas.'

Lukas zei niets. Hij legde zijn hand op de kop van zijn hond en krabde hem achter zijn oor.

'Mag ik misschien een glaasje water?' vroeg de dikke man. Hij deed bewust een beroep op Lukas' gastvrijheid, want hij wist dat de man hem nooit een glaasje water zou weigeren. Het was onbeleefd om zo'n eenvoudig verzoek te negeren.

Lukas haalde een grote sleutel uit zijn zak en stak die in het slot van de houten deur. Hij ging naar binnen en deed de deur achter zich dicht. Een paar tellen later kwam hij terug met een glas water, dat hij aan de dikke man gaf. De dikke man dronk het leeg, waarop Lukas het lege glas uit zijn hand graaide.

'En nu wegwezen,' zei hij.

De dikke man vouwde zijn armen voor zijn borst.

'Voordat ik ga, moet ik met je praten,' zei hij. 'Over Irini Asimakopoulos.'

'Ik heb geen tijd om te praten,' zei Lukas. 'Ik moet nog van alles doen. Dieren voederen.' Hij keek naar het kippengaas, waarachter het jonge geitje eenzaam stond te mekkeren.

'Het duurt niet lang,' zei de dikke man. 'Ik heb maar een paar vragen.'

Lukas bracht zijn hand naar zijn kruis en krabde. De hond liet zich op zijn zij zakken, tilde een achterpoot op en knabbelde aan een jeukend plekje op zijn balzak.

'U vindt het vast niet erg als ik er niet omheen draai,' zei Lukas. 'Ik zeg altijd precies wat ik denk. Ik praat niet met de politie. Nooit. Ik vertrouw ze niet.' Hij richtte zich tot het geitje, dat steeds verdrietiger en wanhopiger begon te mekkeren. 'Ik kom eraan, lieverd,' zei hij. Het dier leek hem te begrijpen, want het mekkeren hield op. Hij wendde zich weer tot de dikke man en voegde eraan toe: 'Ik hoop dat ik u niet beledig.'

'Nee hoor,' reageerde de dikke man opgewekt. 'We hebben veel met elkaar gemeen, Lukas. Ik vertrouw de politie ook niet. Daarom ben ik hier.'

'In het dorp zeggen ze dat u een hoge pief van de politie bent, en dat u hier bent om Zafiridis dwars te zitten.'

'Als ik Zafiridis dwars kan zitten, zal ik het zeker niet laten,' zei de dikke man. 'Maar ik ben detective, geen politieman. Ik wil uitzoeken hoe Irini is gestorven. Volgens mij heeft de politie de zaak allang gesloten.' Hij klapte met zijn hand op zijn dij. 'Dat zou ik bijna vergeten. Ik heb iets voor je meegebracht.' Hij stak zijn hand uit naar zijn weekendtas, ritste hem open en haalde er een vers, knapperig brood uit, dat hij aan Lukas gaf. 'Voor het geval je vandaag geen tijd had om naar de bakker te gaan,' zei hij.

Lukas keek de dikke man zwijgend aan. Hij nam het brood aan en liep naar binnen. Toen hij terugkwam, had hij een babyfles met melk bij zich, die hij aan de dikke man gaf.

'Als u Angelina eten geeft, zal ik kijken of we iets bij dat brood hebben,' zei hij.

De dikke man glimlachte.

Ze aten het brood met feta en olijven. De dikke man wachtte geduldig af en genoot zwijgend van zijn maaltijd. Toen het brood half op was, spuugde Lukas een olijfpit uit en vroeg: 'Wat had u met Irini te maken?'

'Ik wil weten hoe ze is gestorven,' antwoordde de dikke man. 'Ik wil weten waaróm ze is gestorven.'

Lukas haalde zijn schouders op, alsof dat zo klaar als een klontje was.

'Sommige mensen zeggen dat het een ongeluk was. Anderen dat ze zelfmoord heeft gepleegd.'

'Geloof jij dat ook, Lukas? Denk jij dat ze zelfmoord heeft gepleegd?'

Lukas gaf geen antwoord.

De dikke man liet zijn ogen over het lege landschap dwalen.

'Ik durf te wedden dat je de kleinste dingen ziet als je hierboven woont,' zei hij. 'Dingen die niemand anders opvallen.'

'Ik heb goede ogen,' zei Lukas. 'Ik heb nooit een bril nodig gehad. Mijn tante wel. Die heeft slechte ogen. Ze moet geopereerd worden, maar dat wil ze niet.' Hij scheurde nog een stuk van het brood en sneed nog een plak feta af.

'Heb je Irini wel eens gezien?'

Lukas nam een hap van het brood.

'De laatste tijd zag ik haar wel eens,' antwoordde hij. 'Even buiten het dorp had ze een tuin aangelegd. Daar kom ik altijd langs als ik naar mijn tante ga. Als ze er was, maakte ik een praatje met haar. Ik gaf haar een paar tips hoe ze groente moest kweken. Ik vertelde haar dat je tomaten het beste met geitenpoep kunt bemesten. Maar groente interesseerde haar niet zo. Ze wilde een tuin met bloemen. Daar zie ik het nut niet van in, want je kunt ze niet eten.'

'Die redenering duidt op gezond verstand,' zei de dikke man. 'Als je gek bent, bedenk je zulke dingen niet. Waarom zeggen de mensen dat je gek bent?'

'Dat lijkt me wel duidelijk.' De hond lag rustig aan Lukas' voeten. Lukas boog zich voorover om het dier over de kop te aaien. 'Omdat ik anders ben. Ze begrijpen niet waarom iemand anders zou willen zijn, dus daarom zeggen ze maar dat ik gek ben. Misschien zouden ze me "andere Lukas" moeten noemen, maar ja, dat is natuurlijk niet hetzelfde. Dan staan ze met hun vooroordelen te kijk, en mensen worden niet graag aan hun tekortkomingen herinnerd. Ze begrijpen ook niet waarom ik hierboven wil wonen, ver van het dorp. Maar dat heeft een heel eenvoudige reden: ik word juist knettergek van hun lawaai, geruzie, verkeer en verrekte kerkklokken. Hierboven kun je rustig nadenken. Mijn dieren houden me gezelschap. Over het algemeen zijn dieren vriendelijker dan mensen.'

'De meeste mensen trouwen om gezelschap te hebben,' zei de dikke man.

'Dat is voor hen ook weer een reden om mij met de vinger na te wijzen. Ik ben nooit getrouwd.'

De dikke man veegde een broodkruimel van zijn borst.

'Waarom niet?' informeerde hij.

'Bent u getrouwd?' vroeg Lukas.

'Nee.'

'Waarom vraagt u het dan aan mij? Blijkbaar hebt u zelf ook een goede reden gehad om niet te trouwen. Maar ik zal u mijn reden vertellen. Mannen en vrouwen passen niet bij elkaar. Ze denken anders en willen verschillende dingen. Vrouwen willen een huis en een gezin. Mannen willen eten en seks. Hier trouwen ze allemaal om aan seks te komen. Hoe lang duurt dat? Een halfjaar? Een jaar? Zodra de vrouw zwanger raakt, heeft ze haar man niet meer nodig. Punt uit. Dan kan hij het vergeten. Maar ze zitten nog wel vijftig jaar met elkaar opgescheept. Mannen en vrouwen zouden apart moeten wonen en elkaar in het weekend moeten zien om te neuken.'

'En liefde dan, Lukas?' vroeg de dikke man zacht. 'In jouw ideale wereld is weinig plaats voor liefde.'

'Weet u wat ik denk?' Lukas leunde achterover op zijn stoel en legde zijn handen achter zijn hoofd. 'Liefde is de grootste ramp die de mens kan overkomen. De ergste vloek in het leven. Ik ben één keer verliefd geweest.' Hij was even stil en wendde zijn hoofd van de dikke man af. 'Ze is met een ander getrouwd.'

'Wat erg voor je.'

Lukas keek de dikke man grijnzend aan, maar de spieren van zijn gezicht waren gespannen en de grijns paste niet bij het verdriet in zijn ogen.

'U hoeft geen medelijden met me te hebben,' zei hij. 'Ik ben blij dat ik de dans ben ontsprongen. Ik heb een prettig leven en ik pak wat ik kan krijgen. In het toeristenseizoen is er genoeg voor iedereen. Als ik ooit nog eens verliefd word, stap ik op de eerste boot die van het eiland vertrekt.'

'Dat lijkt me een wijze beslissing, Lukas,' zei de dikke man. 'Maar andere mensen zijn minder verstandig. Ik ben bij je neef Andreas geweest. Hij zit in een diep dal sinds hij Irini is kwijtgeraakt. Haar dood was een zware klap voor hem.' Hij schudde zijn hoofd. 'Een enorme klap.'

'Ik ben op de begrafenis geweest,' zei Lukas. 'Toen heb ik hem gezien.'

'Irini is dood, het arme kind, en het leven van je neef is verwoest,' zei de dikke man. 'Vind je niet dat de dader opgespoord en gestraft moet worden?'

'Ja, natuurlijk,' reageerde Lukas heftig. 'Ik zou wel gek zijn als ik dat niet zou willen.'

'Dan moet je me helpen.'

Lukas sloeg met zijn handpalmen op zijn knieën.

'Verdomme nog aan toe, ik kan het u niet vertellen,' protesteerde hij. 'Dat zou me de kop kunnen kosten.'

'Maar je weet wel iets.'

Lukas aarzelde. 'Ik heb iets gezien.'

'Wat dan?'

De manchet van Lukas' shirt was versleten en er hing een katoenen draad los. Hij rolde de rafel tussen zijn duim en wijsvinger heen en weer.

'Op dat moment zocht ik er niets achter,' zei hij. 'Ik wist niet dat ze dood was.'

De dikke man legde een hand op Lukas' onderarm en kneep er zachtjes in.

'Lukas, je moet me vertellen wat je hebt gezien.'

Hij keek de dikke man recht in de ogen.

'Als ik u vertrouw en vertel wat ik heb gezien, moet u zweren dat u het nooit zult herhalen,' zei hij. 'U mag mijn naam nooit noemen. Anders zorgen ze dat ik het verhaal geen tweede keer kan vertellen.'

'Ik geef je mijn woord. Vertel op. Wat heb je gezien?'

'De dag na haar verdwijning zag ik de politiewagen, de Suzuki.'

'Waren ze op zoek naar Irini?'

'Dat zou je denken, maar het was nog heel vroeg, nauwelijks licht. Ik was er vlakbij. Ik had daarboven een paar geiten vastgezet om ze te melken, en ik was naar de dieren toegegaan om ze water te geven. Ik zag iemand in de politiewagen stappen. Hij droeg geen uniform, maar ik herkende hem. Het was Harris Chadiarakis.'

'Aha.' De dikke man wist dat hij het over de dommige brigadier had. 'Wat deed meneer Chadiarakis precies?'

'Niets. Hij stapte in, keerde de wagen en reed weg. Hij stond met die auto boven op de rots waar ze volgens de officiële lezing vanaf is gevallen. Ik kon hem net zo duidelijk zien als ik u nu zie. Maar dat was twee volle dagen voordat ze werd gevonden! Toen het tot me doordrong wáár ze was gevonden, werd ik bang. Ik dacht, het was de bedoeling dat de politie haar zocht, maar nu kreeg ik de indruk dat ze al die tijd al wisten waar ze lag. Daarom hield ik mijn mond. Nikos is de enige aan wie ik het heb verteld. Hij zei dat ik het hele verhaal maar beter kon vergeten. En als u dit doorvertelt, ben ik er geweest. Maar ik zie dat mijn arme neef diep ongelukkig is, en als die ellendelingen...'

'Lukas, luister,' onderbrak de dikke man hem. 'Ik ben van plan om deze informatie te gebruiken, maar niemand zal ooit horen hoe ik erachter ben gekomen. Dat beloof ik je.' Hij keek op zijn horloge. 'Ik moet weer eens gaan. Het is nog een lange wandeling naar het dorp. Maar ik heb nog iets voor je. Een bedankje voor de informatie die je me hebt gegeven.' Uit een binnenzak van zijn jas haalde de dikke man een fles goudkleurige drank zonder etiket. Hij gaf hem aan Lukas. 'Je hebt een goed hart, vriend, en ik weet zeker dat je dit lekker vindt,' zei hij. 'Het is een tamelijk onbekende specialiteit uit het noorden.'

Lukas nam de fles van hem aan, draaide de dop los en rook aan de drank.

'Het ruikt naar warme honing,' zei hij.

Hij wilde de fles aan zijn mond zetten, maar de dikke man schudde zijn wijsvinger heen en weer om hem tegen te houden.

'Het is geen drank voor elke dag,' zei hij. 'Je moet de inhoud van deze fles met respect behandelen. In het gebied waar ik vandaan kom, gebruiken ze het als middel tegen de liefde. Als je ooit merkt dat een vrouw een plaats in je hart begint te veroveren, moet je een slok nemen. Dan blijf je baas over je eigen hart!'

Ze lachten en Lukas gaf de dikke man een klap op de schouder. De dikke man pakte zijn weekendtas en ging op zijn hurken zitten om de hond onder zijn kin te kriebelen.

Bij de eerste bocht draaide hij zich om om te zwaaien, maar op de eenzame helling waren de man en de hond al niet meer te zien.

De dikke man liep met stevige pas terug naar de weg en sloeg af in de richting van het dorp. Toen hij bij de bocht naar de baai van Sint-Savas een blik op zijn vergulde horloge wierp, besloot hij dat het nog lang genoeg licht zou blijven om nog een bezoekje af te leggen.

Aan de kust waaide een koude, aanlandige wind. Het terras van Nikos was leeg, maar de keukendeur stond open. Binnen liet de radio de ongepolijste muziek van de eilanden horen, ruw bespeelde fiedels en de nasale stem van een vrouw. De dikke man liep naar de deur en klopte. Meteen werd de radio uitgezet.

'Nikos!'

Hij hoorde aan het getinkel van glas dat er iets tussen de flessen likeur en whisky werd gezet. Vervolgens hoorde hij een zachte oprisping en een vloek.

De dikke man klopte nog een keer.

'Nikos! Ik ben het, Diaktoros! Ben je binnen?'

'Ja, ik ben er.' Nikos verscheen met een gemaakte glimlach in de deuropening. Aan de wallen onder zijn ogen was te zien dat hij slecht sliep.

De dikke man fronste zijn wenkbrauwen.

'Vergeef me mijn botheid, maar je ziet er slecht uit, vriend,' zei hij.

Nikos legde een hand op zijn buik.

'Ik heb soms last van mijn buik,' bekende hij. 'De pijn komt en gaat, maar de pauzes tussen de pijnaanvallen worden steeds korter.' Zijn gezicht vertrok en hij werd krijtwit.

De dikke man pakte hem bij de elleboog en leidde hem naar een van de stoelen op het terras.

'Ga zitten,' zei de dikke man. 'Rust even uit. Als je het goedvindt, zet ik binnen een kop thee voor je.'

Nikos schudde zijn hoofd.

'Geen thee,' zei hij. 'Ik hoef niets. Maar schenk uzelf maar iets in – whisky, Metaxa, waar u maar zin in hebt. Kom dan met uw glas bij me zitten om mijn gedachten van dat monster in mijn buik af te leiden. Ik heb nieuws over onze goede vriend Zafiridis, dat u zeker zal interesseren.'

Met gesloten ogen wachtte hij tot de pijn verdween. De dikke man zette zijn weekendtas neer en ging met zijn rug naar Nikos staan om de inhoud voor hem te verbergen. Hij ritste een van de zijvlakken open en haalde er een blauw glazen medicijnflesje met een kurk uit. In de rommelige keuken schonk hij een royaal glas whisky voor zichzelf in en vulde een tweede glas onder de miezerige straal van de kraan. Hij haalde de kurk uit het flesje en liet drie druppels in het glas vallen. De druppels waaierden als rook door het glas en gaven het water een nauwelijks zichtbare, lichtroze kleur.

'Ik heb wat water voor je meegebracht,' zei de dikke man, terwijl hij aan het tafeltje ging zitten. 'Ik vind het vervelend om in mijn eentje te drinken. Yammas.' Hij hief zijn glas op naar Nikos, die er uit gewoonte met zijn eigen glas tegenaan tikte. De dikke man nam een slokje van zijn whisky en Nikos nam een flinke slok water. De dikke man glimlachte.

'Ik ben bij Lukas geweest,' vertelde hij. 'Het was een heel interessant gesprek. Een gesprek waar ik veel aan heb gehad.'

'Daar ben ik blij om,' zei Nikos. De bleke kleur verdween van zijn gezicht. Er verscheen een blos op zijn wangen, alsof hij het lang koud had gehad en eindelijk weer warm begon te worden.

'Je zei dat je nieuws over Zafiridis had,' spoorde de dikke man hem aan.

De pijn in Nikos' maag zwakte af. Hij leunde achterover, strekte zijn benen uit en legde zijn handen op zijn maag.

'Dat klopt,' zei hij. 'Volgens George, de buschauffeur, heeft onze zeer gewaardeerde politiecommissaris problemen met zijn auto gehad.'

De dikke man fronste zijn wenkbrauwen, want hij kon zich niet herinneren dat er met de grijze politiewagen iets mis was geweest.

'Problemen met de onderdelen?'

'Dat kun je wel zeggen, ja,' zei Nikos. 'Iemand heeft alle wielen eraf gehaald.'

Lachend hief de dikke man zijn glas weer op.

'Op de dief,' zei hij. Hij nam een slokje van zijn whisky en keek aandachtig naar Nikos, die weer wat water dronk. 'Weten we wie het gedaan heeft, of waarom de wielen zijn gestolen?'

'Allebei. En we weten ook wat de straf van de dader zal zijn, en die is helaas niet grappig. Er was ruzie over geld. Als politieman is meneer Zafiridis er altijd als de kippen bij om boetes en andere verschuldigde bedragen te innen, maar zelf is hij niet zo snel met het afbetalen van zijn schulden.'

'Onvergeeflijk, vooral omdat hij ook graag geld int waar hij helemaal geen recht op heeft,' zei de dikke man. 'Voor een man in zijn positie heeft hij zich behoorlijk verrijkt, heb ik begrepen.'

'Dat verbaast me niets,' zei Nikos. 'Daar staat de politie om bekend. Maar dan is het extra schandalig dat hij al bijna een jaar geen huur heeft betaald. Hij huurt een huis van George Psaros, een man van wie iedereen weet dat hij moeite heeft om de eindjes aan elkaar te knopen. Tot een paar jaar geleden was George keuterboer, maar hij heeft door diabetes een been verloren. Het huis dat hij aan Zafiridis verhuurt, is zijn enige bron van inkomsten. De familie heeft haar uiterste best gedaan om de oude man te helpen, maar gisteravond hadden zijn twee zoons een slok op en besloten ze de schuld op hun eigen manier te innen. Ze hebben de wielen van de politiewagen gehaald en een briefje achtergelaten met de mededeling dat Zafiridis ze tegen een bepaalde prijs terug kon krijgen: de achterstallige huur die hij hun vader verschuldigd is.'

'Een schitterend idee,' zei de dikke man. 'Ik vind het wel geestig. Maar Zafiridis staat nu voor gek, en een man als hij laat zich waarschijnlijk niet graag uitlachen.' Hij stak een sigaret op uit een pakje dat hij samen met zijn aansteker uit zijn zak haalde. 'Wat is er verder gebeurd?'

'Janis, de jongste, is gearresteerd en zit nu in een politiecel. Zafiridis heeft Petros, de oudste, opgedragen om de wielen weer op de auto te monteren. Dat heeft Petros ook gedaan. Hij dacht dat de boodschap wel duidelijk was en dat Zafiridis zich zo zou schamen dat hij zijn schulden wel zou betalen. Maar nu dreigt de commissaris Janis Psaros naar het vasteland te sturen. Hij heeft hem officieel beschuldigd van diefstal, verzet bij arrestatie, mishandeling en ga zo maar door. Hij is van plan hem flink te straffen, en hij heeft de huur nog steeds niet betaald.'

'Ik krijg de indruk dat de man in het uniform crimineler is dan zijn gevangene,' zei de dikke man. 'En waarom heeft hij slechts één van de twee broers opgesloten? Is Janis schuldiger dan Petros?'

Nikos schudde zijn hoofd.

'Dit heeft niets met schuld te maken, maar met Zafiridis'... aandrift. Die arme Janis had het beter niet tegen Zafiridis kunnen opnemen, want hij heeft hem precies in de kaart gespeeld. Als Janis veilig in een gevangenis op het vasteland zit, zal Zafiridis zijn afwezigheid zeker benutten. Misschien heeft hij dat zelfs al gedaan.'

'Wat bedoel je?'

'De jonge Janis heeft een heel aantrekkelijke vrouw. Ik denk dat meneer Zafiridis zijn positie met plezier zal misbruiken om avances bij mevrouw Psaros te maken. Hij bevindt zich natuurlijk in een gunstige positie als de dame zijn macht nodig heeft, en als Janis naar het vasteland wordt gestuurd, zal Zafiridis al zijn invloed moeten aanwenden om haar echtgenoot weer uit zo'n gevangenis te krijgen.'

De dikke man keek peinzend voor zich uit en nam nog een trek van zijn sigaret.

'Onze politiecommissaris zit graag aan de echtgenotes van anderen,' zei Nikos.

'Het is al kwalijk dat hij een voorkeur voor verboden vruchten heeft, maar het is ronduit onvergeeflijk dat hij zijn vertrouwenspositie misbruikt om zich aan kwetsbare vrouwen op te dringen. Heeft onze vriend dat wel vaker gedaan?'

Nikos dacht even na.

'Het is minstens één keer eerder gebeurd,' vertelde hij. 'Met de vrouw van Manolis Mandrakis. Manolis is huisschilder. Niet bepaald een licht, maar een harde werker. Hij betrapte zijn vrouw en Zafiridis achter in de winkel van haar vader. Kort daarna liet hij zich van haar scheiden. Destijds begreep niemand wat ze in Zafiridis had gezien, want volgens mij is hij de enige die overtuigd is van zijn charmes. Maar toen ging wekenlang het gerucht dat hij haar had gedwongen, dat haar vaders bedrijf op het spel stond. Het kan zijn dat haar familie dat gerucht heeft verspreid om hun goede naam te redden, maar misschien was het wel waar.'

De sigaret van de dikke man was bijna helemaal opgebrand. Hij nam nog een trekje en drukte de peuk met tegenzin uit.

'Ik heb Zafiridis meer dan eens verteld dat hij Irini te veel aandacht gaf,' vervolgde Nikos. 'Ik zei dat het onbetamelijk was, maar hij luisterde niet naar de waarschuwingen van een oude man.' Hij slaakte een zucht. 'Het doet er nu niet meer toe. Er kan niets meer met haar gebeuren.'

'Er kan inderdaad niets meer met haar gebeuren,' zei de dikke man, 'en wij zijn weer iets dichter bij het antwoord op de vraag wie daarvoor verantwoordelijk is. Toen ik Lukas eenmaal had verzekerd dat hij op mijn discretie kon rekenen, wilde hij wel met me praten. Hij leek bang te zijn dat zijn hulp aan mij zeer onaangename gevolgen kon hebben.'

Nikos balde zijn vuist en strekte de vingers van zijn hand om zijn verkleumde knokkels los te maken.

'Nu u het over hulp hebt, vraag ik me af of ik misschien informatie heb achtergehouden waar u iets aan hebt,' zei hij.

'Wat dan?'

'Ik dacht dat het niets met Irini te maken had. Per slot van rekening was de leeuwerik van Andreas.'

'Leeuwerik?'

'Andreas had een leeuwerik waar hij dol op was. Hij noemde het beestje Milo. Hij had hem zelf gevangen, met een takje met vogellijm. Irini zei altijd dat Milo alleen maar voor Andreas wilde zingen, niet voor haar. Toen Milo doodging, nam ik aan dat iemand wraak had genomen – iemand die zich bedonderd had gevoeld, of een andere onbenullige wrok had gekoesterd. Zo zijn de mensen hier: van een mug wordt een olifant gemaakt. Maar de laatste tijd heb ik veel te veel tijd om na te denken. Nu vraag ik me af of een oppervlakkige kennis wel kon weten dat de vogel niet van Irini was, maar van Andreas.'

'Waarom denk je dat er sprake was van wraak? Er gaan elke dag vogels in kooitjes dood.'

'Niet op deze manier. Zijn nek was gebroken. Door een mensenhand, want de kooi stond nog open. Destijds leek het een onsympathieke, kleingeestige daad, maar nu ik erop terugkijk, heeft het allemaal iets... sinisters.'

Het begon al een beetje donker te worden. Bij het hotel wierp een eenzame straatlantaarn bleke schaduwen op de weg. Voor het eerst sinds lange tijd had Nikos geen pijn en dacht hij dat hij wel zou kunnen slapen. Hij geeuwde.

De dikke man stond op.

'Ik zal mijn best doen voor Janis Psaros en zijn vrouw,' zei hij. 'Maar je moet rusten. Je moet een paar uur slapen om kracht op te doen.'

Nikos pakte de hand die de dikke man naar hem uitstak. De dikke man had een ferme grip, en ondanks de kou voelde zijn hand warm aan.

'Ik kom binnenkort weer langs,' zei hij.

'Dan zult u me hier wel aantreffen,' zei Nikos. 'Ik ben nooit ver uit de buurt. En ik zal u met plezier ontvangen, goede vriend. Uw gezelschap doet me bijzonder goed.'

Die nacht kon Nikos voor het eerst in weken weer eens lekker doorslapen.

In hotel De Zeemeeuw was het bed van de dikke man hard en koud. Hij hoorde de klok elf en twaalf uur slaan voordat hij eindelijk in slaap viel.

Op dat moment lag Haroula Psaros nog klaarwakker in bed. Om halfeen hoorde ze buiten een auto stoppen. De motor bleef lopen tot Haroula uit bed kwam, een ochtendjas aantrok en naar het raam liep om naar buiten te kijken. Pas op dat moment gingen de koplampen van de politiewagen uit en werd het contactsleuteltje omgedraaid.

Dolblij rende ze naar de deur om Janis te begroeten. Maar toen ze de deur van het slot haalde, hoorde ze maar één portier van de politiewagen dichtslaan en zag ze slechts één donkere figuur door het tuinhek komen.

'Mevrouw Psaros.'

De politiecommissaris nam zijn pet af en stopte hem onder zijn arm. De brillantine in zijn haar glinsterde in het gele lamplicht. Er hing een sterke citruslucht om hem heen, alsof hij net aftershave had opgedaan. Glimlachend liet hij zijn blik over haar verschijning dwalen.

Ze trok haar ochtendjas dichter om zich heen en hield hem boven aan de hals dicht.

Haar gezicht bleef strak.

'Waar is Janis?' vroeg ze.

'Mag ik binnenkomen?' Hij kwam een stap dichterbij. Omdat ze vond dat hij veel te dicht in haar buurt kwam, zette ze een stap achteruit. 'Ik vrees dat Janis nog steeds in de politiecel zit. Er moeten formulieren worden ingevuld. Formaliteiten. Dat zult u wel begrijpen.'

'Wanneer komt hij thuis?'

Zijn glimlach werd breder.

'Tja, dat hangt grotendeels van u af,' antwoordde hij. 'Eigenlijk moet ik hem morgen aan de politie op het vasteland overdragen. Daar moeten de aanklachten tegen hem worden onderzocht. Maar ik heb er nog eens over nagedacht. Ik ben een schappelijk mens. Ik kan heel redelijk zijn. Met uw hulp kunnen we al die narigheid voorkomen. Daarom vraag ik het nog eens: mag ik binnenkomen?'

Ze had zin om naar hem te spugen en de deur dicht te gooien, maar Janis zat nog steeds in een koude cel, en de veerboot naar het vasteland zou de volgende ochtend vroeg vertrekken.

Als ze Janis meenamen, had ze geen idee wanneer ze hem terug zou zien.

'Ik ga wel met u mee naar het bureau,' zei ze. 'Als u een minuutje kunt wachten, kleed ik me aan.'

'Dat lijkt me niet nodig,' zei hij.

Hij kwam nog een stap dichterbij, waardoor hij binnen kwam te staan en de deur met de neus van zijn gepoetste laars dicht kon schoppen. Zijn vingers streelden over de hand die de ochtendjas dichthield en speelden met een lok lang, loshangend haar.

Ze walgde van zijn aanraking.

'Wat ben je mooi,' zei hij zacht. 'Beeldschoon. Ik stel voor dat we gaan zitten en het ons makkelijk maken. Jij en ik hebben nog heel wat te bespreken als je wilt dat Janis morgen thuiskomt.'

15.

Toen mijn broer Takis me kwam halen, was ik buiten in de tuin.

Die dag zal ik nooit vergeten. Ik was gespannen. Ik verwachtte elk moment problemen, want diep in mijn hart wist ik dat ik er onmogelijk mee kon wegkomen. Ik was met haar gesignaleerd en het kon nooit lang duren voordat de herrie zou losbarsten.

Ik dacht in die tijd heel veel na. Ik probeerde te begrijpen wat er met me gebeurde en zocht naar een oplossing voor het probleem. Ik begreep eindelijk waar al die lompe liefdesliedjes over gingen, en snapte waarom mensen zongen dat ze in brand stonden. Ik werd verteerd. Ik had een permanente erectie, natte dromen en voortdurend pijn in mijn ballen. Niets hielp. Er was maar één ding dat de pijn kon verzachten, en dat was Irini. Ik moest voortdurend vechten tegen de drang om naar haar toe te gaan, haar op te zoeken en te doen wat we moesten doen.

Maar we konden het nergens doen. Ik kon haar nergens mee naartoe nemen. De spionnen hielden ons overal in de gaten. Ik had naar haar toe kunnen gaan als haar man op zee was. Ik had door haar slaapkamerraam naar binnen kunnen klimmen, maar dat durfde ik niet. Die manier stond me trouwens ook niet aan. Ik had een romantisch idee, een verknipt eergevoel, dat het geen goedkope, wellustige affaire mocht worden, met één oog op de klok en het andere op de deur. Ik droomde van lange, uitgebreide vrijpartijen in een ontspannen sfeer. Ik wilde een groot, zacht bed met witte lakens. Ik wilde de tijd ervoor nemen. Ik had erop gewacht, ik had er zó lang op gewacht dat ik ervan wilde genieten alsof het een prachtige wijn of een verfijnd diner was. Ik wilde me ontspannen, haar proeven, van haar genieten en na afloop met haar in mijn armen in slaap vallen.

Er leek geen antwoord te zijn, geen oplossing – geen risicoloze oplossing. En ik wist niet helemaal zeker wat ik verder precies wilde. Ik wilde van twee wallen eten. Ik wilde mijn vrouw en kind niet verliezen, maar wilde ook vrij zijn om naar mijn liefhebbende min-

nares te gaan. Ik ben echt nooit zo dom geweest om te denken dat ik mijn zin kon krijgen. Ik heb genoeg versierders tegen de lamp zien lopen om te weten dat ik niet alles kon hebben. Ik moest een beslissing nemen. Ik moest een keuze maken.

En weet je wat nu zo ironisch is? Door mijn aarzeling, mijn besluiteloosheid, mijn lafheid, mijn angst om betrapt te worden, mijn behoefte om iedereen te slim af te zijn, mijn onvermogen om me erin te storten en lak aan de rest van de wereld te hebben, werd ik juist betrapt voordat ik de zonde kon begaan. Ik heb het zo stom aangepakt dat ik nooit de zoete smaak van het verboden fruit heb kunnen proeven. Ik ben nooit met haar naar bed geweest. Technisch gesproken was ik onschuldig. Ik was alleen maar schuldig aan vergevorderde plannen.

Ik liep aan tante Sofia te denken. In de nacht voordat mijn broer me kwam halen, had ik over haar gedroomd. Ik droomde dat ze in een weiland stond, een weiland met een muur eromheen. Het was lente, een prachtige dag, en het gras in het weiland was groen en sappig. In mijn droom kon ik het ruiken. Tante Sofia was wilde bloemen aan het plukken. Ze had al een prachtig, geurig boeket met paarse, blauwe en roze bloemen. Ze heeft altijd een ongelukkige blik in haar ogen, maar in mijn droom zag ze er blij uit. Ze was zachtjes aan het zingen en ik had zin om naar haar toe te gaan en in dat sappige, aanlokkelijke weiland ook wat bloemen te plukken. Maar de muur rond het weiland, een stenen muur, kwam tot aan mijn schouder, dus ik moest op zoek naar een hek. Ik liep om het weiland heen, zoekend naar een manier om binnen te komen. Al die tijd riep ik naar tante Sofia: 'Tante, tante, zeg nu waar het hek is.' Maar ze kon me niet horen, of ze deed of ze me niet hoorde. Ze ging gewoon door met bloemen plukken. Ik bleef maar rondjes om het weiland lopen, maar ik zag nergens een hek.

Het voelde als een nachtmerrie, al weet ik niet waarom. Ik werd er nerveus van. Door die droom moest ik aan tante Sofia denken toen ik onze magere kippen restjes keukenafval gaf.

Tante Sofia was jong weduwe geworden. Ik kon me oom Stamatis niet herinneren, want hij was al voor mijn geboorte gestorven. Hij scheen in de Golf van Biskaje te zijn verdronken. Er werden nooit vraagtekens bij dat verhaal gezet. Als je het woord Biskaje noemt, zie je oude zeelui angstig kijken en een kruisteken slaan.

Maar een paar jaar geleden zat mijn vader op een zomeravond iets te drinken met mijn oude oom George. Ze zaten samen te praten en toen ving ik iets op waardoor ik begreep dat het familieverhaal over die arme verdronken oom Stamatis slechts een mythe was.

Oudoom George dronk nooit veel, want hij zei dat hij er hoofdpijn van kreeg. Maar rond Pasen had hij een paar klusjes voor de monniken van Sint-Vassilis gedaan en een van de priesters had hem een paar flessen van hun oude wijn gegeven. Oom George had besloten dat die flessen op deze avond ontkurkt moesten worden, en mijn vader was de eer te beurt gevallen om ze met hem leeg te drinken. Ze maken daar prima wijn met een heerlijke, zachte smaak. Ze produceren nooit veel, slechts een paar vaten per jaar. Vader en oom George wisten de wijn op waarde te schatten en zaten een paar uur te drinken en te praten.

Ik at op de binnenplaats een paar van de donkere vijgen die oom George had meegenomen. Ze waren halverwege de tweede fles toen oom George een grapje over tante Sofia maakte. Sofia de Bestorven Maagd, noemde hij haar. Hij zei dat het misschien een goed idee was als ze dorpsgek Stavros, die volgens alle mannen enorm geschapen was, eens bij haar langs zouden sturen om haar een beurt te geven. Misschien, zei hij, zou Stavros slagen waar oom Stamatis had gefaald. Want wie zou er nu niet op de loop gaan voor een frigide oude heks als zij? Op dat moment kwam mijn moeder naar buiten rennen om te zeggen dat de oude dwaas zijn mond moest houden, maar ik had inmiddels genoeg gehoord om mijn eigen conclusies te trekken.

Jarenlang had ik het niet in de gaten gehad: tante Sofia was het lijk in onze familiekast. Ik had haar altijd gezien als een melancholieke vrouw, die elke dag bij ons thuis kwam en dan bijna niets zei. Ze was de zus van mijn moeder, maar een buitenstaander had haar kunnen aanzien voor mijn grootmoeder. In mijn ogen was ze net een oude hond met de grijze snuit, die niet meer kon werken en alleen nog maar geld kostte, maar mocht blijven omdat niemand het hart had om haar mee naar buiten te nemen en af te maken. Uit haar lijden te verlossen. Zo zag ze eruit: alsof iemand haar uit haar lijden moest verlossen. Ze zat iedereen in de weg, maar het was mijn moeders plicht om voor haar te zorgen. Zo had ik het altijd gezien. Ze zeiden dat ze niet helemaal goed bij haar hoofd was. Soms had ze een van haar 'buien' en zat ze dagenlang stilletjes te huilen. We leerden haar te negeren. We leefden ons leven om haar heen en wachtten tot ze naar huis ging. Eén keer kwam het gesticht op Leros ter sprake, maar mijn moeder veegde dat idee meteen van tafel. Ze wilde niet dat de schande van een gekkenhuis over de familie zou komen.

Maar Sofia's leven was juist geruïneerd omdat er een schande werd verborgen. Haar man had haar verlaten. Ze was haar echtgenoot kwijtgeraakt. Hij was weggegaan en had haar in de steek gelaten.

Daarom had mijn familie haar in de bloei van haar leven in een respectabel uniform gehesen. Voor de buitenwereld was ze weduwe geworden. Voor oudere mensen, die in de herfst van hun leven zijn beland, zijn de beperkingen van het weduwschap niet zo zwaar. Voor een jonge, kinderloze vrouw als Sofia was het wreed. Ze moest altijd zwarte kleren dragen, mocht niet aan sociale activiteiten meedoen en zat het merendeel van haar tijd in haar eentje in dat oude, hooggelegen huis in het dorp. En dat allemaal uit respect voor een man die het niet verdiende, iemand van wie ze wist, van wie de hele familie wist, dat hij helemaal niet dood was. Ruim dertig jaar lang speelde ze haar rol en leefde ze met de wetenschap dat hij misschien ooit terug zou komen en haar het mikpunt van spot en schaamte zou maken. Ze dwongen haar de familie-eer te bewaren, terwijl ze haar bruidsschat terug hadden kunnen vragen en het huwelijk nietig kon laten verklaren omdat het nooit was geconsumeerd. Als maagd had ze misschien wel een andere man kunnen krijgen en een gezin kunnen stichten. Ze had een dochter kunnen hebben om voor haar te zorgen, en kleinkinderen die met hun bruiloften en doopsels haar oude dag opvrolijkten. Al die dingen waren haar onthouden.

Misschien was die droom over tante Sofia wel een waarschuwing van een zesde zintuig geweest, want die ochtend kwam mijn broer langs met nieuws over een schandaal en het verlies van mijn eer.

Hij bleef een poosje naar me staan kijken, met die superieure, arrogante blik waardoor ik hem altijd in zijn gezicht wil stompen. Hij vindt zichzelf te goed voor doodgewone, huishoudelijke klusjes als kippen voeren. Meneer de vrijbuiter, onze eigen rokkenjager. Ze krijgen hem nog wel te pakken, en ik heb begrepen dat dat niet lang meer duurt. Hij weet het nog niet, maar mijn moeder heeft iemand voor hem uitgezocht. Hij stak een sigaret op, en ik herinner me dat hij mij er geen aanbood. Ik zei niets en dacht dat hij vanzelf wel zou weggaan.

Hij rookte zijn sigaret op, liet de peuk in het stof vallen en drukte hem met zijn voet uit.

'Wat heb je uitgespookt?' vroeg hij. Er stond een geniepige blik op zijn gezicht, maar dat was wel vaker zo.

Eerst wist ik niet wat hij bedoelde. Ik dacht dat hij zomaar een losse opmerking maakte, dus ik zei: 'Niets bijzonders.'

'Vind jij neuken met de vrouw van Andreas de Vis niets bijzonders?'

Het was alsof ik een klap in mijn gezicht kreeg. Ik was niet verbaasd dat hij zo grof in de mond was, maar zijn opmerking maakte me kwaad. Hij is nu eenmaal een lomperik, maar zijn gebrek aan respect voor Irini irriteerde me. In één zin reduceerde hij haar tot het niveau van een vlugge wip, terwijl ze voor mij alles was.

Maar het werd nog veel erger. Onze namen waren met elkaar in verband gebracht en de hel dreigde los te barsten. Ik wilde weten waaruit het bewijsmateriaal bestond, maar was zo slim om dat niet te vragen. Ik wilde weten wie zijn mond voorbij had gepraat. Ik wilde weten wie het wist, of het dacht te weten. Het had totaal geen zin om te protesteren dat ik niet met haar naar bed was geweest. Ik was in elk geval schuldig aan een relatie met een andere vrouw. Ik wilde weten hoe diep ik in de problemen zat. Ik wilde weten of haar man het wist, en of hij wraak op me wilde nemen.

Mijn gezicht moet boekdelen hebben gesproken. Ik voelde alle kleur wegtrekken, alsof er een stop uit een gootsteen werd getrokken. Daarom deed ik mijn best om me te herstellen. Ik hield mijn hoofd gebogen en deed net of ik in het stinkende kippenhok naar eieren zocht.

Terwijl ik daar zo met gebogen hoofd stond, besloot ik niet op zijn woorden te reageren.

'Dus het klopt?' vroeg hij.

'Wat bedoel je?' Ik draaide me om en keek hem recht in de ogen.

'Dat van jou en de vrouw van Andreas de Vis.'

Ik lachte. 'Waar heb je die onzin gehoord?' vroeg ik. 'Rot op voordat Elpida je hoort.'

'Vader zit thuis op je te wachten. Hij wil met je praten.' Hij glimlachte, want hij vond het leuk om me slecht nieuws te brengen. Ik negeerde hem, want ik wist niet of hij de waarheid sprak.

'Mee naar huis,' zei hij. 'Nu.'

Ik duwde met mijn schouder tegen hem aan toen ik nonchalant naar binnen liep. Ik zei tegen Elpida dat ik even weg moest, omdat ik iets moest regelen. Natuurlijk wilde ze weten wat er aan de hand was, dus ik deed of ik haar vraag niet hoorde. Takis liep achter me aan naar de pick-up en stapte aan de passagierskant in. Ik stak mijn sigaret aan voordat ik instapte, want ik wilde niet dat hij mijn handen zou zien trillen.

Tijdens de rit naar mijn moeders huis spraken we geen woord met elkaar. Hij vertelde helemaal niets, en hij was wel de laatste aan wie ik vragen wilde stellen.

Thuis zaten ze al op me te wachten. Mijn vader, natuurlijk, en oom Janis en pappa Philippas, de priester. Tot mijn verbazing was oom Louis er ook. Mijn vader, oom Janis en oom Louis zaten allemaal met een ernstige blik aan tafel sigaretten te roken. Voor hun neus stonden lege koffiekopjes. Het kopje van pappa Philippas was nog vol, maar er stond een halfvol glas whisky naast, afkomstig uit de fles op tafel. Toen Takis en ik binnenkwamen, nam hij een flinke slok uit dat glas. Tante Sofia zat op haar vaste plaats in de hoek van de kamer, achter de deur. Mijn moeder was in de keuken. Ik kon haar niet zien, maar in de pijnlijke stilte hoorde ik het gekletter van serviesgoed en pannen. Het was nog nooit eerder gebeurd dat ze mijn naam niet riep, of niet naar me toekwam om me te begroeten. Bij dat besef zonk de moed me in de schoenen. Nu wist ik zeker dat ik diep in de problemen zat.

Mijn vader staarde naar de tafel en zei: 'Kom binnen, jongen. Kom binnen en ga zitten.' Hij ontweek mijn blik, maar oom Janis keek me aan. Hij haalde even zijn schouders op, alsof hij wilde zeggen: doe maar wat hij zegt, maar ik heb hier niets mee te maken. Hij gaf de priester nog wat whisky en hield de fles omhoog, om mij te vragen of ik ook een glas wilde. Ik schudde mijn hoofd en ging vlak bij mijn vader zitten. Takis ging met een grijns bij het raam zitten, in afwachting van het moment waarop het feest zou beginnen. Mijn vader kuchte en tikte de as van zijn sigaret. Waarschijnlijk zocht hij naarstig naar een manier om het gesprek te beginnen. Mijn moeder rammelde niet meer met borden. In de keuken was het doodstil.

'Wat is er allemaal aan de hand, jongen?' vroeg mijn vader. 'We hebben gehoord dat je met een andere vrouw hebt geslapen.' Hij koos zijn woorden met zorg. Het was niets voor hem om zo beleefd te zijn, maar ik denk dat hij het uit respect voor pappa Philippas en de vrouwen deed. Als dit een gesprek onder vier ogen was geweest, zou hij veel directer zijn geweest.

'Wie zegt dat?' sneerde ik. Het was een afgezaagde, kinderachtige reactie, maar ze behandelden me ook als een kind. Iedereen keek naar me. Ik wist dat ik bloosde. Voor een deel kwam dat door mijn verontwaardiging en woede – ik was kwaad dat ze me zo durfden te behandelen – maar het was voornamelijk schaamte. Ik kon wel door de grond zakken dat mijn vermeende seksuele uitstapjes in het bijzijn van mijn familie (en dan vooral mijn moeder) en de priester van het dorp werden besproken. Het was net zo'n nachtmerrie waarin je naakt rondrent terwijl alle anderen kleren aanhebben.

Ik was verontwaardigd over de hypocrisie van al deze mannen, misschien met uitzondering van (al weet ik dat beslist niet zeker) pappa Philippas. Ze hadden allemaal minnaressen gehad. Van mijn vader wist ik in elk geval dat hij er twee had gehad, en bij oom Janis was ik de tel kwijtgeraakt. Oom Louis wist dat ik van zijn seksuele avontuurtjes op de hoogte was, want de verhalen over zijn affaires op de legerbasis waren algemeen bekend. Dacht hij soms dat ik vergeten was dat ik hem ooit met open gulp achter de bakkerij had betrapt, en dat die jongen zijn geld nog liep te tellen terwijl hij wegliep?

Maar hoe kon ik in de tegenaanval gaan en hen met hun eigen vergrijpen confronteren? In de keuken stond mijn moeder het gesprek af te luisteren. Ik begreep het trouwens ook niet. Ze wisten allemaal dat ze zelf schuldig waren aan de misdaad waarvan ik werd beschuldigd. Wat was er dan zo bijzonder aan mijn geval?

'Oom Louis heeft gezien dat je haar hebt gekust,' zei mijn vader.

Aha. De auto die ons van achteren was genaderd. Ik keek onvriendelijk naar oom Louis, die met het oortje van zijn koffiekop speelde. Het had geen zin meer om het nog te ontkennen.

'Nou en?' vroeg ik. 'Waarom heb je dan niet gewoon je grote mond gehouden? Waarom ben je meteen hierheen gegaan om over me te roddelen? Wat heb jij er verdomme mee te maken?'

Hij zette een gekwetste, neerbuigende blik op.

'Het was mijn plicht,' antwoordde hij. 'De eer van deze familie staat op het spel.'

Dat deed de deur dicht.

'De eer van deze familie?' Ik keek de mannen een voor een aan.

'En hoe houden jullie de eer van de familie dan hoog? Schijnheilig stelletje. Als er iemand verstand heeft van rondneuken, zijn jullie het wel.'

Mijn vader keek me met een kille blik aan. Bij het raam barstte Takis in lachen uit. Mijn vader draaide zich om op zijn stoel.

'Wegwezen, jij!' brulde hij. 'Naar buiten tot ik zeg dat je weer binnen mag komen!'

Takis hees zich met een onbekommerde grijns uit zijn stoel en glipte naar buiten. Dit was geen handige zet van mijn vader. Waarschijnlijk ging Takis meteen op pad om deze sappige roddel aan zijn vrienden te vertellen.

Oom Louis was nog niet klaar.

'Ik was niet alleen toen ik je met die vrouw zag,' zei hij. 'Anna was bij me.'

Nu viel het kwartje. Anna, zijn vrouw. De nicht van mijn echtgenote.

Opeens maakten mijn schaamte en woede plaats voor angst. Ik was bang wat er zou gebeuren als dit verhaal Elpida ter ore zou komen. Ik was bang voor de tranen, de scènes en lange, klaarwakkere nachten met een snikkende vrouw naast me. Ik was bang voor de preek van mijn schoonvader en de chagrijnige stiltes van mijn schoonmoeder. Ik was bang voor het gefluister van de mensen op straat. Ik was bang dat mijn reputatie zou worden aangetast, dat ik gezichtsverlies zou lijden en nergens naartoe zou kunnen.

'Heeft ze iets gezegd?' vroeg ik.

'Nog niet,' zei mijn vader.

Ik aarzelde geen moment.

'Wat wil je dat ik doe?' vroeg ik.

Mijn vader had er goed over nagedacht. Hij had zijn melodramatische speech al helemaal klaar.

'Zweer op het leven van je dochter en het bloed van Christus dat je voortaan uit de buurt van die vrouw zult blijven,' zei hij. 'Als je dat doet, zullen we je beschermen.'

Ik zwoer het. Het was de makkelijkste uitweg, al vond ik mezelf verschrikkelijk laf. Pappa Philippas liet zijn whiskyglas lang genoeg los om zijn hand uit te steken, en ik kuste de ring om zijn vinger om de eed te bezegelen. Het had ze nog geen drie minuten gekost om een bekentenis te krijgen en me hun wil op te leggen.

Op het moment dat mijn misstap uitkwam, verdwenen mijn gevoelens voor Irini als sneeuw voor de zon. Ik was blij dat ik die verliefdheid en die vreselijke begeerte niet meer voelde. Angst is een prima manier om van lust af te komen. Ik dacht dat ik haar snel vergeten zou zijn, en dat zij mij ook vlug uit haar hoofd zou zetten. Per slot van rekening hadden we alleen maar een onschuldig spelletje gespeeld. Op dat moment wilde ik haar nooit meer zien.

Maar toen ik mijn moeders huis verliet en met bibberende knieën terug naar de pick-up liep, hoorde ik iemand roepen. Het was tante Sofia.

'Theo! Theo, wacht!' riep ze. Ik reageerde ongeduldig. Ik had geen zin om met iemand te praten. Ik hoopte dat de aarde openspleet en me opslokte.

'Wat is er, tante?' vroeg ik. Ze greep me bij de arm en keek me aan.

'Theo, luister,' zei ze. 'Luister goed. Besef je wat je hebt gedaan, waar ze je toe hebben gedwongen?'

Mijn trots dwong me om mezelf te verdedigen.

'Ik heb uit eigen wil meegewerkt,' zei ik.

'Theo, kijk me aan,' zei ze. 'Voor mij is het te laat, maar jij kunt van mijn fouten leren. Sommige dingen zijn de moeite waard om voor te vechten, jongen. Als je van haar houdt, mogen ze je niet dwingen haar op te geven. Kom voor jezelf op. Ga met haar weg. Verlaat het eiland, Theo. Stap in de ring en vecht voor haar, jongen.'

Ik keek haar aan. Ik hoorde haar woorden, maar ze drongen niet tot me door. En toen zei ik iets verschrikkelijks. Vanaf dat moment was de waarheid werkelijk zoek. Ik klopte geruststellend op haar schouder en zei: 'Maak je maar geen zorgen, tante. De vrouw betekent niets voor me.'

Ik dacht dat ze in tranen zou uitbarsten. Daarom draaide ik haar voorzichtig aan haar schouders om en zei: 'Ga maar weer naar binnen, tante. Anders vat je nog kou.'

Uiteindelijk deed het er niet toe wat we hadden besloten, of welke bescherming ze me hadden beloofd toen we als mannen van de wereld om de tafel zaten. Het verhaal was al uitgelekt. Te veel mensen wisten precies wat er aan de hand was. Takis had natuurlijk zijn mond voorbijgepraat, maar misschien lag de schuld niet alleen bij hem. Misschien had een van de anderen – mijn vader, mijn ooms of de priester – de last van zo'n fantastische roddel wel te zwaar gevonden en het verhaal in vertrouwen aan een kennis verteld, op voorwaarde dat het een geheim zou blijven. En Anna, de vrouw van Louis, had het verhaal waarschijnlijk met haar familie gedeeld, zogenaamd omdat het haar plicht was.

De ellende begon de volgende ochtend. Mannen die ik nauwelijks kende en naar wie ik op straat hooguit knikte, kwamen naar me toe om me samenzweerderig bij de arm te pakken. 'Klopt het dat je het met de vrouw van Andreas de Vis hebt gedaan?' fluisterden ze. 'Was ze lekker?'

Ik duwde ze lachend van me af. Ik gaf iedereen hetzelfde antwoord: dat ik zou willen dat het waar was, maar dat er niets was gebeurd. De mannen die me geloofden, liepen teleurgesteld weg. De mannen die me niet geloofden, gaven me een knipoog, sloegen me op de rug en noemden me een geile bok. In hun ogen was ik toegetreden tot de echte mannen, de rondneukers die vrouwen gebruikten zoals ze gebruikt hoorden te worden, de rokkenjagers die risico's durfden te nemen en de ene vrouw na de andere afwerkten, de onverzadigbare echtbrekers die zoveel lood in hun potlood hadden dat één vrouw hen in haar eentje niet aankon.

Mijn leven werd een verschrikking. Ik wilde eraan ontsnappen, maar ik kon nergens naartoe. Telkens wanneer ik thuiskwam, of bij mijn schoonmoeder binnenkwam, was ik misselijk van angst dat het nieuws tot de citadel was doorgedrongen en dat de echte gruwelen en problemen zouden losbarsten. Ik kon me niet meer ontspannen, omdat ik niet meer wist hoe ontspannen, zorgeloos, schuldloos gedrag eruitzag. Als Elpida bij thuiskomst niet naar me lachte, probeerde ik erachter te komen wat er was tot ze ongeduldig en geïrriteerd reageerde. Ze werd achterdochtig. Zoals ze terecht opmerkte, had het me tot voor kort totaal niet geïnteresseerd of ze naar me glimlachte. Ik probeerde haar op doorzichtige manieren binnenshuis te houden en te voorkomen dat ze naar haar familie of zelfs naar de kerk ging. De kerken waren het allergevaarlijkst. Al die kletsmajoors verzameld onder één dak. Ondanks mijn bezwaren ging ze toch naar de kerk, en dan ijsbeerde ik door het huis tot ze terugkwam. Ik vroeg me af hoe groot de kans was dat al die vinnige, kwaadaardige vrouwen de verleiding weerstonden om Elpida alles te vertellen. Ik zag ze allemaal in staat om haar aan te spreken. Een paar van hen zouden het uit een misplaatst gevoel van vriendschap doen, maar de rest zou er uit pure boosaardigheid over beginnen.

De tv mocht niet meer aan, want dan kon ik de geluiden op straat niet horen. Ik wilde weten of er stemmen en voetstappen naderden. Ik wilde bezoekers onderscheppen, mensen met slecht nieuws wegsturen en boodschappers straffen. Ik vestigde me in de keuken en zat aan de keukentafel op wacht. Elpida werd er stapeldol van. Ik zat in de weg als ze haar werk wilde doen. Maar het waren de enige momenten waarop ik me een beetje kon ontspannen, waarop ik controle over de situatie had. In de keuken kon ik zowel haar als de deur in de gaten houden.

Ik had al weken slecht geslapen. Voorheen hadden mijn lustgevoelens voor Irini en mijn opwindende, overspelige plannetjes me uit de slaap gehouden, maar nu lag ik wakker van rampzalige fantasieën over confrontaties en crises. Als ik in slaap viel, droomde ik vaak over Irini, maar het waren geen prettige dromen meer. Ik was altijd op jacht naar haar. Ik wist waar ze was en was onderweg naar haar, maar werd altijd wakker voordat ik haar had gevonden en had dan een leeg, eenzaam gevoel. Ik kon me niet op mijn werk concentreren en maakte zoveel stomme fouten dat mijn vader schreeuwde dat ik me moest vermannen of naar huis moest gaan. Ik wilde overdag niet naar huis. Ik reed naar de bergen en verstopte me daar, omdat de mensen anders zouden denken dat ik een afspraakje had. Dat zou alles alleen nog maar erger maken. Ik ging een keer naar een kerk, de kerk van Sint-Lefteris, waar ik kaarsen aanstak en met heel mijn hart om een eenvoudige oplossing voor mijn problemen bad. Heb ik die gekregen?

Ik at weinig, rookte te veel en had last van stemmingswisselingen. Het ene moment was ik overdreven vrolijk, het volgende was ik weemoedig en had ik een rothumeur.

Het duurde niet lang voordat Elpida de enige logische conclusie trok. Op een dag liep ze huilend naar haar moeder om te zeggen dat ik een ander had.

16.

Theo's houding ten opzichte van mij leek als een blad aan de boom om te draaien. Voor alle andere mensen was het een doodgewone dag, maar voor mij waren het de eerste uren van een lang, bitter einde. Hij liep me op straat voorbij zonder te groeten, te glimlachen of om te kijken. Hij wendde zijn gezicht van me af – hij keek bewust de andere kant op! – en liep zomaar langs me heen, alsof ik een onbekende was. Mijn maag kneep samen van angst en ik voelde tranen in mijn ogen prikken. Ik was boos op hem, maar ik vergaf hem al gauw door excuses te verzinnen voor zijn botheid. Ik hield mezelf voor dat hij voorzichtig was. Overal om ons heen bevonden zich immers spionnen, die hun oren en ogen openhielden.

Maar op een ochtend stond ik in de rij van het postkantoor toen hij binnenkwam. Ik hoefde niet eens te kijken, want ik herkende zijn stem toen hij iets naar de postmeester riep. Ik herkende zijn stem, want die toverde vuurrode blossen op mijn wangen en liet mijn vingers trillen.

Het was een lange rij. Het nieuwe meisje achter het loket werkte niet efficiënt en had voor elke klant te veel tijd nodig, zelfs als die alleen maar een postzegel wilde kopen. Theo werd ongeduldig en riep vanaf zijn plaats achter in de rij naar de postmeester. Ik herinner me zijn stem en zijn woorden, want het waren de laatste woorden die ik ooit uit zijn mond heb gehoord.

'Stellios, geef me die enveloppe eens terug die mijn vrouw vanochtend heeft afgeleverd,' riep hij. 'Ze is vergeten om de cheque erin te doen.'

De postmeester hield op met pakjes wegen, pakte een stapeltje enveloppen met postzegels en bladerde erdoorheen tot hij de enveloppe van Theo's vrouw had gevonden.

Hij stak hem uit naar Theo.

Theo, die zich een weg naar het loket baande, trapte op mijn voet. Hij deed net of hij het niet in de gaten had. Hij deed net of hij niet zag dat ik het was en dat hij me pijn had gedaan. Hij verontschuldigde zich niet, terwijl een beleefd mens dat zelfs tegenover een vreemde zou hebben gedaan.

Op dat moment besefte ik dat hij wilde dat we vreemden voor elkaar waren.

Buiten zag ik hem met zijn vrienden staan. Hij had de enveloppe nog in zijn hand en luisterde naar een van de anderen, die een mop vertelde. Na de clou hoorde ik hem veel harder lachen dan de rest.

Ik vond het niet eens zo erg dat hij me niet groette. Ik had het ook niet erg gevonden als hij niet in mijn richting had gekeken. Wat hij wél deed, was veel, veel erger: hij zag me staan en keerde me bewust de rug toe.

Tijdens de dagen daarna bleef Theo afstandelijk. In het begin probeerde ze wanhopig contact te maken en hoopte ze op een teken dat hij nog om haar gaf. Naarmate de tijd verstreek, zou ze al blij zijn geweest met een teken dat hij haar nog herkende, maar het leek erop dat ze onzichtbaar was geworden en hem niet meer interesseerde. Zonder enige verklaring, zonder een vriendelijke glimlach of afscheidswoord liet hij haar in de steek.

Ze kon hem niet makkelijk loslaten. Ze bezocht alle plaatsen waar ze hem dacht te kunnen vinden, maar ze zag hem nooit. Urenlang zat ze bij het raam op hem te wachten, maar hij kwam niet meer voorbij. Ze was zo verdrietig dat ze roekeloos werd. Ze liep langs zijn huis, streek met haar hand over zijn pick-up en keek door het zijraampje naar de plek waar ze hun magische momenten hadden beleefd. Het was niet meer dan een doodgewone cabine van een pick-up. Aan de achteruitkijkspiegel hing een blauw glazen amulet om het boze oog af te weren, en op de grond lag een leeg pakje melk met aardbeiensmaak. Van de man wiens hart ze dacht te hebben veroverd, ontbrak elk spoor.

Toen ze naar huis liep, hoorde ze een achteropkomende auto vaart minderen. Haar hart sprong op, want ze dacht dat hij het was. In plaats daarvan bleek het een grijze auto met Zafiridis achter het stuur te zijn. Hij koesterde hoge verwachtingen, want hij had het verhaal over haar onfatsoenlijke verhouding gehoord. Als ze al een keer een scheve schaats had gereden, zou ze waarschijnlijk ook voor zijn avances openstaan.

'Stap in,' zei hij. 'Je kunt meerijden. Ik kom langs jullie huis.'

Zijn adem rook naar pepermunt, maar boven aan zijn tanden zat een vieze laag plaque.

'Ik loop liever,' zei ze. 'Bedankt voor het aanbod.'

'Het is echt geen moeite. Stap in.'

Hij liet zijn blik over haar lichaam dwalen. Hij bestudeerde haar benen en hield zijn ogen ter hoogte van haar borsten stil.

'Nee,' zei ze. 'Ik loop liever.'

Genietend keek hij haar wiegende heupen na. Daarna keerde hij de auto en reed weg in de richting waar hij vandaan was gekomen. In zijn ogen was het niet vreemd dat ze zijn aanbod had afgeslagen. Nu haar reputatie was aangetast, kon ze het zich niet veroorloven om met een andere man te worden gezien. Maar aan haar blik kon hij zien dat ze naar hem verlangde. Hij had gewoon het verkeerde moment uitgezocht, meer niet. Ze verlangde naar romantiek en iemand die lief voor haar was. Hij besloot dat hij het beste 's nachts bij haar langs kon gaan. Dan kon hij haar huis betreden en verlaten zonder dat iemand wist dat ze samen waren geweest.

Ik heb het nog nooit ergens zo moeilijk mee gehad. Eerst dacht ik dat het eenvoudig zou zijn, omdat ik geen zin had om betrapt te worden en weer een schandaal te veroorzaken. Ik dacht alleen maar aan mezelf, en hield mezelf voor dat het allemaal maar een spelletje was geweest. Ik maakte mezelf wijs dat ik alles zonder kleerscheuren had doorstaan. Ik hoopte maar dat ze geen scène zou maken en dat ze het me niet moeilijk zou maken.

Dat heeft ze ook nooit gedaan.

Ze veranderde. Zonder dat ik het wilde, had ik haar iets afgeno-

men. Telkens wanneer ik haar op straat negeerde, zag ik het verdriet in haar ogen, al stak ze haar neus in de lucht en deed ze of het haar niet kon schelen. Ze dacht dat ik niets om haar gaf, en in het begin was dat ook zo. Ik dacht, ze komt er wel overheen. Ze zal wel moeten. Maar ik zag dat ze me niet kon vergeten, en wist dat ik er in mijn hart ook niet overheen was. We hadden te veel voor elkaar betekend.

Ik keerde haar de rug toe, en de roddels stierven weg toen ze niet meer werden gevoed. Maar tot mijn verbazing ontstond er iets anders: toen mijn angst voor ontdekking wegebde, begon ik haar te missen. Ik miste haar erger dan ik kan zeggen. Mijn leven was weer net zo eentonig als voorheen. Ik had niets om naar uit te kijken en vond alle dagen een eindeloze sleur, een aaneenschakeling van saaie, slepende uren. Mijn dagen kenden geen hoogtepunten of fijne momenten meer. Tijdens onze affaire was mijn hart opgesprongen en had mijn ziel het uitgejubeld als ik haar zag lachen, maar dat was allemaal voorbij. Ik had de lach uit haar ogen zien verdwijnen en kon zelf ook niet meer lachen. Als ik haar met afgewend hoofd op straat passeerde, had ik soms het gevoel dat ze verwijtend naar me keek. Ik wist dat ik de vraag op haar gezicht zou zien als ik haar aankeek: waarom? Als een hond die een schop heeft gehad, dook ze voor me weg. Maar geloof me, ik zou zelfs een hond nooit zo slecht behandelen als ik haar heb behandeld.

Natuurlijk wilde ik alles uitleggen. Ik wilde ergens rustig met haar gaan zitten en vertellen waarom alles was veranderd.

Maar ik durfde haar niet aan te spreken. Ik had er de moed niet voor. We hebben nooit meer een woord met elkaar gewisseld.

Wat denk je nu? Vraag je je af waarom ik niet naar haar toe ging, waarom ik niet voor haar koos in plaats van voor een vrouw van wie ik niet hield? Wens je stiekem dat ik nog van gedachten verander? Hoop je tegen beter weten in dat het verhaal een happy end krijgt? Zou dat uiteindelijk het beste voor ons zijn geweest, en vind je me een dwaas dat ik haar door mijn vingers heb laten glippen? Had ik naar haar toe moeten gaan omdat ware liefde alles overwint?

In dit geval was dat niet de oplossing, vriend. In dit geval kon de liefde niet alles overwinnen.

Ik dacht aan mijn plicht aan mijn vrouw, mijn kind en mijn familie. Wie zou er voor Elpida en Panayitsa moeten zorgen als ik vertrok? Mocht ik de verantwoordelijkheid voor hen wel aan haar vader overdragen? Mocht ik een oude man vlak voor zijn pensioen wel met die last opzadelen? Daarnaast had Elpida het schandaal en een scheiding niet verdiend. Ze had altijd trouw haar plichten vervuld en op haar manier van me gehouden.

En waar hadden Irini en ik naartoe moeten gaan? We konden hier niet op het eiland blijven. Op straat zouden ze naar haar hebben gespuugd en met een boog om haar heen zijn gelopen. Misschien hadden we naar Kos of Athene kunnen gaan. We hadden Griekenland kunnen verlaten en naar Australië of Amerika kunnen gaan. Maar ik kom hier vandaan. Hier hoor ik thuis. Hoe kon ik het eiland, mijn familie en mijn vrienden voor altijd de rug toekeren? Ik wist dat ik Thiminos nooit zou kunnen vergeten. Het zou 's nachts door mijn dromen blijven spoken en ik zou altijd naar huis blijven verlangen.

En zouden Irini en ik nog wel van elkaar blijven houden als we samen ergens ver weg gingen wonen? Of zouden we een hekel aan elkaar krijgen? Dat is een vraag waarop ik nooit antwoord zal krijgen. Ik durfde de stap niet te wagen.

Ik verkoos conformiteit boven liefde.

Of ik daar spijt van heb?

Wat denk je zelf?

Toen ze op een ochtend al vroeg naar de kruidenier ging, zag ze hem in zijn eentje aan een cafétafel zitten. Ze vergat alles om zich heen en staarde met hongerige ogen naar hem. Hij draaide zijn hoofd naar de bar en vroeg om de rekening. Trillend en verlangend vervolgde ze haar weg. Bij de kruidenier moest ze lang wachten, en toen ze terugkwam, was hij weg. Maar zijn kopje stond nog op tafel en in de glazen asbak zag ze de peuk van zijn sigaret liggen.

Ze speelde met de gedachte om op zijn stoel te gaan zitten. Ze hunkerde zo naar contact dat ze het uiteindelijk deed. Het was een verrukking om een voorwerp aan te raken dat hij zojuist had aangeraakt. Ze wilde zijn koffiekopje pakken, het naar haar lippen brengen en meer over hem te weten komen. Stiekem wierp ze een blik in de lege kop, om te kijken hoe hij zijn koffie het lekkerst vond. Gebruikte hij melk, of dronk hij de koffie liever zwart? Gebruikte hij suiker? Ze wist helemaal niets van de alledaagse details van zijn bestaan. De eigenaar van het café kende hem beter dan zij, want hij wist hoe Theo zijn koffie het liefst dronk.

Ze keek naar de sigarettenpeuk, die hij minstens tien keer tussen zijn lippen had gehouden. Het was een voorwerp dat ze kon koesteren, een stukje van hem waar ze zuinig op zou zijn. Ze wilde dat waardeloze, stinkende stukje afval als relikwie van haar heilige, zoals een gelovige een splinter van het Ware Kruis begeert. Maar hoe kon ze het ongezien pakken? Achter haar begonnen de oude mannen al aan hun spelletje backgammon. Als ze haar hand uitstak, zouden ze het ongetwijfeld zien.

De chagrijnig kijkende eigenaar van het café kwam naar haar toe om haar bestelling op te nemen. Hij pakte Theo's kopje en haalde de asbak met de relikwie weg. De oude mannen rammelden met hun dobbelstenen en gooiden ze op het bord, terwijl de eigenaar achter de bar de vuile vaat in de gootsteen zette en de sigarettenpeuk in de prullenbak gooide.

Terwijl ze op haar bestelling wachtte, vocht ze verwoed tegen haar tranen. De koffie die even later voor haar neus werd gezet, was koud en bitter. Omdat het raar zou staan als ze wegliep, dronk ze het kopje leeg en liep in haar eentje naar huis, over de weg waarop hij haar altijd was gepasseerd.

Voor Andreas viel het niet mee om zijn vrouw zo ongelukkig te zien en te moeten raden wat er was. Thuis moest ze steeds huilen en leek ze een afstandelijke schim. Hij vroeg niet waarom ze zich zo ongelukkig voelde. Dat hoefde ook niet, want in zijn hart wist hij wat er met haar aan de hand was. Uit angst voor het antwoord durfde hij er niet naar te vragen, en hij durfde ook niet troostend een arm om haar heen te leggen. Hij bleef op een afstandje en liet haar met rust.

Maar op een ochtend liep hij op weg naar de haven langs een huis waarvan de deur naar de binnenplaats openstond. Toen hij naar binnen keek, was hij zeer verrast. Op de binnenplaats stonden zoveel potten met planten dat het wel een miniatuurhof van Eden leek. Hij zag dieprode, roze en witte geraniums, en zag minirozen en slanke lelies tussen vierkante, stekelige cactussen staan. Hoge grassen streken ruisend langs groene, sappige varens. In een jonge citroenboom zaten gele minivruchtjes, en naast een zoet geurende jasmijn groeiden roomkleurige gardenia's. Een lattenwerk ondersteunde een zonnescherm van schaduwrijke, groene bladeren en paarse, trompetvormige bloemen, die in de ochtendzon uitbundig bloeiden. Gefascineerd bleef Andreas een poosje bewonderend naar dit kunstwerk staan kijken. Iemand had met veel liefde dit prachtige tuintje opgekweekt.

Bij de bloemist in de haven kocht hij bloemzaad, compost en terracotta potten.

'Mijn vrouw heeft een hobby nodig,' zei hij tegen de bloemist. 'Iets waardoor ze geen tijd meer heeft om te piekeren. Als ik weg ben, voelt ze zich erg eenzaam.'

De bloemist, die van het hele verhaal op de hoogte was, keek hem na. Andreas huurde een taxi om al die tuinartikelen naar huis te brengen en zette ze onder de zwoegende druivenranken neer. Hij wilde dat de potten en zaden voor zichzelf zouden spreken, en hoopte dat Irini zou luisteren.

Andreas vertrok weer naar zee en bleef lange tijd weg. Op een avond, toen de zwaluwen schreeuwend door de vallei scheerden, hoorde ze zijn voetstappen plotseling achter zich. De zaden waren ontkiemd en staken hun eerste groene kopjes boven de grond uit. Toen ze de potten met zonnebloemen water gaf, tilde hij er een op om met zijn vingertop zachtjes over het piepkleine plantje te strijken.

'Ze doen het erg goed,' zei hij.

Ze draaide zich naar hem om.

'Misschien heb je er wel talent voor. Groene vingers.'

'Ik denk het niet.'

Hij raakte haar bijna nooit meer aan, maar nu legde hij een hand op haar schouder. Irini trok zich niet terug.

'Ik ben blij dat je een leuke bezigheid hebt, Irini,' zei hij. 'Ik wil je graag weer gelukkig zien. Ik wil dat we samen gelukkig zijn.'

Terwijl ze die woorden op zich liet inwerken, keek ze naar haar handen en de potjes met frisgroene blaadjes. Geluk is iets voor andere mensen, dacht ze. Ik heb alleen maar bloempotten.

Ze draaide haar gezicht naar hem toe. Op het moment dat hij de tranen over haar wangen zag rollen, sloeg hij zijn armen om haar heen om haar dicht tegen zich aan te houden.

'Ik verlang nog wel steeds naar je, Irini,' zei hij. Toen de straaltjes op haar wangen overgingen in een enorme tranenvloed, was hij al blij dat hij de schouder mocht zijn waarop ze uithuilde.

Even buiten het dorp, waar de brede, geterrasseerde akkers de contouren van de heuvels bleven volgen, vond ze in de buurt van de kapel van Sint-Fanouris een plaats om haar tuin aan te leggen. Andreas kocht tuingereedschap voor haar en ging mee om de harde grond klaar voor bebouwing te maken. Hij snoeide de breed uitwaaierende takken van de vijgenbomen en rooide de distels en het hoge onkruid.

Elke dag maakte ze de wandeling naar de tuin, met in haar hand een emmer om water uit de put van de kapel te halen. Toen de plantjes sterker werden, verspeende Irini ze. Zodra ze daarmee klaar was, kon ze alleen nog maar onkruid wieden en wachten tot alles zou gaan bloeien.

In het dorp werd over haar inspanningen gepraat. Ze was een gevallen vrouw en men twijfelde aan haar motieven.

‘Het is haar land helemaal niet,’ klaagden de vrouwen bij de kruidenier. ‘Ze probeert dat stuk grond gewoon in te pikken en het eigendomsrecht te krijgen. Waarschijnlijk zet ze er een hek omheen en blijft ze rustig zitten. Over tien jaar is die grond van haar, let maar op.’

De kruidenier schepte witte rijst uit een zak op de weegschaal en vroeg: ‘Van wie is het land dan?’

Niemand kon hem antwoord geven. Het stuk grond werd al jaren niet meer gebruikt en lag sinds de oorlog braak. Niemand wist nog wie er vroeger graan op had verbouwd.

De jongelui in de cafés beweerden dat het een afleidingsmanoeuvre was.

‘Ze spreekt daarboven met iemand af,’ zeiden ze. ‘Hij naait haar in de kapel.’

Maar hoewel ze ervan uitgingen dat ze na haar misstap talloze minnaars zou verslijten, werd er nooit een auto van een aanbidder gesignaleerd. De enige man met wie ze ooit werd gezien, was haar echtgenoot.

Toen ze geen bewijzen van een buitenechtelijke verhouding konden vinden, begonnen ze aan haar verstand te twijfelen.

‘Ze is knettergek,’ zeiden ze. ‘Een normaal mens loopt toch niet elke dag dat hele eind naar boven om een paar tomaten te kweken?’

Maar de oude mannen namen het voor haar op.

‘Door jullie motorfietsen, supermarkten en televisie zijn jullie lui geworden,’ zeiden ze. ‘Toen wij jong waren, moesten we kilometers lopen om het graan met de zeis te oogsten. We werkten het hele jaar door tot onze handen bloedden, en zorgden onder alle weersomstandigheden voor de gewassen. Als je niet bereid was om te lopen en te werken, had je niets te eten. Laat die vrouw toch met rust. Jullie zouden nog iets van haar werklust kunnen leren.’

Schaapherders die uit de heuvels kwamen, maakten een omweg om de tuin te bekijken. In de cafés brachten ze verslag uit van wat ze hadden gezien. Ze had hard gewerkt en de tuin was mooi geworden. De herders bekenden dat ze onder de indruk waren.

Theo hoorde ook dat zijn minnares hovenierster was geworden. Hij hoefde niet eens te vragen waar de tuin was, want dat kon hij uit de gesprekken wel opmaken. In zijn pick-up reed hij de heuvel op om een kijkje te nemen. Uit angst voor loerende blikken durfde hij niet te stoppen, dus daarom reed hij stapvoets langs de geterrasseerde stukken grond. Hij zag dat de harde grond goed was losgemaakt en dat de zaailingen in keurige, aangeaarde rijen waren geplant. In de hoeken stonden lichtblauwe bloemen al in bloei, maar hij was te ver weg om te kunnen zien welke soort het was.

Van de hovenierster ontbrak elk spoor.

De weersverwachtingen voor de komende week waren goed. De laatste winterkou was eindelijk uit de wind verdwenen, de lucht was fris en helder, de bergplanten stonden in bloei.

Andreas had een grote stapel kreeftenvallen in de boot gelegd en was na een vluchtige kus op Irini's wang al voor zonsopgang vertrokken.

'Reken er maar op dat ik vrijdag weer bij je ben,' zei hij, terwijl hij het vettige touw losmaakte waarmee de boot aan de pier was vastgemaakt.

Ze pakte hem bij de arm en drukte haar droge lippen even op zijn wang. Nog voordat hij de trossen losgooide, rook hij al naar vis.

'Pas goed op jezelf,' zei ze. 'Goede vangst.'

Later die dag, toen de zon wat kracht had gekregen, pakte ze de nieuwe rode gieter die hij voor haar had gekocht en begon langzaam aan de lange wandeling naar haar tuin.

Iemand had aan haar planten gezeten.

De breekbare stengels van de tomatenplanten waren allemaal geknakt, en de aubergines en zonnebloemen waren uit de grond getrokken. Hun verwelkte blaadjes waren al dof geworden, en hun felgroene tint maakte plaats voor een uitgedroogde, grijze kleur. De slakroppen met de donkerrode randjes waren vertrapt, en de kikkererwten, die het zo goed hadden gedaan, waren op de met stenen gemarkeerde bloembedden gegooid. De pot met groene munt stonk naar opgedroogde urine.

Ze nam plaats op de platte steen die de laatste tijd vaak als zitplaats diende, en liet haar blik over de verwoeste tuin dwalen. Ze keek over de graanvelden naar de bergen, die hun scherpe, rotsachtige pieken in de lucht staken. Achter de kapel smeekte een eenzame geit mekkerend om vrijlating uit zijn hok. Ver onder haar leek de donkerblauwe zee stil en rustig. Ergens in de verte was Andreas in zijn eentje aan het vissen. Op het eiland werd zijn vrouw omringd door mensen, maar toch was ze eenzamer dan hij.

Boven haar hoofd dreef een grote, wattige wolk, die voor de zon schoof en koude schaduwen over de grond wierp. Op de weg kwamen twee in het zwart geklede vrouwen pratend en met gebogen hoofd aanlopen.

Ondanks haar diepe zucht zag ze de schoonheid van dit bekrompen eiland. Aan de andere kant van de baai bood het vasteland talloze nieuwe mogelijkheden. Misschien was er toch nog een leven met Andreas mogelijk. Ze deed haar best om een man te vergeten die nog meer voor haar betekende dan hij. De tabletjes die ze zo zorgvuldig achter Sint-Elisabeth had verstopt, had ze weggegooid om de natuur haar gang te laten gaan. Misschien had Nikos wel gelijk, en was het moederschap de sleutel naar gemoedsrust.

In de verwoeste tuin zocht ze naar planten die gered konden worden. Eerst leek alles kapot te zijn, maar toen ze beter keek, kreeg ze weer hoop: de wortelgewassen waren nog intact en een aantal kruiden was onbeschadigd. In een verscholen hoekje stonden de lichtblauwe vergeet-me-nietjes nog uitbundig te bloeien.

Ze verzamelde de geknakte stengels van de kikkererwten.

Op de weg kwamen de in het zwart geklede vrouwen steeds dichterbij.

17.

De dikke man trof Theo aan op de plaats die zijn informant had genoemd.

Vanaf de andere kant van de binnenplaats bleef hij even naar de timmerman staan kijken. De bouwvakkers hadden hun deel van de renovatie afgerond, maar hadden een flinke puinhoop achtergelaten. Er lagen resten kapotte bakstenen en bouwblokken, een berg opdrogend, platgetrapt zand met voetafdrukken, lege sigarettenpakjes en talloze vochtige sigarettenpeuken. Theo had het rottende kozijn met het gebroken glas verwijderd. Het nieuwe grenen kozijn dat hij had gemaakt, stond al klaar tegen de gladde, nog niet eens opgedroogde pleisterlaag op de muren. In zijn handen had hij een hamer en beitel, waarmee hij de ruwe stenen in de raamopening bewerkte. Het klonkklonk van het metaal op de stenen had een geruststellend ritme. Opeens hield Theo op en zette hij zijn handen in zijn zij. Met gesloten ogen liet hij zijn voorhoofd tegen het koele pleisterwerk rusten, alsof hij te moe was om door te gaan.

De dikke man zette een stap in zijn richting, maar onder zijn voet knapte een glasscherf kapot. Geschrokken draaide Theo zich om. Bij het zien van de dikke man verstijfden zijn schouders. Hij zette de beitel weer op de muur en sloeg er met de hamer op.

'Zo, onze paden kruisen elkaar weer.' De dikke man klonk vriendelijk, alsof hij hun vorige gesprek allang was vergeten. 'Ik kom eens kijken of je al met me wilt praten, Theo.'

Zwijgend beitelde Theo stukjes van de stenen.

'Werk je in je eentje?'

De zon wierp donkere schaduwen over Theo's gezicht.

'Hoe wist u waar ik was?' vroeg hij. Hij bleef met zijn rug naar de dikke man staan en sprak tegen het lege huis, waar zijn woorden tegen de ongeschilderde plafonds en kale trap weerkaatsten.

'Van je broer,' zei de dikke man. 'Hij was bijzonder behulpzaam.'

Theo tikte twee keer nijdig op de beitel.

'Ik adviseer u om uit de buurt van mijn familie te blijven,' zei hij beheerst. 'U hebt het recht niet om hier herrie te schoppen en het me moeilijk te maken. Ik weet niet wat u komt doen, maar ik heb niets met u te maken. Ik ben gelukkig getrouwd.'

De dikke man trok sardonisch een wenkbrauw op.

In de hoek van de binnenplaats groeide een olijfboom, die met zijn lichtgekleurde blaadjes de oude waterput in de schaduw zette. De stokoude stam was onderdeel van de buitenmuur en vormde de hoekpaal van twee stenen wanden. Door de jaren heen was het knoestige, langzaam groeiende hout over de stenen wanden gegroeid en waren de harde randen van de muren in de bast verdwenen.

De dikke man ging onder de olijfboom staan en streek met zijn vinger over de kronkelige voren in de bast. Tussen de bladeren zaten nog een paar harde, groene olijven. De dikke man plukte er een en bekeek hem van alle kanten om de structuur en de vorm te bestuderen.

'Mooie oude boom, vind je niet?' vroeg hij, maar Theo gaf geen antwoord. 'Al vind ik olijfbomen wel de domste bomen die er zijn.'

Theo hield even op met hameren, en de dikke man voelde dat hij zin had om spottend te vragen hoe een boom in vredesnaam dom kon zijn. Maar hij zei niets en gaf nog een klap op de beitel.

'Neem nu bijvoorbeeld een sinaasappelboom,' vervolgde de dikke man. 'Een sinaasappelboom begrijpt onze behoefte aan mooie, lieflijke dingen. De geur van sinaasappelbloesem is een metafoor voor beminnelijkheid, en de vruchten van de boom zijn bedoeld om ons te verleiden. Ze lijken de mensen uit te nodigen om hun hand uit te steken en de sinaasappels te plukken. Eet me alsjeblieft op, lijken ze te zeggen. En waarom? Omdat de boom weet dat hij hulp nodig heeft om zijn pitten te verspreiden.' Hij tikte met zijn vinger tegen zijn slaap. 'De boom is slim. Hij weet dat we hem een handje kunnen helpen. Natuurlijk valt het fruit uiteindelijk vanzelf van de boom, maar die slimme oude sinaasappelboom wil zijn pitten overal verspreiden en weet precies hoe hij dat moet aanpakken. Hij nodigt ons uit om de vruchten te plukken en zorgt dat de pitten ergens ver weg belanden. Hij gebruikt het systeem om er zelf beter van te worden. Geven en nemen. Begrijp je wat ik bedoel, Theo?'

Theo zette de beitel tegen een steen boven zijn hoofd en gaf er een klap op. Er kwam een regen van poederige mortel naar beneden, die op het kozijn en de rug van zijn handen bleef liggen.

'Je moet je ogen beschermen als je zulke dingen doet,' zei de dikke man. Hij tikte met zijn hand op de stam van de olijfboom. 'Deze jongen is een koppige, oude dwaas. Er is niets viezers dan een olijf die recht uit de boom komt.' Hij hield de geplukte olijf omhoog. 'De vruchten zijn zo zuur dat zelfs de geiten ze niet willen eten. Als je een hapje neemt, verschrompelt je tong als een rozijn.' Hij gooide de olijf over de tuinmuur. 'Toch heeft deze boom dezelfde ambities als de sinaasappelboom. Hij wil zijn zaad verspreiden. En wij willen de vruchten hebben. Je zou zeggen dat een boom met zulke onsmakelijke vruchten het ons makkelijk zou maken om de vruchten te verzamelen. Maar nee hoor, de olijfboom maakt het ons nog eens extra moeilijk. Als we de vruchten willen plukken, moeten we er moeite voor doen. We moeten die arme oude boom zelfs met stokken slaan! Dat is toch niet te geloven? Een eerbiedwaardige, oude boom, die er bij elke oogst weer flink van langs krijgt. Die boom denkt niet na! Wij hebben hem nodig, hij heeft ons nodig. Waarom houdt hij zijn zaden dan zo krampachtig vast? Waarom geeft hij zijn oogst niet vriendelijk af, zoals de sinaasappelboom? En zal ik jou eens iets vertellen, Theo? Volgens mij ben jij ook een soort olijfboom. Het valt niet mee om van jou te plukken. Moet ik je soms slaan om mijn zin te krijgen?'

Theo legde zijn gereedschap op het raamkozijn.

'Vertel me eens over jou en Irini.'

Theo draaide zich om naar de dikke man, zoog langzaam het speeksel uit de binnenkant van zijn wangen en spuugde op de grond.

'Ik heb u al antwoord gegeven, en dit is de laatste keer dat ik het zeg,' zei hij. 'Ik kende die vrouw niet. Stop dat antwoord maar in uw reet en rot op.'

De dikke man plukte een blad van de olijfboom en liet het op de grond vallen.

'Zoals je wilt, Theo.' zei hij. 'Voorlopig zullen we het hier maar bij laten. Maar we zien elkaar terug, en dan...' Hij liep over de binnenplaats naar de straat, waar de weggegooide olijf in een plas regenwater was beland. '... misschien begrijp ik dan wat ze ooit in je heeft gezien.'

18.

Het was halverwege de middag. In de haven waren de winkels gesloten voor de siësta. Achter de klokkentoren liet een jongen zijn hengel tussen de olievlekken in het water zakken. Kleine, glinsterende visjes kwamen aanzwemmen om aan het uitgestrooide aas te knabbelen. Daarna verdwenen ze weer in de schaduwen tussen de aangemeerde boten. De politiewagen was weg.

Op de plaats waar hij had gestaan, vormde een rechthoek van droog beton een bleek eilandje op de beregende kade.

Het deed de dikke man genoegen dat de persoon die hij wilde spreken helemaal alleen in het politiebureau was. Chadiarakis zat achter zijn bijna lege bureau, met zijn drie zilveren mouwstrepen op de deur gericht. Zijn dichtgeknoopte jas spande zich om zijn brede borst, en onder de pennen op zijn bureau waren de sportpagina's van *Ta Nea* uitgespreid. Tijdens het lezen fronste Chadiarakis geconcentreerd zijn wenkbrauwen en volgde hij de regels met zijn stompe wijsvinger. Zijn natte, rode lippen vormden de woorden die hij las.

Op het moment dat de dikke man binnenkwam, keek de brigadier op van de krant. Zodra hij de dikke man zag, verscheen er een geniepige, voldane blik op zijn gezicht.

'De commissaris is naar u op zoek,' zei hij. Hij sloeg de krant dicht, vouwde hem in tweeën en streek met zijn onderarm over de vouw.

'Toevallig ben ik ook naar iemand op zoek,' zei de dikke man. 'Het ziet ernaar uit dat ik mijn doel eerder bereik dan uw baas, want ik was op zoek naar u, brigadier Chadiarakis.'

Die mededeling leek de brigadier nauwelijks te interesseren.

'De commissaris heeft de politie in Athene gebeld,' zei hij. 'Hij heeft gevraagd waarom ze interesse in de zaak-Asimakopoulos hebben en waarom ze u hebben gestuurd. In Athene wist niemand wie u was! U krijgt er straks flink van langs, vriend.' Hij leunde achterover op zijn stoel en vouwde zijn handen op zijn dikke buik.

'Wat een onzin!' zei de dikke man. 'Natuurlijk zijn er mensen in Athene die me kennen. Wat u bedoelt, is dat de mensen die me kennen niet voor de politie werken. Mag ik even gaan zitten?'

De brigadier liet de woorden van de dikke man met een verwarde frons van zijn donkere wenkbrauwen op zich inwerken.

De dikke man zette zijn weekendtas op de grond, tilde de bureaustoel van de magere agent over diens bureau heen en zette hem tegenover de brigadier.

Glimlachend ging hij zitten.

'Waarom wil de commissaris mij er trouwens van langs geven nu blijkt dat ik niet voor de politie in Athene werk? Er zijn duizenden mensen die niet voor de politie in Athene werken. Sterker nog, de meeste mensen doen ander werk. Wil hij die mensen er ook van langs geven?'

'U hebt zich voor politieman uitgegeven,' onderbrak de brigadier hem. Hij ging rechtop zitten, haalde de dop van een pen en deed de bureaula open waarin hij de juiste formulieren bewaarde. 'Dat is strafbaar.'

'Met alle respect, ik heb me voor niemand uitgegeven,' zei de dikke man. 'Ging de commissaris ervan uit dat ik voor de politie werkte? Dat is interessant. Nee, Harris – mag ik je Harris noemen? – de veronderstelling van je baas dat ik zijn collega ben, moet worden rechtgezet. Als je hem ziet, vertel hem dan alsjeblieft dat ik voor een andere instantie werk. Waar is de commissaris trouwens? Komt hij vanmiddag weer op kantoor? Ik wil graag iets met hem bespreken. Het gaat over jou.'

'Over mij?' vroeg de brigadier behoedzaam.

'Ik acht het mijn plicht als burger om hem te vertellen dat je een politiewagen voor privézaken hebt gebruikt.'

'Welke privézaken?'

'En wat nog veel interessanter is, dat je bij de rots bent gezien waar Irini Asimakopoulos is gevonden.'

De brigadier hief langzaam zijn blik op naar de dikke man. Hij liet zijn kin op zijn borst zakken, waardoor zijn dikke hangwangen over de strakke kraag van zijn overhemd lilden.

'Natuurlijk ben ik daar geweest,' zei hij voorzichtig. 'Ik heb helpen zoeken, dus het is logisch dat ik daar ben geweest.'

'Volgens mijn informatie ben je twee volle dagen vóór die reddingsoperatie al op die plek gesignaleerd.'

De brigadier probeerde met samengeperste lippen te glimlachen, waardoor er een dun straaltje speeksel van zijn mondhoek naar zijn kin liep. Hij veegde het vocht met de rug van zijn hand weg.

'Ik weet niet waar u het over hebt,' zei hij.

'Je bent daar in een politiewagen geweest. In burger. In je eentje. Ik denk tenminste dat je in je eentje was.'

'U mag denken wat u wilt.'

'Ik heb een getuige die je heeft gezien.'

Brigadier Chadiarakis lachte kort en hief zijn handen op, alsof de zaak hem begon te irriteren.

'Ik ben daar niet geweest,' zei hij. 'Waarom zou ik?'

'Dat is een heel goede vraag,' antwoordde de dikke man.

Op de binnenkant van zijn linkerschoen zat een groene veeg. Misschien was het een grasvlek, of anders een restant van schapen- of geitenkeutels. De dikke man haalde zijn flesje witsel uit zijn tas en boog zich voorover om de vlek weg te werken. Zijn stem klonk gesmoord nu hij zijn hoofd had gebogen, maar de brigadier luisterde goed en kon elk woord verstaan.

'Het is erg duur als je voor een grote reddingsoperatie het leger en een helikopter moet laten komen,' zei de dikke man vanonder het bureau. 'Een helikopter oproepen slaat een groot gat in een klein budget als dat van jullie. Ik kan me niet voorstellen dat jullie veel geld overhouden.' Hij bracht het witsel op zijn andere schoen aan. 'Dus ik vraag me af wat de commissaris zou zeggen als hij hoorde dat de helikopter helemaal niet nodig was geweest, en dat hij zich al het geld voor die reddingsoperatie had kunnen besparen. Ik neem aan dat dat geld eigenlijk voor iets anders was bestemd. Een paar nieuwe bureaus, misschien. Of anders een motorfiets met blauwe zwaailichten, om indruk op de dames te maken.'

Hij deed de dop op het flesje en liet het witsel in zijn weekendtas vallen. De glimlach van de brigadier was verdwenen.

'Ik vraag me af, Harris...' De dikke man stak zijn hand in zijn zak om zijn sigaretten en aansteker te pakken. 'Mag ik trouwens roken?' De brigadier knikte en keek toe terwijl de dikke man een sigaret opstak en genietend een trek nam.

De dikke man haalde de sigaret uit zijn mond en hield het gloeiende uiteinde voor zijn ogen.

'Sommige dingen in het leven zijn heerlijk, maar helaas slecht voor ons,' zei hij. 'Ik word te oud voor deze dingen. Ze maken je trager, vind je niet? Mijn vader zegt altijd dat ik moet stoppen, dus ik zal er wel een keer aan moeten geloven. Ooit. Maar vandaag niet.'

Hij zette de sigaret weer tussen zijn lippen om een trekje te nemen.

'Waar was ik gebleven?' vroeg hij. 'O ja, ik weet het weer. Ik vraag me af hoe veilig jouw positie is, Harris. Ik weet dat je een goede baan hebt. Een man in jouw positie krijgt op zo'n eiland veel respect. Heel veel "respect". Misschien zelfs veel geld. Cadeautjes hier en daar, een aardigheidje met oud en nieuw, iets leuks voor Pasen. Straks krijg je een uitstekend pensioen. Dat uniform is dus heel veel waard. Ik denk niet dat je het graag kwijt zou raken. Maar wat zou er gebeuren als iemand de commissaris vertelt dat je een politiewagen hebt misbruikt? Heeft hij al vrienden klaarstaan om jouw baan over te nemen? Neven en zwagers op Patmos die dolgraag een prettige, comfortabele plaatsing op een klein eiland willen? Zodra hij van jouw wangedrag hoort – *finito la musica*. Je zou een politieman in ongenade zijn, Harris. Dan zou het leven er heel wat minder aantrekkelijk uitzien, denk je niet?'

Hij nam nog een trek van zijn sigaret en blies de scherpe rook in de richting van de brigadier, die twee keer langzaam knipperde om zijn ogen te beschermen.

De dikke man glimlachte naar hem.

'Dus, Harris.' Hij liet een stilte vallen. De brigadier, die zich slecht op zijn gemak voelde, stak zijn hand uit naar een pen.

'Vertel op, Harris,' vervolgde de dikke man. 'Anders vergal ik je leven voor je.'

'Er valt niets te vertellen,' reageerde de brigadier stuurs.
'Vertel me wat je weet.'
De brigadier legde de pen terug.
'Dat gaat niet,' zei hij.
'Waarom niet? Omdat je haar hebt vermoord?'
De brigadier schudde lusteloos het hoofd.
'Ik heb haar niet vermoord.'
'Maar je weet wie de dader is, hè?'
De brigadier keek bezorgd in de richting van de deur. De dikke man leunde naar voren en bracht zijn gezicht vlakbij dat van Chadiarakis.
'Vertel op, Harris,' zei hij. 'Ik voer mijn dreigementen altijd uit.'
De brigadier keek hem aan voordat hij zijn blik afwendde om door het raam naar de grijze lucht en de zee te kijken. Er stond een verdrietige, berouwvolle blik op zijn gezicht. De dikke man maakte zijn sigaret uit en wachtte tot de brigadier met zijn verhaal begon.
'Ik heb haar niet vermoord,' zei de brigadier uiteindelijk. 'Ik heb het lichaam verplaatst. Meer niet.'
'Van welke plaats naar welke plaats?'
'Van de plaats waar het lag naar de plaats waar het werd gevonden.'
De dikke man liet zijn hoofd zakken en kneep in het tussenschot van zijn neus, tot de drang om een bitse opmerking te maken was verdwenen.
'Bedoel je dat jij haar van de rots naar beneden hebt gegooid?' vroeg hij.
De brigadier haalde een hand over zijn gezicht en wreef met gesloten ogen over zijn voorhoofd.
'Zo erg is dat toch niet?' vroeg hij. 'Ze was toch al dood.'
'Heb je een dochter, Harris?'
'Twee.'
'Het zijn vast schattige meisjes. Maar stel dat een van beiden onverwachts zou overlijden...'

'God verhoede dat,' zei de brigadier, terwijl hij een kruisteken sloeg. 'God verhoede dat!'

'Maar stel nu eens dat een van de meisjes dood zou gaan. Dat een van hen een ongeluk kreeg zoals het geval dat we nu gaan bespreken. Wat zou jij dan voor haar willen, Harris? Ik denk dat je haar thuis zou willen hebben, waar je vrouw en jij haar konden verzorgen. Ik denk dat je vrouw haar graag mooi zou aankleden. Ze zou willen dat haar familie naar haar kwam kijken en dat de priester voor haar kon bidden. Waar of niet?'

De brigadier zei niets.

'Ik wil dat je volkomen eerlijk tegen me bent. Als jouw dochter dood zou zijn, zou je het dan erg vinden als iemand – een politieman, bijvoorbeeld – haar lichaam van een rots zou gooien? Of zou dat niet uitmaken, omdat ze toch al dood was?' De brigadier huiverde, alsof hij Irini's koude, dode lichaam weer kon voelen. 'Ben jij zo kil, Harris, zo vreselijk harteloos? Of heb je gewoon geen fantasie en kun je je niet in een ander verplaatsen? Hoe kun je nu zeggen dat jouw rol er niet toe deed?'

'Ze was dood! Het maakte niet meer uit! Het was niet half zo erg als...'

Hij brak zijn zin af en verborg zijn gezicht in zijn handen, omdat hij besefte dat hij te veel had gezegd.

'Wat wilde je zeggen, Harris?' drong de dikke man aan. 'Niet half zo erg als de springlevende dader beschermen? Nu ben ik toch wel benieuwd, Harris. Waarom zou jij, een politieman, iemand beschermen die een moord heeft gepleegd?'

De brigadier gaf geen antwoord.

'Goed, dan beantwoord ik die vraag zelf wel. Je doet het niet voor geld. Daarvoor zijn moordzaken veel te ernstig. Welke motieven blijven er dan over?' Hij tikte ze op zijn vingers af. 'Liefde, misschien. Of familie. Of misschien wel allebei.'

De brigadier bleef zwijgen.

'Vertel op wie je beschermt, Harris,' zei de dikke man. 'Anders zorg ik dat jij van de moord wordt beschuldigd.'

De brigadier hief zijn hoofd op. Zijn ogen stonden vol glinsterende tranen.

'Dat lukt u nooit,' zei hij.

'Nou en of,' zei de dikke man glimlachend. 'Ik heb een getuige die je op die plaats heeft gezien. Een getuige die een hekel aan de politie heeft. Iemand die bereid zou zijn om te zweren dat hij je het lichaam van die arme Irini heeft zien dumpen. Het wordt groot nieuws, Harris, een verhaal dat de nationale pers haalt. Ik zie de krantenkoppen nu al voor me: Politieman Doodt Jonge Echtgenote. Je foto komt in het hele land op alle voorpagina's te staan. Daar zullen je dochters wel trots op zijn, of niet? Vertel me dus maar de waarheid.'

De brigadier hoefde niet lang na te denken.

'Het was een ongeluk,' zei hij. 'Dat is me verzekerd.'

De dikke man slaakte een zucht.

'Ik wil het hele verhaal horen,' zei hij.

De brigadier begon te vertellen.

Toen de dikke man het politiebureau verliet, kwam hij op de trap de commissaris tegen.

'Goedemiddag, commissaris,' zei de dikke man beleefd. 'Ik ben blij dat ik u zie.'

De politiecommissaris keek hem met een haatdragende blik aan.

'Loop dan nog maar even mee naar binnen,' zei hij. Zijn adem rook naar brandewijn. 'Ik heb nog een appeltje met u te schillen.'

'Dat klopt, maar ik zou niet weten waarom we dat hier niet kunnen bespreken,' zei de dikke man. 'Het is heel eenvoudig. Andreas Asimakopoulos heeft u betaald voor het vervalsen van de overlijdensakte van zijn vrouw, en ik wil dat hij dat geld terugkrijgt. Zoals u weet, was het immoreel en illegaal om zijn geld aan te nemen. Het was trouwens ook onnodig. Bij mijn aankomst zei ik al dat haar dood volgens mij geen zelfmoord was, en mijn vermoeden blijkt te kloppen. Verder wil ik dat u Janis Psaros vrijlaat, als u dat nog niet hebt gedaan, en dat u de schuld aan zijn vader afbetaalt.'

Op het gezicht van de commissaris verscheen een ondoorgrondelijk glimlachje.

'Gelukkig heb ik meneer Psaros vanochtend vrij kunnen laten,' zei hij. 'Ik heb alle aanklachten laten vervallen. Mevrouw Psaros heeft al laten zien hoe dankbaar ze daarvoor is. Maar verder hebt u het recht niet om mij orders te geven. We hebben namelijk navraag naar u gedaan. Inmiddels weet ik dat u niet degene bent die u beweert te zijn. Dat is strafbaar, en ik zal persoonlijk zorgen dat u daarvoor in de gevangenis belandt.'

De dikke man schoot in de lach.

'Ik begreep van brigadier Chadiarakis dat u me voor een politieman aanzag,' zei hij. 'Ik kan nauwelijks geloven dat u dat dacht. Zie ik eruit als een politieman? Ik zou me moeten schamen als u dacht dat ik me als een politieman gedroeg. Verder hebt u me nooit iets over mijn identiteit horen beweren. Kiest u zelf maar. Misschien ben ik gewoon een filantroop, of anders misschien een rijke man die het leuk vindt om zich met de levens van minder fortuinlijke mensen te bemoeien. Misschien heeft de politie me wel in dienst genomen om de corruptie in kleine, regionale korpsen te bestrijden. Misschien ben ik wel alle drie. Of geen van drieën. Misschien ben ik wel gestuurd door een nog hogere instantie. De allerhoogste. Moeilijk te zeggen, vindt u niet?' De dikke man knipoogde. 'Misschien ben ik wel gestuurd om onderzoek naar u te doen, commissaris.'

De commissaris lachte allang niet meer. Hij stopte zijn linkervuist in zijn rechterhand en kneep zo hard dat de botten kraakten.

'Goede vriend, volgens mij wordt het hoog tijd dat u dit eiland verlaat,' zei hij zachtjes.

'Wilt u me wegsturen?' vroeg de dikke man fronsend. 'Dan begeeft u zich op glad ijs. Per slot van rekening bevinden we ons in een vrij land.'

'Alleen als ik dat zeg.'

'U overschat uw eigen macht schromelijk, commissaris. Betaal dat geld terug. Dit is mijn laatste waarschuwing.'

De dikke man wilde de stenen trap af lopen en zette zijn voet op de volgende tree, maar de commissaris zette zijn hand tegen de muur om hem de weg te versperren.

'Voorzichtig,' zei hij. 'Anders gebeuren er ongelukken.'

'Dat zou kunnen, maar niet met mij,' zei de dikke man. 'Gelukkig sta ik heel stevig in mijn schoenen.'

'U bemoeit zich met politiezaken. Ik zou u moeten opsluiten.'

'Die bemoeizucht lijkt anders wel op zijn plaats,' legde de dikke man op schappelijke toon uit. 'De politie regelt haar eigen zaakjes namelijk niet. Wilt u me nu excuseren, commissaris?'

Hij keek verwachtingsvol naar de politieman. Op het moment dat Zafiridis met tegenzin een pas opzij zette, legde de dikke man peinzend een vinger op zijn lippen.

'Ik wilde u nog iets vragen,' zei hij. 'Ik vroeg me af of u van vogels houdt.'

'Vogels?'

'Vogels in kooitjes. Zangvogels. Kanaries. Leeuweriken.'

De commissaris keek de dikke man achterdochtig aan.

'Ik kan ze niet om me heen hebben. Ik ben allergisch voor veren,' antwoordde hij. 'Waarom wilt u dat weten?'

De dikke man glimlachte.

'Gewoon, nieuwsgierigheid,' antwoordde hij, voordat hij lichtvoetig de trap af rende.

19.

Toen de hemel in het oosten lichter begon te worden, strekte een witte haan zijn nek om een luid gekraai te laten horen. Met zijn kop in zijn nek knipperde hij met zijn wezenloze ogen, alsof hij luisterde of er een reactie kwam. In de verte klonk het antwoord van een andere haan, gevolgd door een tweede en een derde.

De dikke man had zijn raam open laten staan, waardoor de ijskoude, nachtelijke zeelucht zijn kamer was binnengeslopen. Huiverend kleedde hij zich zo snel mogelijk aan, in kleren die een vochtig, onzichtbaar rijmlaagje leken te hebben gekregen. Hij stopte een leeg lucifersdoosje in zijn zak en liep met vederlichte tred de trap af, de verlaten kade op. In de stilte kabbelde de zee zacht klotsend tegen de waterwering. In de verte, op het water, deinden de rode en groene lichtjes van een vissersboot op het ritme mee.

De dikke man nam de weg rond de landtong, waar de kale rotsen plaatsmaakten voor vlakker terrein. Terwijl de koudbloedige wezens nog sliepen, zocht hij onder geschikte stenen tot hij vond wat hij zocht. Hij tilde zijn prooi uiterst voorzichtig uit zijn donkere hol en stopte hem netjes weg in zijn lucifersdoosje.

De mensen hoorden de oproep om naar de vroege mis te komen. Over het hele eiland klonken zondagse kerkklokken, van het blikachtige getinkel van de klokjes die met de hand werden geluid tot het melodieuze, alpijnse geklingel van de automatische klokken van Ayia Triander.

In de deuropening van zijn kafenion streek de vroeger zo knappe Jakos zijn pommadekapsel glad en staarde naar de zee, alsof zijn hart en gedachten mijlenver weg waren.

De dikke man ging aan een tafel zitten en hield zijn hand voor zijn aansteker om te voorkomen dat de wind de vlam uit zou blazen. Terwijl hij een sigaret opstak, kwam Jakos zwijgend vanuit de deuropening naar hem toe.

'Kalimera,' zei de dikke man. Vandaag ging zijn begroeting niet vergezeld van een glimlach en een opgewekte toon. Jakos zei niets, maar wachtte zwijgend tot de dikke man zou bestellen. 'Koffie,' zei de dikke man, 'en een omelet, als je eieren hebt. Met kaas en ham, maar zonder tomaten.'

'We hebben wel eieren, maar geen vers brood,' zei Jakos onvriendelijk. 'Het is zondag.'

'Rooster het dan maar,' zei de dikke man. 'En denk erom, geen tomaten.'

De omelet was lekker. Hij was goed gekruid en was felgeel van kleur door de dooiers van de scharrelkippen. De dikke man stak nog een sigaret op en riep tegen Jakos dat hij graag een tweede kop koffie wilde. Nadat Jakos de tweede kop had neergezet, ging hij naast de dikke man zitten en staarde uit over de zee.

De dikke man nam een slok bittere koffie.

'Ik denk erover om vanochtend te gaan vissen, als iemand me kan vertellen waar ik mijn hengel moet uitgooien,' zei hij.

Jakos draaide zijn hoofd om de dikke man aan te kijken.

'Het is al te laat om vanochtend te gaan vissen, kapitein,' zei hij. 'De vissen hebben uren geleden al ontbeten.'

'De vis die ik in gedachten heb, ontbijt 's zondags niet,' zei de dikke man. 'In elk geval niet tot ze naar de kerk is geweest. Deze vis heet Eleni Tsavaris.'

Jakos krabde zich achter zijn oor en streek zijn keurige snor met zijn wijsvinger glad.

'Dat is een grote vis, vriend,' zei hij. 'U hebt een sterke lijn nodig om haar binnen te halen.'

'Die lijn heb ik al,' zei de dikke man. 'De vraag is alleen waar ik de hengel moet uitgooien.'

'Als ik u was, zou ik een kerk proberen,' zei Jakos. 'En als ik moest raden welke kerk, zou ik het eerst naar Ayias Lefteris gaan.'

De dikke man pakte zijn portemonnee en legde een royaal bedrag onder de asbak.

'Hartelijk dank,' zei hij.

'Bent u nog steeds met dat onderzoek bezig?' vroeg Jakos nieuwsgierig. 'Denkt u nog steeds dat er sprake was van boze opzet?'

'Boze opzet en wangedrag,' antwoordde de dikke man. Hij stond op, legde zijn rechterhand op zijn hart en strekte zijn linkerarm als een klassiek acteur. 'Ach waar geven de mensen ons, goden, nu toch de schuld van, door te beweren dat al hun lijden van ons komt. Hun rampspoed is, hun bestemming ten spijt, aan eigen verblindheid te wijten,' declameerde hij. 'Homerus. Hij begreep heel goed hoe de mensheid in elkaar zit.'

Jakos staarde hem verward aan. De dikke man, die besefte dat de café-eigenaar er niets van had begrepen, wenste hem een prettige dag.

Maar Jakos greep hem bij de arm.

'Wie heeft het nu gedaan?' vroeg hij. 'Weet u al wie de schuldige is?'

'Tot mijn genoegen ben ik daar inderdaad achter, ja,' antwoordde de dikke man.

'Wie is het dan?'

'Jakos, je begrijpt natuurlijk wel dat ik je dat niet kan vertellen,' zei de dikke man. 'Maar wees gerust, uiteindelijk zullen alle belanghebbende personen horen wat er is gebeurd.'

In het licht van de vele kaarsen was te zien dat de vrouwen van de congregatie zich verveelden. Achter de katheder zong een zeer kippige man met dikke brillenglazen een archaïsche, handgeschreven hymne uit een in leer gebonden boek. Een priester in een lang gewaad herhaalde elk kyrie eleison en rammelde met de ketting van een wierookbrander. Door de bedwelmende rook van de wierook en de kaarsen was het benauwd in de kerk. Vanaf de muren keken de vergulde afbeeldingen van Sint-Lefteris verdrietig naar beneden, alsof ze wanhopig waren dat de parochianen niet oprecht devoot waren. De kinderen speelden met brandende kaarsen en renden lachend door het pad. De vrouwen fluisterden, schoven heen en weer in hun bank en bekritiseerden de kleren van de anderen.

Achter in de kerk stond een zandkist met een rek brandende kaarsen, die door hun eigen hitte dropen en kromtrokken. Naast een voorraad nieuwe, opgestapelde kaarsen stond een offerschaal met munten en bankbiljetten. Een oude vrouw met slordig haar stond voor de lol met de kaarsen in de zandkist te spelen. Ze likte aan haar vingers om een paar kaarsen met haar natte vingertoppen te doven en haalde ze uit het rek. De overige kaarsen gaf ze een nieuwe plaats, de langste in het midden en de kortste aan de voorkant.

In het gewelfde voorportaal bleef de dikke man een poosje naar de breedvoerige liturgie staan luisteren, tot de vrouw bij de kaarsen het hete kaarsvet van haar vingers wreef, een handvol kaarsen omhooghield en hem wenkte.

Terwijl de liturgie eindeloos bleef doorzeuren – *Voor al diegenen die hun naasten onjuist bejegenen, of ze nu wezen verdriet doen, onschuldig bloed vergieten of haat met haat vergelden, laten wij bidden dat God hen tot inkeer laat komen, hun geest en hart verlicht en hun ziel aanraakt met liefde, zelfs voor hun vijanden. Laten wij bidden* – liep de dikke man over de rood met zwarte tegelvloer naar de vrouw. Hij hief zijn hand op ten teken dat hij de aangeboden kaarsen niet wilde hebben. Hij legde ook geen geld op de offerschaal, kuste de iconen niet en sloeg geen kruisteken. In plaats daarvan nam hij de oude vrouw voorzichtig bij haar knokige pols en trok haar naar zich toe om iets in haar oor te zeggen.

'Haal Eleni Tsavaris eens voor me,' zei hij. 'Zeg maar dat ik op het kerkplein op haar wacht.'

Buiten was het bewolkt, maar na de duisternis leek het gedempte daglicht bijna helder. Onder een bougainvillestruik met paarse bloemen stond een stenen bank, waarop wat afgevallen bloemblaadjes lagen. De dikke man veegde ze eraf en ging zitten wachten. Al gauw verscheen er een kleine vrouw met zwarte pumps in het kerkportaal. Zoals veel vrouwen van middelbare leeftijd was ze in de loop der jaren stevig uitgedijd, en onder de arm van haar mosgroene wollen pak droeg ze een ouderwetse enveloppentas. In haar vochtige, uiterst korte haar waren de scheidingen van een natte kam nog te zien, en haar huid was bleek, alsof ze nooit zonlicht zag.

De dikke man stond op en stak zijn hand naar haar uit. Ze liep over het plein naar hem toe, maar gaf hem geen hand.

'Eleni Tsavaris?' vroeg hij.

'U haalt mij uit mijn vrome toewijding aan de Heer,' zei ze scherp. 'Zeg wat u op uw hart hebt en laat me verder met rust. Anders gaan de mensen nog praten.'

Hij gebaarde naar de bank om haar uit te nodigen te gaan zitten. Ze deed net of ze het niet zag en stak haar kin in de lucht. Met samengeperste lippen hield ze haar tas als een barrière voor haar lichaam. De dikke man knikte beleefd, ten teken dat hij begreep dat ze liever bleef staan.

'Mijn naam is Hermes Diaktoros,' zei hij. 'Ik wilde je spreken over de dood van Irini Asimakopoulos.'

Ze knipperde met haar ogen en likte over haar bovenlip, waarop een paar donkere, mannelijke haartjes te zien waren.

'Waarom wilt u mij spreken?' vroeg ze.

Maar ze ging toch met haar tas naast zich op de bank zitten. Toen ze haar handen resoluut over elkaar vouwde, zag de dikke man haar vingertoppen trillen.

Hij ging naast haar zitten en leunde vertrouwelijk met zijn onderarmen op zijn knieën om de illusie van een intiem onderonsje te wekken. Om haar eerbaarheid te benadrukken, duwde ze haar knieën tegen elkaar en zette haar enkels vlak naast elkaar. Boven haar knellende schoenen waren haar voeten rood. Hoewel ze de pumps had gepoetst, was aan de lichter gekleurde vegen op de tenen en hakken te zien dat ze de schoenen al jaren in gebruik had. De parels in de kleine broche op haar revers waren niet echt.

'Kende je Irini?' vroeg hij.

'Nee, ik kende haar niet.'

'Maar je kende haar naam toch wel? Wist je dat ze dood was?'

Ze haalde haar schouders op.

'Natuurlijk. Dit is een klein eiland. Iedereen wist het.'

'Hoe is ze gestorven?'

'Waarom vraagt u dat aan mij?'

'Wat heb je gehoord?'

'Sommige mensen zeggen dat het een ongeluk was. Anderen dat ze zelfmoord heeft gepleegd.'

'Wist je dat je schoonzoon verliefd op haar was?'

'Die opmerking is een belediging voor mijn dochter en de eer van mijn familie,' reageerde ze boos. 'U hebt het recht niet om zulke dingen tegen me te zeggen.'

Ze wilde opstaan, maar de dikke man legde zijn hand op haar arm.

'Wacht even, Eleni,' zei hij, 'want anders haal ik Elpida uit de kerk. Ik neem tenminste aan dat jullie samen naar de kerk zijn gegaan. Dan vertel ik haar alles wat ik sinds mijn komst heb ontdekt.'

Eleni snoof, trok haar arm onder zijn hand vandaan en legde haar handen op haar schoot. De knokkel boven haar trouwring was dik en rood, alsof ze artritis had. De strakke gouden ring drukte diep in het vlees van haar vinger.

'Vertel me eens over Irini Asimakopoulos.'

'Ik kan u niks vertellen. Ik heb geen idee waarom u mij moet hebben.'

'Misschien moet ik erbij zeggen dat ik gisteren een babbeltje met je broer Harris heb gemaakt.'

'Harris is een idioot. Hij weet helemaal niets. Het is tijdverspilling om naar hem te luisteren.'

'Hij is als politieman behoorlijk buiten zijn boekje gegaan, maar hij is niet zo dom als je denkt,' zei de dikke man. 'Hij is slim genoeg om te weten dat hij hier niet voor op de loop kan gaan. Dat zou jij ook moeten weten.'

'Ik heb geen idee waar u het over hebt.'

'Misschien moet ik dan met je dochter praten in plaats van met jou. Misschien weet hij inderdaad niets, zoals je zegt. Per slot van rekening is Elpida degene die een motief had. Heeft Elpida het gedaan, Eleni?'

'Elpida was er niet eens!'

'Waar, Eleni?' vroeg de dikke man. 'Waar was ze niet?'

Ze gaf geen antwoord, maar trok een blad van de bougainville en liet het op de grond vallen.

'Ik zal het makkelijker voor je maken,' zei de dikke man. 'Ik ben niet van de politie.'

'Dan mag u me deze vragen helemaal niet stellen. U hebt het recht niet. En dus wil ik...'

'Laat me even uitpraten,' zei de dikke man. 'Ik ben privédetective. Je gaat niet naar de gevangenis voor je verhaal. Dat beloof ik je. Maar ik wil de waarheid wel boven tafel hebben. En als je me vrijwillig de waarheid vertelt, hoeven de gevolgen voor jou niet zo ernstig te zijn.'

'Maar u hebt geen gezag.'

'Volgens het wetboek van dit land niet, nee. Maar als de wetten van dit land tekortschieten, als er door corruptie, onwetendheid, bureaucratie of angst onrecht ontstaat, is het mijn taak om alsnog recht te doen. Het is mijn taak om de schuldigen te straffen.'

'De schuldigen straffen is de taak van Onze Heer, Jezus Christus,' zei ze. Ze maakte een kruisteken en hief haar ogen ten hemel, alsof ze om een bevestiging van haar vermanende opmerking vroeg. 'Als u het niet erg vindt, ga ik nu weer naar binnen om te bidden.'

'Wacht even, Eleni,' zei hij. 'Als je niet met me wilt praten, loop ik achter je aan naar binnen en vertel ik de hele kerk precies wat er volgens mij met Irini Asimakopoulos is gebeurd. Dan verkondig ik mijn mening over de reden van haar dood, de manier waarop ze is gestorven en wie ervoor verantwoordelijk was.'

Er verscheen een vals lachje op haar gezicht.

'U kunt geen enkele link tussen ons en de dood van die vrouw leggen,' zei ze.

'Daar vergis je je in. Ik heb het verhaal van je broer. En je hoeft niet boos op hem te zijn, Eleni, hij verkeerde in een onmogelijke positie. Hij had geen zin om de gevangenis in te gaan voor een misdaad die hij niet heeft gepleegd. Volgens mij weet ik precies hoe het is gegaan. Ik zal je mijn versie van de gebeurtenissen vertellen, maar ik wil dat je me corrigeert als ik een fout maak. Ik wil alles weten. Begrijp me goed: als je tegen me liegt, krijg je er spijt van. En geloof me, ik weet precies wanneer je tegen me liegt.'

Ze zei niets, maar prutste nerveus aan de broche met de nepparels door eraan te draaien en hem opnieuw op haar revers te spelden. Buiten de muren van het kerkplein renden opgewonden kinderen schreeuwend voorbij.

'Je dochter had huwelijksproblemen, hè?' vroeg de dikke man. 'Elpida kon Theo niet gelukkig maken. Misschien had ze hem niet genoeg te bieden. Wat denk jij?'

Hij had gedacht dat ze niet zou reageren, maar ze draaide haar hoofd naar hem toe en zei: 'Theo is een dromer. Voor sommige mensen is het gras ergens anders altijd groener.'

Hij wachtte of ze nog meer zou vertellen, maar ze hield haar mond.

'Hij deed wat vele mannen doen, hè?' vroeg de dikke man. 'Hij zocht een minnares. Dat komt wel vaker voor, het is niets bijzonders. Misschien heeft jouw man het ook wel gedaan.' Ze tilde vermoeid haar wenkbrauwen op om dat vermoeden te bevestigen. 'Maar uiteindelijk komen ze allemaal weer terug bij hun eigen vrouw.'

'Mannen zijn allemaal hetzelfde,' zei ze. 'Dat is altijd zo geweest en zal ook altijd wel zo blijven. En er zullen altijd hoeren zijn zoals zij.' Ze gebruikte het platste woord voor 'hoer', de benaming die op kazernes en in cafés werd gebruikt. 'Ik zal u eens iets vertellen over mijn echtgenoot. Mijn man. Ik heb jarenlang gepikt dat hij me bedroog met elke hoer die haar broek voor een knipoog en een glimlach liet zakken. Hij was niet kieskeurig. Hij deed het met elke vrouw die hem wilde. Als hij nu nog gewillige vrouwen kon vinden, zou hij het nog doen. Soms werd hij betrapt, en dan sloeg de echtgenoot van die vrouw hem bont en blauw. Dan kwam hij bebloed en met beurs getrapte, opgezwollen ballen thuis en kon hij een week niet lopen. En ik?' Ze keek naar haar broche, draaide hem een andere kant op en vervolgens weer terug. 'Ik was degene van wie ze schande spraken. Over mij werd geroddeld. Eleni Tsavaris weet niet hoe ze haar man thuis moet houden! Ik wist wat ze achter mijn rug over me zeiden, maar ik was sterk. Ik liet ze zien dat hun woorden me nog niet dat...' – ze knipte met haar vingers – '...konden schelen. We worstelden verder en ik slikte alles. We hadden een gezin, en ik wist dat hij altijd terug zou komen. Daarom hield ik me groot.

Maar Elpida zat anders in elkaar. Theo zat anders in elkaar. Ik had hem uitgekozen omdat hij anders dan andere mannen was. Hij was een rustige jongen. Hij was geen vrouwengek die achter alle meisjes aan zat. Ik wilde niet dat Elpida moest meemaken wat ik had doorgemaakt. Ik vond het onverdraaglijk als ze op die manier werd gekwetst. Ik wilde haar beschermen. Maar toen puntje bij paaltje kwam, lukte dat niet. Tegen de tijd dat ik wist wat er aan de hand was, had die hoer haar klauwen al in Theo gezet.'

Ze stak afwezig haar hand uit, plukte een van de paarse bloemen uit de boom en legde hem op haar handpalm. Nu de bloem van de tak was gehaald, werd hij minder mooi, en binnen een paar tellen was zijn perfecte vorm verdwenen.

'En wat Theo betreft...' Ze schudde haar hoofd, en er ontsnapte een sissende, geërgerde zucht tussen haar tanden.

'Theo bleek toch net als alle andere mannen te zijn.'

'Nee, Theo was juist anders dan die anderen. Theo nam geen genoegen met seks. Voor hem moest het liefde zijn. Alles of niets. Ik herinner me dat ik een keer bij hem langsging en hem huilend aan de keukentafel aantrof. Hij zat te janken als een meisje. Op dat moment wist ik dat we problemen konden verwachten, en dat was ook zo. Hij was al met hart en ziel van dat kreng. Mannen huilen niet voor niets. Toen ik hem zo zag janken, wist ik dat hij Elpida zou verlaten.'

Met het steeltje tussen haar duim en wijsvinger draaide ze de stervende bloem heen en weer.

'Ik vond het onverdraaglijk dat ze dit moest meemaken. Ik dacht aan de schande. Ze is een lief kind, een brave meid. Dit had ze niet verdiend. Ik wist niet wat ik moest doen, maar ik wist dat ik íéts moest doen. Toen kwamen de geruchten op gang. In de cafés hoorde George dat Theo met haar was gesignaleerd, en toen wist ik het. Toen wist ik wie mijn vijand was. En Elpida wist dat er iets mis was, maar ze wist niet wat. Ze hield van Theo – dat doet ze nog steeds. Maar hij houdt niet van haar, ik denk dat hij nooit van haar heeft gehouden. Dat was niet zo erg, zulke dingen moet je gewoon accepteren. Dat zei ik ook tegen haar. Maar het was wél erg dat hij verliefd op een ander werd. Wie moest er voor mijn Elpida en mijn kleine Panayitsa zorgen als hij wegging? Wie zorgt er dan na mijn dood voor hen? Je kinderen komen op de eerste plaats. Ze komen altijd op de eerste plaats. Dus toen ik wist wie ze was, gingen we naar haar toe om te zeggen dat ze van hem af moest blijven. We zochten haar op om met haar te praten.'

'We?'

'Ik. Mijn andere dochter, Yorgia. Mijn moeder. Een taaie oude dame, mijn moeder. Lijkt zo breekbaar als een kanariepiet, maar vergis je niet. Mijn vader was al net zo erg als George, hij neukte alles wat los- en vastzat. Maar ze was sterk en hield het met hem vol. Voor wat het waard was.'

Ze liet de wijd openstaande bloem met zijn troebele, verwelkte bloemblaadjes op de koude stenen vallen.

'We wisten waar we haar konden vinden. Ze had even buiten het dorp een tuintje.'

'Ik heb het gezien,' zei hij.

'Iedereen zei dat ze daar met Theo afsprak. We dachten dat we ze samen konden betrappen. Maar de eerste keer dat we erheen liepen, was ze er niet. We wachtten, maar ze kwam niet. Daarom trokken we een paar bloemen uit de grond, braken de tomatenplanten doormidden en vernielden wat groente. We liepen naar haar huis om het met haar uit te praten, maar daar troffen we ook niemand aan.'

'Je bent toch niet naar binnen gegaan?'

Eleni knipperde met haar ogen.

'Nee.'

'Weet je het zeker?'

'We zijn de binnenplaats op gelopen. We riepen haar naam, maar er kwam geen reactie.'

'Wat deed je toen je zeker wist dat er niemand thuis was?'

'Toen zijn we weggegaan.'

'Heb je niets anders gedaan voordat je wegging? Heb je bijvoorbeeld een vogel in een kooitje zien zitten?'

Ze wendde haar blik af.

'Ik vind het zielig als vogels in kooitjes zitten.'

'Heb je het arme beest vrijgelaten?'

Langzaam verscheen er een bitter glimlachje op haar gezicht.

'Zo zou je het wel kunnen noemen, ja. Ik heb dat vogeltje bevrijd, want nu hoeft hij niet meer voor zijn eten te zingen. Met dat vogeltje wilde ik haar waarschuwen, meer niet. Misschien hadden we het daarbij moeten laten. Maar moeder zei dat we nog een keer naar de tuin moesten gaan om de hoer goed bang te maken. Ik wist niet precies wat ze in gedachten had, en misschien wist ze dat zelf ook niet. Daarom gingen we de volgende dag samen terug. Deze keer troffen we haar wel aan.'

In de hoogste takken van een cipres zat een duif te koeren. Eleni keek naar het dier en sloeg haar ogen neer naar haar handen. Ze spreidde en bestudeerde haar vingers alsof ze ze nog nooit eerder had gezien.

'Ik wil het hele verhaal horen, Eleni,' zei de dikke man.

'We kwamen over de weg aanlopen. Ze was bezig om de kikkererwten op te rapen die we de dag ervoor hadden afgebroken. Ze zag ons over haar voetpaadje aankomen. Ze kende ons niet, dus ze zal zich wel hebben afgevraagd wie we waren en wat we wilden. Ze zag er heel gewoontjes uit – mijn Elpida was vroeger veel mooier. Soms vraag je je af wat ze eigenlijk bij een ander zoeken, vindt u niet?'

Ze stelde de vraag alsof ze een antwoord verwachtte, maar vervolgde haar verhaal toen een reactie uitbleef.

'In het begin was ze heel beleefd. Ze wenste ons kalimera. Maar toen barstte moeder los. Ze zei dat ze uit zijn buurt moest blijven, dat hij niet van haar was, dat hij van onze Elpida was. Ze schold haar uit voor hoer, teef en alle lelijke woorden die ze maar kon bedenken. Toen begon het haar te dagen. Met haar handen op haar heupen en haar neus in de lucht wilde ze weten wie we waren. Ze vroeg zich af waar wij ons verdomme mee bemoeiden, en ik vertelde haar dat we familie waren. Ik zei dat mijn familie geen behoefte had aan vrouwen die andermans huwelijk verwoesten, en zij zei dat ze niemands huwelijk kapot had gemaakt. Ze zei dat Theo nooit meer iets tegen haar zei en zelfs nooit meer naar haar keek. Ze zei dat het allemaal voorbij was, afgelopen. Toen noemde ik haar een leugenaarster én een hoer.'

'Ik denk dat ze de waarheid sprak,' onderbrak de dikke man haar. 'Ik denk dat zij het in elk geval zo zag.'

'Hoe weet u dat? Waarom denkt u dat ze de waarheid sprak? Zulke hoeren zouden op het leven van hun kinderen nog zweren dat zwart eigenlijk wit is. Zulke vrouwen weten niet eens wat waarheid is. Ze kunnen alleen maar liegen.' Haar gezicht was rood en lelijk van bitterheid. Terwijl ze sprak, belandden er druppeltjes spuug op zijn kleren. 'Dat zeiden we ook tegen haar. Moeder zei dat ze een leugenachtig kreng was en begon de tuin te vertrappen. Toen begon de hoer te schreeuwen *ga weg, ga weg*, en ze pakte mijn moeder bij de arm. Mijn moeder is heel teer, ze heeft broze botten. Ze had haar arm wel kunnen breken. Dus toen zei ik, *hoe durf je mijn moeder aan te raken*, en gaf haar een klap in het gezicht. Niet hard, maar ze vond het niet leuk en draaide zich om om weg te lopen. Ze liep een stukje van ons vandaan. Moeder was kwaad dat ze ons niet met respect behandelde. Ze pakte een kluit aarde van de grond en zei, *we zullen haar eens laten zien hoe dit vroeger werd opgelost, we zullen eens laten zien wat er met een teef als zij gebeurt*, en gooide de kluit aarde naar haar toe. Ze gooide heel hard, de kluit raakte haar op de rug en toen werd de hoer ontzettend kwaad. Ze kwam met grote stappen terug en schreeuwde *wie deed dat? Wie heeft die kluit gegooid?* Toen raapte moeder een steen op en zei *dat was ik*. Ze gooide de steen, die haar op de arm raakte. Daar leek ze ontzettend van te schrikken, en ik dacht, *dit is de beste manier om haar te laten zien dat we het menen*. Dus toen gooide ik ook een steen. Een kleintje. Maar moeder had een grotere, die haar op het voorhoofd raakte. Ze wankelde en bracht haar hand naar haar voorhoofd. Er zat een snee, die flink bloedde. Ze keek naar ons en vroeg *waar zijn jullie in hemelsnaam mee bezig?* Moeder gooide nog een steen, dus toen deed ik dat ook. We gooiden niet hard, maar tot mijn genoegen zag ik dat we haar pijn deden. We raapten twee, drie stenen tegelijk op en bekogelden haar ermee. Ze schreeuwde *help, help*, maar er is daarboven niemand die haar kon horen. Toen begon ze te gillen en probeerde ze te vluchten. Maar ze kon niet hard lopen, want ze hinkte omdat we haar knieën hadden geraakt. Ik sneed haar de weg af en ging voor haar staan. Toen begon ze te smeken. Ze zei *hou in godsnaam op*, en moeder zei *je hoeft God niet aan te roepen, want voor wijven als jij is er geen God*.'

Ze zweeg. Toen de wind de toppen van de cipres heen en weer liet zwaaien, vloog de duif in de richting van de zee.

'Eleni?'

'Ze dook helemaal in elkaar en legde haar armen over haar hoofd. Ze lag te snikken – ik zag haar lichaam schokken – en ze bleef maar zeggen *hou alsjeblieft op, hou alsjeblieft op*. Ze was vuil en er zat bloed op haar kleren. Toen ik met mijn voet tegen haar aan porde, jankte ze als een hond en toen zei ik tegen mijn moeder, *zo is het wel genoeg, ze heeft haar lesje wel geleerd*. Maar moeder wilde niet ophouden. Ze was ontzettend boos en fel. De hoer lag op de grond en moeder raapte een steen op. Ze hield hem boven het hoofd van de hoer en ik schreeuwde *nee*. Ik pakte de steen af, ik haalde hem uit haar handen. Ik dacht, *die is veel te zwaar voor haar, straks laat ze hem nog vallen*. Dus toen had ik de steen in mijn handen. Ik weet nog hoe zwaar hij was. Ik wilde hem neerleggen, weggooien, maar toen dacht ik dat we misschien nog niet genoeg hadden gedaan. Een paar littekens zouden een blijvend souvenir vormen en haar elke dag weer waarschuwen dat ze ons met rust moest laten. Ze had haar gezicht naar me toe gedraaid, ze keek me aan, en ik wilde dat de steen op haar wang of op haar kin zou belanden. Ze zag wat ik dacht en zei *nee*... Toen liet ik de steen vallen.' Uitdagend keek ze hem aan. 'Hoe kon ik nu weten dat de gevolgen veel erger zouden zijn? We wilden haar alleen maar bang maken, meer niet.'

'Jullie hebben haar gestenigd,' zei de dikke man zacht. 'Jullie hebben haar van het leven beroofd door haar te stenigen.'

Eleni zei niets. De dikke man stond op en stak met zijn rug naar haar toe een sigaret op. Even werd er geen woord gesproken.

'En toen jullie je probleem hadden opgelost, zaten jullie met een lijk,' zei hij.

'We bedekten haar met de planten die we uit de grond hadden getrokken, en daarna ging ik meteen naar Harris. Ik wist dat hij ons zou helpen. Hij heeft geen behoefte aan een schandaal, dus hij wil alles doen om problemen te voorkomen. De volgende ochtend gingen hij en ik vóór zonsopgang terug naar de tuin. Ze was niet als vermist opgegeven. Haar man zat op zee.' Hij dacht aan die arme Andreas, die troost zocht in de whisky. 'We zetten haar voor in de politiewagen en Harris nam haar mee de berg op. Ik zei dat de blauwe plekken van de stenen niet meer zouden opvallen als ze van de berg naar beneden viel.'

Hij nam een lange trek van zijn sigaret en draaide zich naar haar om.

'Eleni,' zei hij, 'kijk me aan. Je hebt een wrede moord gepleegd.'

'Het was geen moord,' reageerde ze koeltjes. 'Het was nooit de bedoeling om haar te doden. Het was een ongeluk.'

'Nee,' zei hij. 'Het was geen ongeluk. Je moeder en jij vonden dat jullie eigen ongelukkige leven je het recht gaf om een ander te straffen. Maar je hebt net zelf gezegd dat het aan een hogere instantie is om iemand te straffen. Je hebt gehandeld uit wraak voor je eigen ellende.'

'Ik deed wat ik moest doen om mijn kind te beschermen. Ik zou het zo weer doen. Ik heb er geen spijt van.'

'Er zou een rechtszaak tegen je aangespannen moeten worden.'

'Maar u hebt geen bewijs. En geen wettelijk gezag.' Ze stond op van de bank en streek de kreukels uit haar rok.

Hij schudde gelaten zijn hoofd.

'Nee. Er is inderdaad geen bewijs. Er is alleen nog zoiets als een geweten. En als jij geen geweten en geen spijt hebt, hebben wij niets meer te bespreken. Hier. Ga maar weg.'

Hij stak haar tas naar haar uit, maar toen ze hem aannam, haakte hij zijn vinger achter de sluiting. De tas schoot open en de inhoud viel op het stenen kerkplein. Vlug boog hij zich voorover om de gevallen voorwerpen op te rapen. Nadat hij haar zakdoek, poederdoos, kleingeld en icoontje van aartsengel Michaël weer in de tas had gestopt, drukte hij de sluiting dicht.

'Ga maar.'

Hij keek haar na toen ze op haar gemak door de openstaande kerkdeur naar binnen liep. Ze verdween in de duisternis als een gelande vis die het vertrouwde water weer inglipt. Zodra ze uit het zicht was, pakte hij zijn weekendtas en liep achter haar aan. Terwijl de liturgie maar bleef doorzeuren, keek hij vanuit het kerkportaal naar binnen.

Meester, aanvaard ook uit de mond van ons zondaars de hymne van het Driemaal Heilig en bezoek ons in Uw goedheid.

De vrouw die bij de kaarsen had gestaan, pakte de offerschaal en gaf een stapel kaarsen aan een meisje in een roze jurk. Samen liepen ze naar de kleine congregatie.

Vergeef ons alle vrijwillige en ongewilde fouten. Heilig onze zielen en lichamen en geef ons om U in heiligheid te dienen alle dagen van ons leven...

De vrouwen openden hun zondagse handtas en staken hun hand erin om kleingeld voor kaarsen te zoeken.

De dikke man wachtte.

Hij hoorde iemand gillen en naar adem snakken. Tussen de banken weerklonk geroezemoes, dat aanzwol tot geschreeuw. De liturgie werd stopgezet en een aantal vrouwen begon opgewonden te praten. Een vrouw begon te huilen, en het meisje met de kaarsen rende langs de dikke man heen naar buiten.

De dikke man kuierde de kerk binnen en liep over het middenpad naar de plaats waar iemand te midden van een groepje vrouwen kreunend haar hand vasthield.

Over hun hoofden heen riep hij: 'Ben je gewond, Eleni?'

Hij kreeg antwoord van een andere vrouw, die door het drama een opgewonden glans in haar ogen had gekregen.

'Een schorpioen!' zei ze. 'Een schorpioen in haar handtas! Ze werd gebeten toen ze wat kleingeld wilde pakken!'

'Nee maar!' zei de dikke man. 'Heb je pijn, Eleni?'

Maar Eleni leek hem niet te horen of te herkennen. Daarom richtte hij zich weer tot de vrouw naast hem.

'Ik heb begrepen dat een schorpioenenbeet erg pijnlijk is,' zei hij.

Vergenoegd knikte ze met haar hoofd.

'De neef van mijn vader is eraan overleden,' vertelde ze. 'Zijn arm zwol op als een ballon, en hij kreeg bloedvergiftiging. De dokter was te laat om hem te redden.'

'Voor sommigen is het slechts een speldenprik, voor anderen

kan het fataal zijn,' zei de dikke man. 'Dat weet je nooit van tevoren. Tja, niets is zeker in het leven.'

Hij keek op zijn horloge.

'Ik moet gaan,' zei hij. 'Jullie redden het verder wel. Doe de hartelijke groeten aan mevrouw Tsavaris.'

Buiten brak het zonnetje door de wolken heen. De wind, die over de kerkmuur heen waaide, rook naar vroeg bloeiende jasmijn. De dikke man haalde een reep chocola met amandelen uit zijn tas, stak genietend een stukje in zijn mond en vervolgde zijn weg.

20.

Bij Theo Hatzistratis was niemand thuis. Daarom schreef de dikke man een briefje, waarin hij zijn woorden zorgvuldig koos.

Wees alsjeblieft zo vriendelijk om morgenochtend om tien uur naar de pier van Sint-Savas te komen, schreef hij. *We hebben veel te bespreken, en ik heb niet veel tijd meer.*

Hij ondertekende het briefje sierlijk met *Hermes Diaktoros, privédetective* en stopte het in de brievenbus, waar Theo het niet over het hoofd kon zien.

Op het dienstrooster voor het raam van de rederij zag hij dat er die avond een veerboot werd verwacht. Vanuit de telefooncel bij het postkantoor belde de dikke man het politiebureau. De kleine, magere agent nam op. Op de achtergrond was een radio te horen.

'Goedemorgen,' zei de dikke man. 'Kan ik commissaris Zafiridis even spreken?'

'Hij is er niet,' zei de iele agent kortaf. 'Probeer het morgen nog maar eens.'

'Wil je hem misschien een boodschap doorgeven?' vroeg de dikke man. 'Van Hermes Diaktoros. Uit Athene. Misschien ken je me nog.'

Het bleef even stil. Op de radio zong een vrouw dat ze eenzaam was.

'Als het dringend is, wil ik wel een boodschap aannemen,' zei de agent.

'Zeg alsjeblieft dat een wederzijdse kennis vanavond met de veerboot arriveert,' zei de dikke man. 'Het is een oude vriend van Patmos, met wie ik zaken doe. Ik noemde de naam van meneer Zafiridis, en zijn oude vriend wil hem heel graag zien. Wil je aan meneer Zafiridis vragen of hij na aankomst van de veerboot met ons uit eten gaat?'

'Ik zal de boodschap doorgeven,' zei de agent.

Te voet ging de dikke man op weg naar de hoger gelegen uithoeken van het dorp. Ergens hoorde hij iemand met een mattenklopper tegen een kleed over de waslijn slaan. Bij andere huizen gooiden mensen een emmer water leeg, sneed iemand groente op een houten keukenblok en veegde iemand met een bezem zijn binnenplaats schoon. Afgezien van deze zachte, ouderwetse huishoudelijke geluiden, die vanachter muren en door openstaande ramen naar hem toe dreven, was het helemaal stil in de wijk. Tussen de steile kinderkopjes van de smalle straten groeide onkruid. De takken van oude amandelbomen, granaatappelbomen en mispels hingen laag over de weg.

Hij passeerde een kiosk, die op zondag halfhartig werd opengehouden door een vrouw die tuinbonen zat te doppen. Nadat ze de lange, groene peulen had opengedrukt, tikte ze de grijze, niervormige bonen in een schaal. Ze wees hem de weg, maar haar aanwijzingen waren zo ingewikkeld dat hij ze vergat. Daarom vroeg hij even verderop aan een jongetje de weg. De jongen leidde hem nog dieper het labyrint in, tot ze bij een gietijzeren hek in een muur kwamen.

'Hier,' zei het jongetje. 'Hier woont ze.'

De dikke man gaf hem iets voor zijn moeite en keek hem na toen hij dolblij wegrende. Al gauw stierf het geluid van zijn rennende voetstappen in de smalle straatjes weg. De dikke man tilde de hendel op en duwde het roestige hek aan de spijlen open. Het volgende moment bevond hij zich in een overwoekerde tuin vol hoge distels en pluimgrassen, die kleur kreeg door bloeiende, rode wilde klaprozen. Een pad van stapstenen leidde naar een huis dat op instorten stond. Er liep een grote scheur van het dak tot de drempel, en onder de loshangende luiken op de eerste verdieping hadden zich uitschieters van een klimop genesteld.

De deur was al vele jaren niet meer geschilderd, en de laatste restjes verf bladderden als schilfertjes af. Tussen de deurpost en de muur wiegde het dode lichaam van een langpootmug in een kapot spinnenweb heen en weer. De verfijnde, koperen deurklopper, een elegant handje in een handschoen, werd ontsierd door een groene oxidatielaag. De dikke man tilde de klopper op en liet hem op de deur vallen. Daarna tikte hij drie keer snel met zijn knokkels op de deur.

Het leek wel of ze alles erg traag deed. Ze slofte op haar pantoffels naar de deur, schoof langzaam de stroeve grendels eraf en zocht een hele poos naar een sleutel die niet in het slot zat. Terwijl ze de sleutel zocht en op haar pantoffels heen en weer liep, riep ze dat ze eraan kwam en begon ze aan een gesmoorde, binnensmondse monoloog. Ze kondigde aan dat ze de sleutel had gevonden, maar leek het meer tegen zichzelf dan tegen hem te hebben. Hij hoorde dat ze de sleutel met een luid gekletter op de tegelvloer liet vallen en zich mopperend bukte om hem op te rapen.

De sleutel knarste in het slot en de deur ging open. Ze kneep met haar ogen en knipperde als een nachtdier dat aan het daglicht moet wennen. Haar grijzende haar was aan de achterkant afgeplat, alsof ze net uit bed kwam. Onder de ongelijke zoom van een zelfgemaakte rok stak haar witte kanten onderrok fel af tegen de verschoten, zwarte serge.

'Ja?'

'Sofia?' vroeg de dikke man. 'Sofia Bakas?'

Ze tuurde ingespannen naar hem, waardoor ze lijntjes in haar gezicht kreeg.

'Ken ik u?' Ze stelde de vraag aan zichzelf, niet aan hem. Met gefronste wenkbrauwen begon ze langzaam in haar geheugen te graven.

'Nee,' zei hij, 'je kent me niet. Mijn naam is Hermes Diaktoros. Ik kom uit Athene. Ik zou je graag even willen spreken.'

'Nou, kom maar binnen, hoor,' zei ze, terwijl ze achteruit stapte. 'Kom binnen.'

Hij liep achter haar aan naar de keuken. Hij rook onmiddellijk dat er muizen in huis zaten, en de schimmelgeur van de donkere vochtplekken op het plafond sloeg op zijn keel. Hij kuchte zachtjes en legde zijn hand op zijn borstbeen.

'Neem me niet kwalijk,' zei hij. 'Ik heb al een paar dagen last van kou op de borst.'

'Dan wilt u misschien wel een kopje thee,' zei ze aarzelend. 'Saliethee is erg goed als je kou hebt gevat.'

Hij glimlachte.

'Dank je. Dat is erg aardig van je.'

Onder een druppende kraan vulde ze een pannetje met water. Nadat ze de pan op het vuur had gezet, schuifelde ze naar een kast waarin spotgoedkoop serviesgoed was uitgestald. Uit de open kast kwam een muffe, benauwde geur, en tussen de theekopjes lage zwarte muizenkeutels. Ze zette zwijgend thee, alsof ze was verleerd hoe ze een gesprek moest voeren. Elk onderdeeltje van haar taak, of het nu het afspoelen van een lepeltje of het schoonvegen van de tafel was, leek veel langer te duren dan nodig was. Ze rekte alle bezigheden vreselijk uit, waardoor ze zich verraadde als een van die mensen die veel te veel tijd en geen enkele afleiding hadden.

Ze gaf hem een kop thee en bood hem een eenvoudig koekje uit een geopende rol aan. Hij nam er glimlachend een uit en beet erin. Het koekje was door het vocht zacht geworden en smaakte naar schimmel.

Ze ging tegenover hem zitten en keek toe terwijl hij een slokje thee nam.

'Je vraagt je zeker wel af wat ik kom doen,' zei hij, al was duidelijk te zien dat ze helemaal niet nieuwsgierig was.

'Is uw thee zoet genoeg?' vroeg ze. 'Als u wilt, kan ik er nog wat extra suiker in doen.'

'Nee, nee,' zei hij. 'De thee is prima. Sofia, ik heb nieuws voor je. Over je man, Stamatis.'

De wezenloze blik verdween van haar gezicht en maakte plaats voor een diepe, gespannen frons. Ze raakte helemaal van slag en haar onderlip trilde, alsof ze elk moment in tranen kon uitbarsten. Om haar agitatie te verbergen, legde ze haar hand op haar kin.

'Nieuws,' zei ze tegen zichzelf. 'Er is nieuws.' Ze haalde haar hand van haar kin en legde hem beschermend op haar hart. 'Wat komt u me vertellen?'

'Ik weet niet of je het goed of slecht nieuws vindt,' zei de dikke man. 'Stamatis is dood.'

Na een korte aarzeling vroeg ze: 'Weet u het zeker? Weet u heel zeker dat hij het is?'

Uit zijn zak haalde hij een beschadigd, koningsblauw doosje waarop in sierlijke letters de naam van een goudsmid stond. Over de tafel schoof hij het doosje naar haar toe. Voorzichtig haalde ze het dekseltje eraf en pakte een trouwring uit de witte satijnen bekleding. Ze hield de ring omhoog om de inscriptie aan de binnenkant te lezen: Stamatis – Sofia 1966. Ze spreidde de vingers van haar rechterhand op tafel en legde het sieraad naast de ring om haar vinger. Haar eigen ring was iets smaller, maar het was duidelijk dat de ringen bij elkaar hoorden.

Met gesloten ogen stond ze zichzelf een glimlach toe.

'Goddank,' zei ze. 'Eindelijk kan ik God dankbaar zijn.'

'Je bent vrij, Sofia,' zei hij zacht.

Ze bedekte haar gezicht met haar handen en begon te huilen.

De dikke man hurkte naast haar stoel. Hoewel het heel onbehoorlijk was om haar zomaar aan te raken, sloeg hij een arm om haar gebogen schouders heen. Hij hield de huilende vrouw dicht tegen zich aan tot de tranenstroom afnam, en drukte vervolgens zijn zijden zakdoek in haar hand.

Terwijl zij haar neus afveegde en de tranen uit haar ogen wreef, ging hij weer op zijn stoel zitten.

'God zegene u, meneer,' zei ze. 'God zegene u dat u zulk goed nieuws komt brengen.' Haar wangen werden rood van schaamte. 'Wat klinkt dat afschuwelijk,' fluisterde ze. 'Wat moet u wel van me denken? Arme Stamatis. Arme, arme Stamatis.'

Maar de dikke man schudde zijn hoofd.

'Je hoeft voor mij de schijn niet op te houden, Sofia. Ik kan alleen maar gissen hoe afschuwelijk je leven is geweest en hoe erg je hebt geleden.'

'Het valt niet mee om achtentwintig jaar lang te hopen dat iets nooit zal gebeuren,' zei ze. 'Al die tijd heb ik gehoopt dat hij nooit terug zou komen.'

'Dat kan ik me voorstellen, Sofia. Achtentwintig jaar is een lange tijd.'

Ze pakte een hoekje van de zakdoek en begon de zijde in kleinere vierkantjes te vouwen.

'Elke dag ben ik bang geweest dat hij terug zou komen. Bang dat hij opeens voor mijn neus zou staan en me nog erger voor gek zou zetten dan toen hij wegging. Een week zijn we samen geweest. Voor die ene week heb ik de rest van mijn leven moeten boeten. Geen kinderen, geen kleinkinderen, geen geld. Nooit een mooie jurk of een dansfeest. Het leven van een weduwe, het bestaan van een oude vrouw. Ik was zeventien. God mag me straffen, maar ik haatte die man. Toch beschermde ik hem. Vraag me niet waarom, want ik weet het zelf niet. Het was zijn schuld, niet de mijne. Hij was geen donjuan. Hij viel niet op vrouwen en hij walgde van mij. Ze zeiden dat ik niet mooi genoeg was, dat ik hem niet kon behagen. Ik geloofde het, want ik was een onschuldig plattelandsmeisje dat niet beter wist. Ik was nog zo groen als gras. Maar tegenwoordig zien we steeds meer van de wereld. Op televisie laten ze ons alles zien. Ik was 's avonds een keer bij Maria toen ze op het nieuws een schandaal behandelden. Het ging over een politicus die allemaal vriendjes had gehad. Mijn zwager noemde hem een *poustis*. Ik vroeg: "Wat is een poustis?" Hij moest lachen om mijn onwetendheid en zei: "Een man die niet van vrouwen houdt, die hem alleen maar omhoog krijgt voor andere mannen." Dat was een openbaring voor me, alsof er in mijn hoofd een lichtje ging branden. Ik zei: "Zo was Stamatis ook." Ze staarden naar me. Ze staarden allemaal naar me, alsof ik hen in verlegenheid had gebracht. Ik zei: "Moeder heeft me aan een poustis uitgehuwelijkt." En toen zeiden ze: "Sofia, dat mag je niet zeggen. Als Stamatis' familie dat hoort, slepen ze ons voor de rechter." En Maria zei: "Schuif je eigen tekortkomingen niet op een ander af."'

Er viel een stilte. De zakdoek was opgevouwen tot een klein, zijden pakketje, dat ze midden op de tafel legde.

'Ik heb nog iets voor je,' zei hij.

Uit zijn borstzak haalde hij een visitekaartje.

Ze keek er op. Er stonden een naam en adres in Athene op.

'U bent advocaat.'

'Ik niet,' zei hij. 'Ik ben slechts een boodschapper. Dit is het kaartje van Stamatis' advocaat. Wettelijk ben je nog steeds met Stamatis getrouwd, dus daarom ben je zijn naaste familie. Volgens de wet erf je al zijn bezittingen.'

'Al zijn bezittingen? Is dat veel?'

'Dat weet ik niet, Sofia. Misschien is het niets.'

'Nee, het zal wel niet veel zijn.'

'Maar misschien is het wel een fortuin. Sofia, je leven is nog niet voorbij.'

'U vergist zich,' zei ze. 'Mijn leven was al voorbij op het moment dat hij wegging. Ik heb als een oude vrouw geleefd en ben daardoor oud geworden.'

Hij boog zich naar haar toe om zijn hand op de hare te leggen.

'Luister, Sofia. Ik weet dat je vele jaren hebt verloren, maar je leven hoeft nog niet voorbij te zijn. Nog lang niet. Het leven zit vol nieuwe kansen, nieuwe wendingen van het lot. Je hebt nog heel wat jaren voor de boeg. Pak dat kaartje en bel dat nummer om erachter te komen wat je hebt geërfd. Dat is mijn advies. Ik heb zo'n idee dat het lot je eindelijk wel eens gunstig gezind zou kunnen zijn. En vergeet niet dat de wereld groter is dan dit eiland. Je zit niet vastgeketend aan deze plaats, deze rots. Er zijn steden en andere eilanden. En andere landen, als je zo dapper bent om...'

'Maar ik ben niet dapper,' zei ze verdrietig. 'Ik ben nog nooit van dit eiland af geweest. En ik heb niemand om mee te reizen.'

'Daar kon je je wel eens in vergissen,' zei hij. 'Wacht maar af. Misschien vind je wel iemand die met je mee wil reizen. Probeer nog even geduld te hebben.' Hij stond op en stak zijn hand naar haar uit. Toen ze hem terughoudend een hand gaf, bracht hij haar vingers naar zijn lippen om er een kus op te drukken.

'Bedankt dat u de moeite hebt genomen om me op te zoeken,' zei ze. 'En vergeet uw zakdoek niet.'

'Die mag je houden,' zei hij. 'En het was geen moeite, maar een genoegen.'

Samen liepen ze door de tuin. Bij het hek draaide hij zich naar haar om.

'Richt je blik op de toekomst, Sofia,' zei hij. 'Als je ervoor openstaat, kan die er heel rooskleurig uitzien.'

Tussen het onkruid plukte hij een rode klaproos, die hij aan haar gaf.

'Ik zal mijn uiterste best doen,' zei ze glimlachend. 'Daar kunt u van op aan.'

Tegen de avond was de warmte van die dag snel weer verdwenen. De dikke man arriveerde vroeg bij de taveerne in de haven.

De tafels waren nog niet gedekt, en het afval van de avond ervoor stond in stinkende zakken naast de kratten wijn en water.

De ober keek op van zijn krant. De dikke man vroeg om een tafel voor drie personen op het terras.

'Wilt u met dit weer buiten zitten?' vroeg de ober. 'Binnen is het veel aangenamer. We hebben de haard aangestoken.'

Toch hield de dikke man vol.

'Ik wil graag een tafel waar ik de veerboot kan zien aankomen,' zei hij. 'Ik verwacht een kennis en wil hem liever niet mislopen.'

De ober sleepte een tafeltje naar het terras, waar hij het tafelkleed vastzette om te voorkomen dat het wegwaaide. Hij dekte voor drie personen en zette drie stoelen neer. De dikke man ging op de stoel met het beste uitzicht zitten en haalde een boek uit zijn weekendtas. Nadat hij het op een willekeurige plaats had opengeslagen, legde hij het voor zich neer. Op de donkere zee vervormden de golven de reflectie van de lichtjes in de haven. De ober stak de kaars in het rode glazen windlicht aan, waardoor de dikke man in een robijnrode lichtcirkel vol demonisch dansende schaduwen kwam te zitten. Een magere zwarte kat maakte zijn honger kenbaar door miauwend onder tafel langs zijn voet te strijken. De opstekende wind blies tegen de bladzijden van het boek en sloeg ze als een bezeten lezer om.

Op de kade verschenen steeds meer passagiers voor de veerboot. Een vrachtwagen met lege, houten kratten reed voorbij en blies warme, vettige uitlaatgassen over de tafel. Een taxi met drie priesters in lange gewaden toeterde voor een straathond, die naar eten zocht. De dikke man bekeek iedereen die vanuit de duisternis op de kade arriveerde. De mensen passeerden zijn tafeltje en mengden zich onder het publiek dat al naar de donkere horizon staarde, waar de zwarte zee in de inktzwarte duisternis de avondhemel ontmoette. Een grootmoeder rende achter een jengelende peuter aan. Drie dienstplichtigen met kortgeschoren haar stapten lachend uit een legerjeep en gaven de chauffeur een klap op zijn rug voordat hij wegreed.

Ter hoogte van het tafeltje met het windlicht stonden twee mannen stil. Een van hen was gedrongen, de ander was oud en buiten adem.

'Wacht even,' zei de oude man. 'Je loopt veel te hard.'

'Ik breng je wel naar huis,' zei de gedrongen man. 'Ik neem de boot van morgen wel.'

De oude man legde een hand op zijn zoons schouder.

'Het is het beste zo, Manolis,' zei hij. 'Het zal je goeddoen om even weg te zijn en met een schone lei te beginnen.'

De gedrongen man staarde hoofdschuddend naar zijn voeten.

'Ik had nooit gedacht dat zij ook zo zou zijn,' zei hij. 'Ik heb mijn best gedaan om haar gelukkig te maken. Ze was een goede echtgenote, totdat hij in beeld verscheen. Maar ze kon hem niet afwijzen.' Hij balde zijn vuist en kreeg een harde, woedende blik in zijn ogen. 'Ik had die klootzak moeten doden toen ik de kans had.'

'Als je hem ook maar met één vinger had aangeraakt, zou je nu in de gevangenis naar de muur staren,' zei zijn vader. 'Doe wat ik heb gezegd, jongen. Ga een poosje weg, tot de gemoederen zijn bedaard. Voordat je het weet, is iedereen het vergeten en kom je bij je moeder en mij terug.'

'Ik zal jullie allemaal missen.'

De oude man greep hem bij de arm en trok hem mee.

'Geen handvol, maar een landvol,' zei hij toen ze wegliepen. 'Werk hard en spaar wat geld. Je bent vast snel weer terug.'

De dikke man keek hen na. De gedrongen man liep schoorvoetend, alsof hij een onplezierige toekomst tegemoet ging. Onder de stoel van de dikke man begon de zwarte kat te miauwen. Op dat moment doemde er een eenzame gestalte op uit de duisternis. Het was een man die dicht langs de muren bleef lopen, zo ver mogelijk van het zwakke licht van de straatlantaarns vandaan. Geluidloos liep hij door de haven in de richting van het dok.

De dikke man legde zijn hand op de bladzijden van zijn boek en boog zijn hoofd, alsof hij geboeid zat te lezen. Zodra de man in de schaduw hem in de gaten kreeg, stond hij aarzelend even stil. Vervolgens liep hij met afgewend hoofd de rode lichtcirkel van het windlicht in. Met gebogen hoofd bleef de dikke man hem discreet met zijn ogen volgen. Toen de haastige schaduw bijna voorbij was en al bijna in de menigte werd opgenomen, riep de dikke man hem terug.

'Commissaris! Commissaris Zafiridis!'

De politiecommissaris stond stil en draaide zich na een paar tellen langzaam om.

De dikke man riep hem nog een keer.

'Goedenavond, commissaris! Kan ik u even spreken?'

De commissaris liep terug naar het robijnrode licht rond de tafel van de dikke man. Zijn haar was achterovergekamd en werd met gel in model gehouden. Hij glimlachte zijn tanden bloot, maar zijn ogen lachten niet mee.

'De grote detective,' zei hij sarcastisch. 'U bent al vroeg uit eten.'

'Ik ben nog niet aan het eten,' reageerde de dikke man opgewekt. 'Ik neem aan dat u mijn boodschap hebt ontvangen. Er is al voor u gedekt. Ga zitten.'

'Ik heb uw boodschap inderdaad gekregen, maar ik vrees dat ik vanavond weinig tijd heb. Een andere keer.'

'Kom, kom,' zei de dikke man. 'Uw vriend wil u heel graag zien. Hij zegt dat hij al een hele poos niets meer van u heeft gehoord. Sinds u deze functie hebt aanvaard, om precies te zijn.'

In de verte klonk de hoorn van de naderende veerboot. De politiecommissaris keek in de richting van de horizon.

'Als je een drukke baan hebt, lijdt je sociale leven eronder,' zei hij. 'Dat weet u zelf ook wel. Maar voor een oude vriend...'

'Nou, ga dan zitten,' zei de dikke man, die een stoel voor hem naar achteren schoof. 'Zodra de boot aanmeert, gaan we hem samen begroeten.'

'Ik kom straks wel bij jullie zitten,' zei de commissaris. 'Zodra ik weg kan. Ik moet in het politiebureau nog wat zaken regelen.'

De dikke man stak zijn hand uit.

'Laat uw tas hier maar staan. Ik pas er wel op tot u terugkomt.'

De politiecommissaris keek naar de reistas in zijn hand, alsof hij zelf verbaasd was om hem te zien.

'Daar zit mijn uniform in,' zei hij. 'Een paar schone overhemden om in de kast te hangen. Ik zie u straks wel.'

Hij zette een stap in de richting van de plaats waar de boot zou aanmeren.

'Commissaris,' riep de dikke man, 'u hebt nog niet eens naar de naam van uw vriend gevraagd!'

De commissaris liep door alsof hij niets had gehoord. Hij glipte weg tussen de mensen en verdween uit het zicht.

In de baai kwam de veerboot steeds dichterbij en werden de lichten van de drie dekken steeds feller. Voor de tweede keer liet de hoorn zijn lage, treurige geluid horen.

De dikke man sloeg zijn boek dicht en zette zijn weekendtas onder zijn stoel. Nadat hij naar de ober had gebaard dat hij zo terugkwam, liep hij achter de politiecommissaris aan.

Toen de gigantische, witte romp in de buurt van de kade kwam, gingen de mensen steeds dichter bij het water staan. Er klonk geschreeuw en er werden antwoorden terug geschreeuwd. Bemanningsleden op het laagste dek gooiden trossen uit, en de eerste schakels van de ankerkettingen liepen ratelend door de wins.

De dikke man liep weg van de menigte en wandelde de stenen trap van het politiebureau op. Halverwege stond hij stil en leunde met zijn rug tegen de muur. Vanaf zijn schuilplaats in de schaduw keek hij naar de open laadklep en de passagiers die van de boot afkwamen. Hij zag de vertrekkende passagiers aan boord gaan en over de ijzeren trap naar de grote kajuit lopen. Onder hen waren de luidruchtige, jonge soldaten die hem waren gepasseerd, de drie plechtige priesters, de grootmoeder die het inmiddels rustig geworden kind knuffelde, en de gedrongen man, die nog steeds in de war leek te zijn en eigenlijk niet aan boord wilde. Hij zag dat de vrachtgoederen voor het eiland werden uitgeladen en dat de goederen voor het vasteland werden ingeladen. De wachtende voertuigen op de kade namen de plaats in van vrachtwagens die van de veerboot waren gereden. Hij bleef kijken tot de boot klaar was om te vertrekken.

Er klonk een harde fluit en op het autodek begon een bel te rinkelen.

Vanachter de klokkentoren haastte een figuur zich in de richting van de laadklep. Het was een man met een reistas, wiens achterovergekamde haar in het schijnsel van de deklichten glansde. Toen de laadklep omhoogging, sprong de man er snel op. Zodra hij aan boord was, zocht hij een veilig heenkomen op de boot.

Glimlachend keek de dikke man hem na.

De ober en de kok van de taveerne waren inmiddels naar binnen gegaan om hun rug bij het vuur te warmen.

'Ik ben bang dat het een tafeltje voor één wordt,' kondigde de dikke man aan. 'Mijn tafelgenoten moeten helaas verstek laten gaan. En jullie hadden gelijk over het weer. Ik denk dat ik toch liever binnen eet, waar het lekker warm is.'

Vanachter de reling op het hoogste dek keek de politiecommissaris naar de steeds kleiner wordende lichtjes van het eiland. Al gauw waren de lampen slechts speldenknoppen in de verte. Het was die avond bitter koud op zee. De relingen waren nat van de waterdamp, en het dek was glad van het zeewater. Boven zijn hoofd flapperde een gescheurde Griekse vlag in de aantrekkende wind. Kreunend en krakend deinde de boot op de golven.

Hij stond op een smal, doodlopend deel van het dek, ergens in de buurt van de boeg. Het was een plaats waar niemand hem stoorde en waar hij bekenden kon ontlopen. In de kajuit onder hem liet de televisie luide muziek horen. Mannenstemmen maakten ruzie over een spelletje poker, maar hierboven kon hij alleen maar de felle windvlagen, het opspattende, sissende schuim en het griezelige gekraak van de zwoegende boot op de golven horen.

Op de ijzeren traptreden klonken zware, langzame voetstappen. De politiecommissaris keek in de richting van de trap en zag een kleine, gedrongen man verschijnen, die zich aan de gladde, ijzeren trapleuning vastgreep om zijn evenwicht te bewaren. Boven aan de trap leek de man even te aarzelen. Ontmoedigd door de harde wind en de kou draaide hij zich om om weer naar binnen te lopen, maar terwijl hij zich omdraaide, kwam de stuurboordkant van de boot omhoog en helde het dek naar bakboord. De gedrongen man verloor zijn evenwicht, alsof hij een duw in zijn rug had gekregen, en moest haastig een paar passen in de richting van de reling zetten. Daar, op een paar meter afstand van de commissaris, hield hij zich stevig vast.

De commissaris wendde stilletjes zijn blik af, blij dat de man hem nog niet had opgemerkt. Hij keek omhoog naar de sterrenbeelden die hij tijdens zijn jeugd had geleerd: de Gordel van Orion, de Grote Beer, het Zevengesternte.

Even verderop haalde de gedrongen man een platte drankfles uit zijn zak en nam er een flinke slok uit. Nadat hij met een diepe zucht zijn onderarmen op de natte reling had gelegd, keek hij ook omhoog naar de sterren.

Vlak voor de voeten van de commissaris was een touwladder aan de spijlen van de reling bevestigd. Waarschijnlijk was een matroos vergeten om hem op te ruimen, want de met verf besmeurde, houten treden zwaaiden heen en weer boven het ruwe, zwarte water. Met een holle, aritmische klank sloegen ze tegen de romp van het schip. De commissaris keek over de boeg of er al land in zicht kwam. Hij zocht naar knipperende lichtjes, een zachte, elektrische gloed boven steden en dorpjes, maar hij zag niets. Hij huiverde en blies in zijn handen om ze warm te maken. Daarna stopte hij ze diep in de zakken van zijn jas. Toen hij zijn sleutels voelde, haalde hij ze uit zijn zak om ze veilig achter de rits van zijn borstzak te stoppen.

Zijn vingers waren koud, rood en stijf. De sleutels glipten uit zijn handen en vielen kletterend op het dek.

De gedrongen man draaide zich om.

'*Kalispera*,' zei hij.

De politiecommissaris gaf geen antwoord, maar boog zich voorover om de sleutels op te rapen. Op het dek klonken naderende voetstappen, en toen hij opkeek, stond de man naast hem.

Blijkbaar had de gedrongen man behoefte aan gezelschap, want hij bood hem glimlachend de geopende drankfles aan.

'Wilt u een slok?' vroeg hij.

De commissaris keek naar hem. Hij had een slappe, dikke buik, hangwangen en de kromme, scheve neus van een bokser. Zijn treurige ogen waren rood van de drank en hadden zware, geplooide oogleden.

De commissaris herkende hem meteen, want hij kon zich hem nog goed herinneren. Mandrakis, Manolis Mandrakis. Er had een onplezierig incident plaatsgevonden in een slagerij. De vrouw had achter de deur van een vriezer staan huilen, terwijl haar ondergoed als compromitterend bewijs op de grond had gelegen. Zelf had hij met zijn broek op zijn knieën gestaan en er hulpeloos en lachwekkend uitgezien. Er was een rek met messen binnen handbereik geweest, compleet met een hakmes om botten te klieven. Alleen zijn uniform had Mandrakis ervan weerhouden om hem aan een mes te rijgen. Mandrakis' woede was angstaanjagend geweest, en de commissaris wist dat hij geluk had gehad dat hij het avontuur zonder kleerscheuren had overleefd. De vrouw was niet mooi geweest, maar ze had ontzag voor hem gehad en gehoorzaam gedaan wat hij vroeg. Op dit moment wist hij niet eens meer hoe ze heette.

Op het moment dat Mandrakis hem aankeek, verdween de glimlach van zijn gezicht. De oogleden gingen verder open en zijn blik was opeens helder en alert.

'Jij,' zei hij. Hij keek over zijn schouder en achter de rug van de politiecommissaris. Toen hij zag dat ze alleen waren, gingen zijn mondhoeken weer omhoog.

'Krijg nou wat,' zei hij. 'Allejezus, krijg nou wat.'

'Hoe gaat het, Manolis?' vroeg de commissaris zacht.

'Hoe het gaat?' vroeg Mandrakis ongelovig. Hij kwam een stap dichterbij en priemde met zijn vinger naar Zafiridis' borst zonder hem te raken. 'Ik zal je verdomme vertellen hoe het gaat, eikel. Je hebt goddomme mijn leven verwoest! Ik ga weg omdat ik het thuis met al die pesterige, hatelijke opmerkingen niet meer uithou. Thuis! Je kunt het nauwelijks meer een thuis noemen nu ik geen vrouw meer heb. En we weten allebei waarom ik geen vrouw meer heb, hè?' Hij stak zijn wijsvinger weer uit naar de borstkas van de commissaris. Deze keer maakte de vingertop contact met het harde borstbeen. Zafiridis stapte naar achteren om aan de hand te ontsnappen.

'Ik heb geen vrouw meer omdat een of andere schoft zin had om haar te neuken,' raasde Mandrakis. 'Een schoft die zomaar dacht dat hij met zijn vuile vingers aan haar mocht zitten. Dezelfde schoft die dacht dat hij daar door zijn functie en uniform wel mee weg zou komen.'

Hij boog zich naar Zafiridis en trok aan diens revers, waardoor de knopen van een doodgewoon burgeroverhemd en een dun, gouden kettinkje met een crucifix zichtbaar werden. De glimlach op zijn gezicht veranderde in een brede grijns.

'Waar is uw uniform vanavond, commissaris?'

Hij nam een flinke slok uit zijn fles en keek de commissaris recht in de ogen.

'Ik hoop dat ze het waard was, klootzak,' zei hij. 'Gore, ellendige klootzak.'

Mandrakis draaide de fles in zijn hand om, waardoor de drank op zijn schoenen en het dek spetterde. Opeens kreeg de lucht een aangenaam krachtige, warme, goudbruine geur. Hij pakte de fles bij de korte hals en sloeg hem tegen de reling. Het glas versplinterde, waardoor hij een halve fles met scherpe kartels overhield. Hij hield de fles klaar om te slaan.

Zafiridis hief zijn handen op.

'Toe nou, Manolis,' zei hij. 'We kunnen er toch over praten?'

Mandrakis hield de fles voor zich uit en ging klaarstaan alsof hij wilde aanvallen. Uit zijn neus droop een straaltje snot, dat hij geagiteerd met de rug van zijn hand wegveegde.

'Ga uw gang, commissaris,' zei hij. 'Praat maar.'

'Het was niet wat je dacht,' begon Zafiridis. 'Ze...'

Mandrakis dook naar voren en ramde hem in zijn gezicht. De pijn voelde aan als een vuistslag, en Zafiridis was zo versuft dat hij dacht dat Manolis hem met een gebalde vuist had geslagen. Het volgende moment merkte hij dat hij met een oog niets kon zien en dat er een warme, vochtige straal over zijn gezicht druppelde. Met zijn vingers voelde hij aan zijn gewonde oog. Hoewel hij heel voorzichtig was, maakten zijn vingertoppen de pijn alleen maar erger. Toen hij zijn hand liet zakken, zag hij een donkere vloeistof over zijn vingertoppen lopen. Het warme, natte bloed liep via zijn nek in de kraag van zijn shirt en naar zijn borst. Vanaf zijn kin druppelde het langzaam op het dek.

'Was ze het waard, meneer de politieman?' schreeuwde Mandrakis. 'Ik ben nog niet klaar met je! Hier!'

Hij raakte Zafiridis vol op de schouder, waardoor de commissaris bijna zijn evenwicht verloor. Met gebogen hoofd vouwde Zafiridis zijn armen over zijn schedel om zichzelf te beschermen.

Mandrakis begon te lachen.

'Vuile lafbek die je bent,' schreeuwde hij. 'Vecht! Kom op, sla me dan!' Hij wees op zijn kaak om Zafiridis uit te nodigen te stompen. 'Sla me maar waar je wilt! Kom op, klootzak, pak me dan terug!'

Aan de voeten van de commissaris zwaaide de touwladder met de verfspetters heen en weer. De houten treden sloegen met een holle klap tegen de romp van de boot. Het waren hooguit tien treden naar het lager gelegen dek. Tien treden, dan was hij bij de kajuit, waar hij veilig was en hulp kon krijgen.

Hij dook tussen de spijlen door, graaide wanhopig naar de touwladder en greep zich uit alle macht aan de bovenste sporten vast. De zool van zijn rechterschoen gleed weg op het kleddernatte hout, waardoor hij klem kwam te zitten tegen het natte touw aan de zijkant. Terwijl hij zijn handen om de sporten klemde, zocht hij met de neus van zijn linkerschoen naar de volgende tree. Gejaagd en roekeloos begon hij aan de afdaling naar de kajuit.

De ladder was onstabiel en draaide heen en weer onder zijn gewicht. Er rolde een golf tegen de romp, waardoor er een regen van ijskoude druppeltjes water op hem neerdaalde. Vanaf het hoger gelegen dek schreeuwde Mandrakis bedreigingen naar hem. Vlak onder zich zag hij het heldere licht van de kajuit, en boven het kabaal van de zee en het gestage ritme van de motor uit hoorde hij mannen lachen.

Aan stuurboord ging de boot omhoog.

De ladder zwaaide als de slinger van een pendule opzij. Omdat het touw door zijn gewicht snelheid kreeg, kwam Zafiridis twee volle armlengtes van de romp af te hangen.

Op het moment dat de boot terughelde, ramde de ladder weer tegen de romp, waardoor Zafiridis' knokkels om de treden werden verbrijzeld. Hij schreeuwde het uit van de pijn en zag zijn gebroken vingers van de touwladder glijden.

Een paar tellen lang vloog hij door de lucht, maar toen belandde hij in het water, dat schokkend koud bleek te zijn. Zijn oren suisden toen hij zonk, maar toen hij weer boven water kwam, maakte het suizen plaats voor het oorverdovende gedreun van de propellerbladen, die met grote snelheid op hem af denderden.

Mandrakis zag hem vallen. Boven aan de trap, onder handbereik, hing een reddingsboei aan een dik touw. Peinzend keek hij naar het water. De boot had grote snelheid en de commissaris was al ver van hem verwijderd.

Hij haalde de reddingsboei van de haak en hield hem een paar tellen vast. Het was een donkere avond, en de afstand tussen boot en drenkeling werd steeds groter.

Mandrakis hing de reddingsboei weer aan de haak en liep de trap af naar de kajuit.

21.

Op maandagochtend nam de dikke man de eerste bus naar de baai van Sint-Savas. De hevige wind van die nacht was weer gaan liggen, maar de zee was nog steeds ruw en de golven rolden met witte schuimkoppen naar het strand.

De dikke man volgde het pad naar Nikos' huis en zocht onderweg schelpen op het kiezelstrand. Het terras van Nikos' huis was leeg. De ingeklapte stoelen leunden in een stapel tegen de muur, en bij de deur zat de magere rode kat te miauwen dat hij naar binnen wilde.

De dikke man klopte op de deur en wachtte. De kat kronkelde zich om zijn enkels en wreef zijn kop spinnend tegen zijn scheenbenen. De dikke man klopte nog een keer. Toen hij zeker wist dat er niemand zou komen, draaide hij voorzichtig aan de klink en deed de deur zachtjes open.

'Nikos!'

Binnen hoorde hij de echo van zijn eigen stem, alsof de kamers om hem heen leeg waren. Toen het weer stil werd, hoorde hij een geruis en bijna geluidloze bewegingen in de achterste kamer.

Hij liep naar binnen.

'Nikos! Ik ben het, Diaktoros!'

De kat rende langs hem heen naar een schoteltje met aangekoekte, opgedroogde stukjes vlees en een lege kom met een zure melkrand. De dikke man snuffelde. Het rook niet lekker in huis. Er hing een beginnende stank, de geur van een latrine.

'Nikos!'

'Hier.'

De dikke man duwde de slaapkamerdeur open. Nikos lag met een paar ruwe dekens over zich heen in bed, ondersteund door een paar kussens zonder kussenslopen. Hij droeg zijn winterjas en zijn schaapsleren pet, maar had zijn armen om zijn lichaam geslagen om het warmer te krijgen. Hij rilde zo hard dat zijn droge lippen trilden. Naast het bed was een emmer bijna tot aan de rand gevuld met donkere urine, en op het nachtkastje was de waterkaraf leeg.

De dikke man ging voorzichtig op het bed zitten.

'Hoe gaat het, vriend?' vroeg hij.

Nikos dwong zichzelf om te glimlachen, maar de lach vertrok heel snel tot een grimas.

'Niet zo best, zoals u ziet,' antwoordde hij. 'Ik schaam me voor de toestand waarin u me aantreft.'

'Ik ben degene die zich moet schamen,' zei de dikke man. 'Ik had veel eerder moeten komen. Ik wist dat je me nodig had, maar heb het te lang uitgesteld. Heb je pijn?'

'De pijn is ellendig,' antwoordde Nikos, die zijn best deed om te lachen, 'maar minder erg dan wat daarna komt.'

De dikke man was even stil.

'Heb je behoefte aan een dokter?' vroeg hij. 'Als je wilt, ga ik hem halen.'

Nikos boog zijn hoofd en verborg zijn ogen onder de klep van zijn pet.

'Een dokter lijkt me niet meer nodig,' zei hij. 'Ik pis bloed en de zwelling wordt elke dag groter. Ik wil alleen maar warm worden. Meer wens ik niet. Ik wil het alleen maar lekker warm hebben.'

'Dan wordt het tijd dat je met me meegaat,' zei de dikke man.

'Waarheen?' vroeg Nikos. 'Vissen? Het lijkt me leuk om nog eens een vis te vangen voordat ik...'

'Nee, we gaan niet vissen,' zei de dikke man. 'Ik breng je naar je zus. Daar hoor je nu te zijn.'

'Alsof zij me in huis wil hebben,' hoonde Nikos. 'Wie wil er nu een zieke in deze toestand? Ze wil me vast niet ontvangen.'

Door de dekens heen klopte de dikke man op Nikos' oude benen.

'Geloof me,' zei hij. 'Ze zal je met open armen ontvangen. Bij haar krijg je schone lakens, een warm huis en iets tegen de pijn.'

'Hoe moet ik daar dan komen?' vroeg Nikos. 'Ik kan niet eens naar de wc lopen om te plassen.'

'Vervoer is geen probleem,' zei de dikke man. 'Ik zal zorgen dat we met stijl kunnen reizen. Geef me het telefoonnummer van je zus maar, dan zal ik zeggen dat ze ons kan verwachten.'

Met een zucht leunde Nikos achterover in zijn kussens.

'Ze wil me vast niet ontvangen,' zei hij. 'Die last is veel te zwaar. Kom morgen maar terug, en zeg dat ze een kist meenemen om me uit mijn huis te dragen.'

'Nikos, luister,' zei de dikke man zacht. 'Je hoeft dit niet in je eentje door te maken. In het verleden zijn jullie het misschien niet altijd met elkaar eens geweest, maar je zus houdt van je. Ze is Irini kwijtgeraakt. Zorg alsjeblieft dat ze jou niet verliest voordat ze de kans heeft gehad om het goed te maken.'

De oude man schoof zijn pet weer omhoog.

'Het is altijd mijn grootste angst geweest om in mijn eentje te sterven,' zei hij. 'En nu het moment is aangebroken, merk ik dat die eenzaamheid minder erg is dan het doodgaan zelf. Ik denk steeds, nog één vis, nog één borrel. Ik wil alles nog een keertje meemaken, mijn hele leven overdoen.'

'Een aantal dingen kun je nog een keer beleven,' zei de dikke man. 'Je heb nog tijd voor die borrel en die vis. Het is ook nog niet te laat voor de zorg van iemand die van je houdt. Kies zelf maar: wil je in je eentje in je eigen pis sterven, of ga je met me mee?'

'Dat klinkt alsof u ons gaat verlaten,' zei Nikos.

'Ik begin binnenkort aan mijn volgende opdracht,' zei de dikke man. 'Ik heb nog een paar uur nodig om de zaken hier af te ronden. Als je nog even geduld kunt hebben, heel even maar, zal ik de jongens naar je toe sturen om je op de reis voor te bereiden.'

Bij de pier meerde een chic, zeewaardig motorjacht aan. Smalle gouden en donkerblauwe strepen op de slanke, witte romp benadrukten de subtiele vormgeving, en op de boeg was met gouden letters de naam – *Aphrodite* – geschilderd. Twee bemanningsleden in wit uniform maakten het jacht aan de voor- en achterkant met trossen vast. Het was duidelijk dat ze een goed team vormden en al vaker hadden samengewerkt. Een van hen, een kleine, donkere, kalende man met de volle lippen en wenkbrauwen van een sater, gaf rustig orders aan de ander, een imposante jongeman met blauwe ogen en een open, onschuldige blik.

'Enrico, Ilias, *kalimera sas*!' De dikke man gaf de bemanningsleden een vriendschappelijke klap op de rug. 'Jullie zijn wel een beetje laat. Ik dacht dat jullie niet meer zouden komen.'

De kleine, donkere Enrico trok zijn tros strak en zette hem vast.

'We hebben vanochtend veel tijd verloren,' vertelde hij. 'We hebben het merendeel van de reis tegen de wind in moeten varen. Ilias, ga eens koffiezetten, jongen.'

Even verderop begon de kerkklok tien uur te slaan.

'We hebben geen tijd meer voor koffie,' zei de dikke man. 'Onze man kan elk moment hier zijn.'

Ze bleven even wachten. De dikke man wandelde naar het einde van de pier en tuurde in het diepe, heldere water. Daar zag hij glinsterende jonge visjes vlak onder het wateroppervlak naar voedsel zoeken.

De wijzers van de klok schoven verder, maar nog altijd bleef het rustig in de baai. Fronsend stak de dikke man een sigaret op. Ilias haalde een stalen vijltje tevoorschijn om wat motorolie onder de keurige witte rand van zijn vingernagel te verwijderen.

Om de bocht verscheen een voertuig – een rode pick-up. Hij reed met volle vaart naar de pier en kwam abrupt tot stilstand, waardoor de wielen van de auto over het zand en het grind slipten.

Theo sprong met een woedende blik uit de auto en smeet het portier dicht.

'Jij!' Hij wees naar de dikke man.

'Je bent laat, Theo,' zei de dikke man kalm. 'Ik vind het niet prettig als iemand me laat wachten. Dat kunnen deze heren bevestigen.'

'Rot toch op!' zei Theo. 'Ik ben alleen maar gekomen om te zeggen dat je me met rust moet laten.'

Hij kwam voor de dikke man staan en priemde met zijn vinger in de richting van diens borstkas. De dikke man deed een stapje naar achteren en veegde met een vies gezicht zijn overhemd af, alsof hij een regen van speeksel over zich heen had gekregen.

Theo tierde verder.

'Ik had al gezegd dat je uit de buurt van mijn familie moest blijven! Waarom laat je verdorie briefjes bij mij thuis achter? Hoe moet ik dat aan mijn vrouw uitleggen? Bemoei je met je eigen zaken en laat mij voortaan met rust!'

Hijgend bleef Theo even staan, alsof zijn uitbarsting hem zelf verbaasde.

'Loop een eindje met me mee, Theo,' zei de dikke man.

Theo lachte. 'Waarom zou ik? Je kan de pot op!'

Hij wilde teruglopen naar zijn auto. Enrico leunde achteloos tegen het portier, en Ilias was met gevouwen armen op de treeplank gaan zitten.

Met grote passen beende Theo terug naar de dikke man.

'Wat stelt dit voor? De zware jongens? De maffia? Wat is er aan de hand? Roep je honden terug, vetzak. Laat ze aan de kant gaan.'

'Loop een eindje met me mee, Theo.' De stem van de dikke man begon een geïrriteerde, ongeduldige ondertoon te krijgen. 'Je kunt kiezen: of je praat nu met me, of ik ga met je mee en praat met je vrouw. Zeg het maar.'

Theo hoefde niet lang na te denken.

'Oké, dikzak. Ik loop wel een eindje met je mee. Maar ik wil niet praten.'

'Een lafaard tot het bittere einde,' zei de dikke man. 'Zelfs het dreigement van een echtelijke ruzie is al voldoende om de grote man over te halen. Kom mee. Ik weet een plaats waar niemand ons kan storen of afluisteren.'

Hij nam hem bij de elleboog en wilde hem naar het strandpad leiden, maar Theo trok zijn arm terug.

'Blijf van me af,' zei hij.

'Zoals je wilt.'

De dikke man ging voorop en liep over het strandpad naar de werf. Theo liep langzaam achter hem aan, waardoor de afstand tussen hem en de dikke man steeds groter werd. Maar de bemanningsleden kwamen achter hen aan, en naarmate de afstand tussen Theo en de dikke man groter werd, werd de afstand tussen Theo en de mannen in uniform steeds kleiner.

Theo riep naar de dikke man.

'Wat wil de maffia van me?'

'Het zijn mijn hulpjes, voor het geval je lastig wordt. Maar ik denk niet dat je het me moeilijk zult maken.'

Ze liepen langs de overwinterende boten op het strand naar de werkplaats. De deuren van de werkplaats waren dicht, en de huizen van de scheepsbouwers leken verlaten. In de tuin zochten zes magere scharrelkippen naar voedsel. Voor de deuren van de werkplaats stond een vuurkorf, waarin zachtjes een vuur van restjes dennenhout brandde.

De dikke man tilde de hendel van de deur op en maakte de werkplaats open.

'Naar binnen,' zei hij.

'Waarom?' vroeg Theo.

'Hier worden we niet gestoord. Je wilt toch privacy, Theo?'

In de werkplaats was het donker, want voor het enige raam hing een stuk zaklinnen. Het rook er naar vers geschaafd hout en teer.

'Ik stel voor dat je gaat zitten,' zei de dikke man. 'Dat is vast comfortabeler.'

Er stond maar één stoel, een ouderwetse eetkamerstoel met armleuningen, waarvan de leren zitting gebarsten en gescheurd was.

'Zo,' zei de dikke man. 'Vertel me maar eens over jou en Irini.'

Theo stond op van de stoel.

'Is het nu nog niet duidelijk? Ik heb het al tot vervelens toe gezegd en zeg het nu voor de laatste keer: ik kende de vrouw niet.'

Op het dak begon een haan luid te kraaien. De dikke man trok demonisch zijn wenkbrauwen op en glimlachte.

'Vind je dat niet toevallig, Theo?' vroeg hij. 'Bij je derde ontkenning gaat een haan kraaien.'

De bemanningsleden kwamen binnen, trokken de deuren dicht en schoven de grendels erop. Enrico zette een stormlantaarn op de werkbank, die met zijn zwakke, gele licht diepere schaduwen op het gezicht van de dikke man wierp. Ilias droeg een in krantenpapier gewikkeld pakje en een opgerold nylon touw.

'Ga zitten, Theo,' zei de dikke man. Theo aarzelde. Enrico zette een stap in zijn richting.

'Neem alstublieft plaats, meneer,' zei hij, 'anders zie ik me genoodzaakt u te dwingen.'

Theo spuugde in het zaagsel en ging zitten.

'Bind hem vast,' zei de dikke man.

Enrico ging achter de stoel staan om Theo vast te houden, terwijl Ilias Theo's onderarmen behendig aan de stoelleuningen vastmaakte.

'Stelletje klootzakken!' schreeuwde Theo in paniek. 'Waar zijn jullie verdomme mee bezig? Maak me los, eikels, anders bel ik goddomme de politie!'

Hij probeerde ze te schoppen, maar ze stonden buiten zijn bereik.

'Theo, Theo,' suste de dikke man. Hij legde een hand op

Theo's hoofd en aaide hem zachtjes over zijn haren. 'Stil maar, Theo, stil maar. Je hoeft de politie niet te bellen. Op dit moment ben ík de politie.'

Theo bewoog zijn hoofd wild heen en weer om aan de strelende hand te ontsnappen, maar de dikke man bleef aaien tot Theo rustig werd. Toen hij stilzat, haalde de dikke man een rode zijden zakdoek uit zijn zak, die hij in Theo's mond stopte.

De dikke man en de bemanningsleden bleven zwijgend naar Theo staan kijken.

Theo zat doodstil op zijn stoel.

'Rood, Theo,' zei de dikke man na een poosje. 'De kleur van de passie. De kleur van een kloppend hart. De kleur van bloed.'

Bij de werkbank begon Ilias het krantenpapier van het pakje te halen.

'Ik heb nog een appeltje met jou te schillen, vriend. Je hebt namelijk tegen me gelogen. Of niet soms?' Theo bonkte de poten van de stoelen heen en weer en probeerde op te staan. Enrico ging achter hem staan om hem aan zijn schouders omlaag te duwen.

'Weet je,' vervolgde de dikke man, 'je zou hier niet zitten als je tegen mij had gezegd: "Ik hield van Irini, vetzak, ik hield met hart en ziel van haar. Ze was mijn oogappel, mijn hele wereld, ze betekende alles voor me." Maar ja, dat heb je niet gezegd. Je zei dat je haar niet kende. Ik vraag me af wat die arme Irini daarvan zou denken.'

Achter de zakdoek probeerde Theo te schreeuwen, maar door de prop konden de woorden zijn mond niet verlaten.

'Hoe denk jij dat ze gestorven is, Theo? Zal ík het je dan maar vertellen? Je denkt dat je het weet. Je denkt dat ze zelfmoord heeft gepleegd, hè? Je denkt dat ze uit liefde voor jou van die rots is gesprongen.'

Theo schudde heftig zijn hoofd en sperde zijn ogen open.

'Je begrijpt het nog steeds niet, hè Theo?' De dikke man pakte een sigaret en leunde tegen de werkbank om hem aan te steken. Terwijl hij rook uitblies, zei hij: 'Ik ben totaal niet geïnteresseerd in je zielige pogingen om je status quo te handhaven. Het wordt tijd voor de waarheid. De waarheid, Theo. Een concept dat in jouw wereld nooit een grote rol heeft gespeeld. Tot vandaag. Dit is wat er werkelijk speelt. Ik weet dat ze 's nachts in je slaap rondwaart, want ik kan je dromen zien. Ik weet dat je haar in je armen houdt en huilt als je bij het ontwaken ontdekt dat het maar een droom was. Ik weet dat je haar overal op straat net om de hoek ziet glippen. Ik weet dat je op elk vrouwengezicht een spoor van haar mond en haar ogen hoopt te zien. En van haar glimlach, Theo. De glimlach die jij hebt versmaad. En ik denk dat je je rechterhand zou willen geven om nog een uur bij haar te kunnen zijn. Of niet soms? Wat zou je me geven als ik haar nu kon laten zien, haar verschijning kon oproepen? Wat zou een redelijke prijs zijn? Een vinger? Je rechterhand, misschien...' De dikke man kietelde met zijn vingertoppen over de rug van Theo's vastgebonden hand. De rode zakdoek smoorde Theo's geschreeuwde protest, en hij trok zo hard aan het touw om zijn polsen dat er blauwe aderen op zijn zwoegende armen zichtbaar werden.

Lachend klopte de dikke man hem op de hand.

'Nee, nee. Je begrijpt me verkeerd. Zo gewelddadig ben ik niet. Dat gaat me nét iets te ver.'

Hij bracht zijn mond naar Theo's oor, waarbij zijn gezicht een boze uitdrukking kreeg.

'Het is immers te laat om haar te zien,' siste hij. 'Gedane zaken nemen geen keer. Ik kan haar niet terughalen, en jij kunt haar niet meer vinden. Maar je hebt nergens spijt van, hè Theo? Of wel?'

Theo staarde naar zijn knieën om de glinsterende tranen in zijn ogen te verbergen, maar de dikke man legde zijn vuist onder zijn kin en duwde zijn gezicht ruw omhoog.

'Tranen, Theo? Hemeltjelief. Om wie huil je, jongen? Om haar, of om jezelf?'

Hij liet Theo's hoofd zakken en wenkte de bemanningsleden. 'Scheer hem.'

Ilias sloeg de krant open en spreidde de inhoud van zijn pakje uit. Een schaar. Een bus scheerschuim. Een vlijmscherp scheermes.

'Ik begrijp je probleem,' vervolgde de dikke man. 'Je hebt het hart van een fantastische minnaar, maar de ziel van een lafaard. Die combinatie levert dilemma's op. Je bent een stiekeme Romeo, Theo, een minnaar die niets durft. Dus ik zal je helpen, bekijk het maar op die manier. Ik zal je dilemma voor je oplossen. Ik duw je in de openbaarheid en maak een einde aan dat verborgen bestaan. Blijf doodstil zitten.'

Ilias pakte de schaar en begon Theo's haren te knippen. Hij knipte ze vlak bij de hoofdhuid af en liet de zachte, zwarte lokken tussen het zaagsel en de houtkrullen vallen. Hij bleef knippen tot er niets anders dan plukken ruwe stekels over waren.

Er viel een traan op Theo's knie. De dikke man liet de peuk van zijn sigaret op de grond vallen en drukte hem uit met zijn tennisschoen.

'Ik begin me steeds erger voor je te schamen,' zei hij, terwijl hij tegen de werkbank leunde. 'Je huilt om je haren, maar waar zijn je tranen om Irini?'

Ilias haalde de dop van de spuitbus en vulde zijn handpalm met een witte wolk scheerschuim, die hij op Theo's hoofd uitsmeerde.

'Je zou hier niet zitten als je ook maar een greintje fatsoen had getoond, als je naar Irini toe was gegaan om te zeggen dat je van haar hield, maar te laf was om de strijd aan te gaan en bij haar te zijn,' zei de dikke man.

Ilias klapte het scheermes open en haalde het lemmet over zijn vingertoppen. Achter het mes verscheen een dun spoortje bloed. Hij maakte de eerste gladde streek over Theo's hoofdhuid.

'Je zou hier ook niet zitten als je tegen haar man had gezegd dat je van zijn vrouw hield en met haar weg wilde gaan, of het pak slaag dat daarop zou volgen als een man had ondergaan.'

Ilias veegde het schuim en de stoppels op het scheermes af aan de werkbank. Op de plaatsen waar zijn mes was geweest, had Theo's hoofdhuid een grijze kleur. Hij schraapte verder.

'Je zou hier niet zitten als je je tegen je vaders intimiderende woorden had verzet en openlijk voor je geliefde had gekozen. Als je stiekem met haar was weggelopen en elders een nieuw leven was begonnen. Als je haar had gesteund en verdedigd als je vrienden haar een hoer noemden. Als je alles had geriskeerd om ten minste één keer met haar naar bed te gaan. Als je alles aan je vrouw had opgebiecht en bereid was geweest je huwelijk te redden. Je zou hier niet zitten als je ook maar één van deze keuzes had gemaakt, of zelfs maar een greintje integriteit in plaats van een grenzeloos egoïsme had getoond.

Je maakte jezelf wijs dat het een eervolle beslissing was om zo abrupt en zonder afscheid met je minnares te breken. Je hebt een vrouw en kind. Maar jouw "eervolle" gedrag was niets anders dan lafheid. Jouw voornaamste zorg was dat je niet in verlegenheid werd gebracht en geen ruzie met je vrouw kreeg. Daar is niets eervols aan. Het was puur eigenbelang. Geef toe, Theo.'

Met gesloten ogen knikte Theo langzaam met zijn hoofd.

'Goed zo.'

Ilias was klaar met scheren. Voorzichtig haalde de dikke man de zakdoek uit Theo's mond. De rode zijde was paars geworden, geverfd door speeksel en tranen.

'En je besefte niet hoe krachtig passie kan zijn, hè? Passie is een groot geschenk, een geschenk dat niet iedereen is gegund. Voor jou was het allemaal te overweldigend. Je was niet mans genoeg om aan haar eisen te voldoen. Nu is het tijd om je fouten goed te maken, je rug te rechten en de gevolgen van je daden onder ogen te zien. Je hebt je zelfgekozen rol erg goed gespeeld, maar het ging hier niet om overtuigend toneelspel. Overtuigend toneelspel is een instrument van mensen die niet alleen anderen voor de gek willen houden, maar ook zichzelf. Vooràl zichzelf.

Het ging erom dat je eerlijk was, Theo. En misschien wat aardiger.'

Theo zweeg even. Toen zei hij: 'Als ik op het laatst wat aardiger voor haar was geweest, had ze misschien geen zelfmoord gepleegd. Dat was mijn schuld. Ik heb haar gedood.'

'Nee, Theo. Ik vrees dat je je eigen invloed nu overschat. Ze heeft geen zelfmoord gepleegd. Niet om jou. Ook niet om een andere reden.'

'Was het dan een ongeluk?'

De dikke man dacht even na.

'Laten we het daar maar op houden, ja.'

'Dus mij valt niets te verwijten?'

'Pas op je woorden. Je kunt jezelf niet van de verantwoordelijkheid ontslaan nu je weet dat ze geen zelfmoord heeft gepleegd. Als die affaire met jou niet had plaatsgevonden, zou ze nu nog leven.'

Hij gaf een teken aan de bemanningsleden, die de grendels van de deur schoven en naar buiten glipten.

'Nu wordt het tijd om boete te doen. De tijd van verstoppen, toneelspelen en liegen is voorbij. Ik wil dat je je straf ondergaat als de eervolle man voor wie je jezelf hebt gehouden. Irini is door jou haar goede naam en reputatie kwijtgeraakt, en zij droeg die last dapper op haar schouders. Vandaag begin je aan een nieuw hoofdstuk in je leven. Je staat op het punt om alles kwijt te raken wat je dierbaar is en juist zo krampachtig probeerde te behouden: je reputatie, je goede naam, je kalme leventje en misschien zelfs je gezin. Juist omdat je al die dingen zo belangrijk vond, pak ik ze van je af. Alles in het leven is vergankelijk. Het is de kunst om de belangrijkste dingen te koesteren. Er bestaan onbetaalbare diamanten en waardeloze namaakjuwelen. Ze glanzen en glinsteren allemaal, maar in het verleden kon je het verschil niet zien. Op dit moment krijg je geen gelegenheid meer om te kiezen, maar mocht je in de toekomst nog kansen krijgen, kies dan zorgvuldiger. Nu moet je dapper zijn.'

Enrico had leren handschoenen aangetrokken en droeg een aluminium emmer naar binnen, die voor de helft was gevuld met hete, gitzwarte pek. Heel de werkplaats rook opeens naar de scherpe, penetrante geur. Ilias kwam binnen met een verfkwast en een zak die hij achter zijn rug verborg.

Ze gingen achter Theo staan en begonnen zijn kale hoofd met de hete pek te beschilderen. Overal waar de kwast Theo raakte, voelde hij zijn huid branden. De pek verspreidde zich over zijn hoofd en liep in snel stollende stroompjes in zijn nek. De bijtende damp prikte in zijn ogen en gaf hem het gevoel dat zijn oogkassen bloedden.

Ze bleven schilderen tot zijn hele hoofd glanzend zwart was. Ilias gaf de zak aan de dikke man, die hem hoog boven Theo's hoofd hield en omdraaide. Een regen van roodbruine en witte kippenveren daalde zacht als sneeuwvlokjes op Theo neer.

Bij de pier gaf de dikke man de sleutels van Theo's auto aan Enrico.

'Zet hem achterin, waar alle brave burgers hem goed kunnen zien, en breng hem met een grote omweg naar huis,' zei hij. 'Blijf niet langer dan een uur weg. We moeten voor Nikos Velianidis zorgen, en hij heeft niet veel tijd meer. Daarna gaan we weg. Volgens mij ben ik hier voorlopig klaar.'

George, de chauffeur, popelde om het nieuws van het schandaal te vertellen en schoof in Jakos' *kafenion* een stoel bij het tafeltje.

Iedereen luisterde opgewonden naar het verhaal: Lukas, Thassis Vier-vingers, Stavros Aangenaam, en de stijve, vergroeide Adonis, die op zijn stoel verschoof om geen enkel detail te missen. Alleen Jakos had geen interesse. Zodra hij Georges bestelling tussen de halfvolle wijnglazen en lege kopjes had gezet, liep hij terug naar de keuken om een cassettebandje met treurige duetten harder te zetten.

George nam een slok van zijn koffie en pakte een mes om een stuk plakkerige baklava af te snijden.

'Zijn vrouw gaat natuurlijk bij hem weg,' zo besloot hij zijn verhaal. 'Ze kwam net bij de bakker vandaan toen ze hem voorbij zag komen, druipend van het pek en van top tot teen onder de veren. Ze liet haar boodschappen op de grond vallen en werd compleet hysterisch. De dokter moest erbij komen om haar een kalmeringsmiddel te geven.'

'Maar wie heeft het gedaan?' vroeg Lukas. 'En waarom?'

Even waren ze allemaal stil.

'Het is net als toen met Krisaxos,' zei Thassis, die zijn hand voor de mond hield om een boer te maskeren. 'Dezelfde familie. Slecht bloed.'

'Wat een schande,' zei Adonis. 'Het is gewoon schunnig. Walgelijk. Zoiets mag je je familie nooit aandoen.'

Ze knikten allemaal instemmend, behalve Lukas, die peinzend naar de kale neus van zijn laars staarde.

'En nu Nikos weg is, kunnen we in Sint-Savas ook geen koffie meer krijgen,' klaagde George. 'Hij is zo ziek dat hij voorlopig niet meer terugkomt. Die Athener, die dikke man, heeft hem aan boord van zijn jacht meegenomen. Trouwens...' Hij stopte nog een hap honinggebak in zijn mond. De kleverige notenpasta maakte de rest van zijn woorden slecht verstaanbaar. '...dat is een fantastische boot, een echte schoonheid. Hij moet goed in de slappe was zitten om zo'n boot te kunnen kopen. Waar haalt hij het geld vandaan?'

'Weet je wat ik denk?' Thassis' rode, vermoeide ogen keken het kringetje zwaarwichtig rond. 'Hij is familie. Begrijpen jullie wat ik bedoel?'

Hij tikte met zijn wijsvinger tegen de zijkant van zijn neus en knipoogde naar Stavros.

'Welke familie?' vroeg Stavros.

'Hij heeft geen idee welke familie,' zei Adonis. 'Luister maar niet naar hem.'

'Waar gaat hij naartoe?' vroeg Lukas.

'Dat heb ik niet gevraagd, en hij heeft het ook niet verteld,' zei

George. 'Deze koffie is niet zo lekker als die van Nikos.' Aan de andere kant van de haven begon de klok het hele uur te slaan. 'Jezus, is het al zo laat? Als ik ook maar een minuut te laat ben, staan ze al klaar om me te lynchen.'

Lukas dronk zijn koffie tot er alleen nog maar dikke drab in zijn kopje zat.

'Ik rij met je mee,' zei hij. 'Als Nikos van Thiminos weggaat, wil ik afscheid van hem nemen.'

Er zaten maar weinig passagiers in de bus. Lukas ging vlak achter George zitten, op de plaats waar de dikke man ook altijd zat. De bus reed langzaam om de haven heen, klom tegen de berg op en reed achter het dorp weer omlaag. Toen ze Huis Halfweg passeerden, sloeg Lukas een kruisteken.

Maar toen ze bij de pier kwamen, was het jacht al verdwenen. Aan de andere kant van het strand waren de luiken voor Nikos' ramen gesloten en vastgezet. George parkeerde de bus slordig bij de halte en trok de krant van de vorige dag onder zijn stoel vandaan om onderuitgezakt te gaan zitten lezen.

Lukas stapte uit en liep een stukje in de richting van de pier. Door de reflectie van de grijze wolken leek de zee donker en troebel. Voor de kust dobberden de vissersboten op de golven heen en weer.

In de verte zeilde de indrukwekkende *Aphrodite* de baai van Sint-Savas uit. Met grote snelheid voer het jacht in de richting van de open zee. In het topje van de hoge mast wapperde de blauwwitte Griekse vlag onder een donkerblauw met gouden vlag die Lukas niet herkende. Op het dek stond de dikke man, die door de grote afstand nog maar een klein stipje leek.

Lukas rende naar het uiteinde van de pier en zwaaide met zijn armen naar het jacht.

'*Yassou*, mijn vriend!' riep hij. 'Yassou, Nikos! Goede reis!'

Even dacht hij dat de boodschap niet overkwam, maar toen tipte de dikke man aan zijn voorhoofd voor een zwierig afscheidsgebaar. Vanuit de verte stak hij zijn hand op om te zwaaien.

Bij de landtong aan het uiteinde van de baai maakte het jacht een draai naar stuurboord. De stormachtige wind dreef de wolken uiteen, en tussen de grijze plukken door vielen een paar zwakke zonnestralen als spotlights op het dek van de *Aphrodite*. De dikke man liep naar de boeg, zette zijn voeten een stukje uit elkaar en legde zijn handen op zijn rug, als een vlootcommandant die de toestand van de zee beoordeelt.

Terwijl Lukas hem nakeek, schoven de wolken weer voor elkaar en doofden de spotlights uit. De *Aphrodite* gleed om de landtong heen, waarna de boot en de dikke man uit het zicht verdwenen.

EPILOOG

Ik kan me die dag nog goed herinneren. Wie zou die schande ooit kunnen vergeten? Gek genoeg was ik op een bepaalde manier ook opgelucht. Ondanks de jouwende, lachende, schreeuwende en huilende mensen voelde ik me vrij. Ik dacht, nu hoef ik me niet meer te verstoppen. Het schuilen is voorbij.

Natuurlijk wees Elpida me de deur. Vond ik het erg om weg te gaan? Ik had medelijden met mezelf, maar ook met haar, omdat we allebei dachten dat ze die vreselijke schande nooit ongedaan zou kunnen maken. Mijn moeder moest huilen toen ze me zag, en mijn vader was zo kwaad dat hij met zijn vuist uithaalde en zwoer dat hij me nooit meer binnen zou laten. Maar mijn moeder kwam in verzet, en trotseerde hem krachtiger dan ik ooit heb gedaan. Ze kreeg hem zo ver dat ik mocht blijven. Omdat ze van me houdt.

Ze belde de dokter en vroeg wat ze moest doen. Daarna smeerde ze mijn hoofd in met olie en wikkelde er doeken omheen. Elke dag verzorgde ze me, door me opnieuw in te smeren en in te wikkelen. Geleidelijk aan lieten de veren los, en na een week of twee viel ook het merendeel van de pek van mijn hoofd. Mijn haar begon weer te groeien. Ik kreeg mijn oude uiterlijk weer terug.

Maar vanbinnen was ik veranderd.

Ik viste en dacht na. Ik bracht vele, vele dagen op het water door, omdat de zee me kalmeerde. 's Ochtends, wanneer de zon zijn eerste stralen laat zien, ketst het licht vaak niet af op het water, maar breken de stralen als slanke pijlen door het oppervlak heen. Witte schachten wijzen dan de weg naar de diepte. Soms had ik zin om die pijlen te volgen en in die prachtige blauwe leegte te duiken. Ik vond het geen eng idee. De zee leek me een liefkozende slaap te bieden in plaats van een verstikkende dood. Ik was ervan overtuigd dat ik het aanbod ooit zou accepteren.

De tijd verstreek en mijn moeder wilde dat ik bij Elpida langsging. Ze zei dat ik met haar moest praten, maar in haar hart wilde ze dat alles weer zoals vroeger werd. Ik weigerde te gaan, want ik was zo veranderd dat ik nooit meer naar dat lege huwelijk terug wilde. Wat had ik tegen Elpida moeten zeggen? Ik kon alleen maar leugens bedenken. En trouwens, dan had je nog dat gedoe met Eleni. Eleni had de gewoonte ontwikkeld om dag en nacht in de kerk te bidden. Ze vastte, weigerde te slapen, en bleef op haar knieën zitten tot ze bloedden en tot haar ongewassen lichaam begon te stinken. Tijdens de hele vastenperiode bleef ze bidden en werd ze bewonderd om haar vroomheid. Maar ook na Pasen weigerde ze op te houden met bidden, dus daarom sloten ze haar op in haar huis en belden de specialisten. De dokter stelde de diagnose dementia, een zwelling in haar hersenen, maar papa Philippas noemde het een ware roeping en de genade van God. Inmiddels zijn we maanden verder, maar er verandert niets. Ze zeggen dat haar huis eruitziet als een kathedraal, vol wierook en kaarsen en iconen op alle muren. Het maakt niet uit of het nu dementia of ware vroomheid is, in de praktijk komt het op hetzelfde neer: mijn schoonmoeder is een gevangene van zichzelf en probeert zo devoot als een heilige te worden. Elpida is niet eens ongelukkig, want nu ze voor haar getikte moeder moet zorgen, heeft ze de status van martelaar gekregen.

En ik blijf alleen.

Weet je, onze taal barst van de sussende, wijze woorden waarmee mensen die verdrietig of wanhopig zijn – of beschaamd en vernederd, zoals ik – worden getroost. Over honderd jaar is iedereen het vergeten, zeggen de oude mensen. Maar dat is niet zo, niet op dit eiland. Hier werkt dat niet.

Het komt hierop neer: mensen die berucht zijn geweest, zijn gedoemd dat te blijven. Hun verhaal blijft altijd actueel in een land waar niets belangrijks gebeurt.

Op een eiland in de buurt van Thiminos kon Andreas zijn bescheiden vangst goed verkopen. Op het marktplein ging hij op een terras in de schaduw van een plataan zitten. Aan het tafeltje van het café pakte hij zijn geld – een paar bankbiljetten, veel zilverkleurige munten – om het te tellen.

'Nog even, dan ben je rijk.'

Met een dienblad onder haar arm kwam ze voor hem staan. In haar korte kapsel waren grijze haren zichtbaar, en toen ze lachte, werden de lijntjes in haar gezicht dieper.

Hij keek naar haar omhoog en glimlachte terug.

'Ik zal nooit rijk worden,' zei hij, 'en als ik het wel werd, zou ik er niet gelukkig van worden.'

'Ben je ongelukkig, dan?' Het was geen spottende vraag. Haar toon klonk werkelijk geïnteresseerd.

'Ik heb mijn vrouw vorig jaar verloren,' antwoordde hij. 'Het leven is minder leuk in mijn eentje.'

'Ik weet wat je bedoelt. Je mist haar,' zei ze. 'Voor mij is het nu vier jaar geleden, maar ik wacht nog steeds tot mijn man thuiskomt. Wat mag het zijn?'

Haar ogen deden hem aan die van Irini denken.

'Koffie,' antwoordde hij. 'En ik hoop dat je me niet brutaal vindt, maar mag ik jou ook iets aanbieden? Je hoeft niet bij me te komen zitten, als je bang bent dat de mensen daarover gaan praten.'

Haar glimlach werd breder.

'We zijn geen kleine kinderen, en ik ben geen blozende maagd meer,' zei ze.

Ze kwam gezellig bij hem aan tafel zitten. Ze voerden een aangenaam gesprek tot het tijd werd om de boot klaar te maken en terug te varen.

'Als de weersomstandigheden goed blijven, ben ik hier volgende week weer,' zei hij.

'Dan kun je me hier altijd vinden,' zei ze. 'Vraag maar naar Zoë.'

Hij liep in de richting van de kade en zwaaide ten afscheid.

Bij de deur van het café zag haar bejaarde vader dat ze hem nakeek.

'Geloof jij in de Voorzienigheid?' vroeg ze, terwijl ze hun tafeltje afruimde.

'Je zou een ontzettende domoor zijn als je er niet in geloofde,' antwoordde hij. 'Wat het leven je ook brengt, lieve meid, soms hebben de goden het beste met je voor.'

Vanaf zijn plaats bij het gietijzeren hek keek Theo naar de tuin. Tot voor kort had het er hier heel anders uitgezien, met metershoog onkruid en woekerende distels. Nu lag het gemaaide onkruid bij de muur te rotten en verschenen er nieuwe grassprietjes tussen de scherpe, afgesneden stoppels. Het pad naar het huis was schoongeveegd en werd geflankeerd door potten met bloeiende cyclamen.

Door de openstaande deur liep Theo naar de zonnige keuken, waar het naar verse bloemen en meubelwas rook.

'Tante Sofia!'

Ze kwam meteen naar hem toe om een kus op zijn voorhoofd te drukken, vlak onder de grens van zijn superkorte haar. Blijkbaar had ze genoeg van haar zwarte weduwenkleding, want ze droeg een jurk in limoengroene en gele tinten. Ze had haar neus gepoederd en een kwastje met rouge over haar wangen gehaald.

'Hoe gaat het, Theo?' vroeg ze. Ze gebaarde dat hij plaats moest nemen en ging naast hem zitten. Terwijl ze haar hand naar zijn gezicht uitstak, zei ze: 'Je ziet er niet zo best uit, lieverd. Ik zal een kopje thee zetten.'

'Ik wil geen thee.' Er ging een vlieg op zijn onderarm zitten, die hij niet meteen wegjoeg. 'Ik denk erover om weg te gaan. Een tijd op reis te gaan. Gewoon eens iets anders.'

'Wat een goed idee,' zei ze. 'Waarom ook niet? Je voeten zijn niet aan dit eiland, deze rots verankerd. Er zijn steden en andere eilanden. Er zijn ook andere landen, als je zo dapper bent om...'

'Dat zou geld kosten,' zei hij, terwijl hij de vlieg van zijn mouw veegde. 'Ik heb geen geld.'

Op het dressoir lag een keurig gewassen en gestreken zijden zakdoek. Op de zakdoek lag het visitekaartje van een advocaat in Athene.

'Nou, ik heb wat geld geërfd, en ik denk er zelf ook over om een reisje te maken,' zei ze. 'Dus als je prijs stelt op gezelschap, kunnen we samen reizen. De wereld kan soms zo eenzaam zijn. We zouden heel ver weg kunnen gaan, Theo. We kunnen overal naartoe.'

Ze legde een arm om hem heen en trok hem dicht tegen zich aan, net als vroeger, toen hij als jongetje troost voor zijn schaafwonden, blauwe plekken en ruzietjes had gezocht.

Hij legde zijn hoofd op haar schouder.

'Je mag me uitlachen, maar ik vind het eng om te gaan,' zei hij. 'Dit eiland is de wereld die ik ken. Thiminos heeft me gemaakt tot wie ik ben, en nu dwingt het eiland me weg te gaan, door te zeggen dat hier geen plaats meer voor me is. Het zegt dat ik mijn koffers moet pakken, maar mijn vertrek wordt een soort ballingschap. Ik weet dat dit ellendige eiland me elke dag van mijn reis naar huis zal roepen.'

Sofia gaf hem een kus op zijn hoofd.

'Dan zullen we het eiland met ons tweetjes missen,' zei ze. 'En als we echt heimwee krijgen, bellen we je moeder voor alle roddels en schandalige nieuwtjes. En misschien komen we ooit, als er genoeg tijd is verstreken, wel terug om ons hier weer te vestigen. Maar je hebt gelijk, nu is het tijd dat we weggaan. We hebben elkaar, Theo. En wat nog veel belangrijker is, we hebben een soort toekomst.'

In de haven klonk het langgerekte, sombere getoeter van een vertrekkende veerboot.

'Ga je koffers pakken en neem afscheid van de mensen die je dierbaar zijn,' zei Sofia. 'We vertrekken met de eerstvolgende boot. Geloof me, *agapi mou*. We vinden wel een plaats waar we welkom zijn, ook al kennen de mensen ons niet – een plaats waar niemand weet hoe ons leven er vroeger uitzag.'

DANKWOORD

Mijn dank gaat uit naar Chris, het hele team van Christopher Little, Arzu Tahsin, Holly Roberts en Emily Sweet, voor hun enthousiasme, adviezen en het zorgvuldig doorlezen van het boek.

Dank aan Julie en Ian Kidd voor hun buitengewoon praktische steun.

Verder wil ik in het bijzonder mijn zoon Will bedanken, die heel wat heeft moeten slikken.